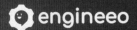
engineeo

KB184654

수포자도 되살리는
▶ 유튜버 연고맨의

# 전투
# 수학

전기기사/ 기초편입수학/ 소방기사/ 일반기계기사
전기직공무원 시험대비

저자직강
무료인강

NCS기반
출제기준

기초수학
기본서

엔지니오
https://engineeo.kr/

종이
접기

# 책까지 쓰게 해주신 아버지 감사합니다

**저**희 아버지는 20년 이상, 5평 남짓한 공간에서 카세트테이프와 담배를 파셨습니다. 그러던 중 카세트테이프가 MP3로 대체되면서 네 식구 생활비조차 나오지 않게 되었습니다. 그렇게 아버지는 시설관리를 시작하게 되었습니다. 일하다 보니 아파트 전기과장이란 꿈이 생겼습니다. 꿈을 위해 50대에 전기기사 공부를 시작하셨지만 참 어려워하셨습니다. 저는 아버지에게 전기기사에 필요한 기초 수학과 전기 개념을 가르쳐드리며 합격을 도와드렸고, 어떤 부분을 어려워하는지 누구보다 잘 알게 되었습니다.
전기 공부를 막 시작했던 저희 아버지처럼 기초가 부족한 분들을 위해 유튜브 채널을 운영하게 되었고 운 좋게 이 책을 집필하게 되었습니다.

시중에는 전기(산업)기사 책이 너무나 많습니다. 지금까지 쓰인 유사 도서들과 결정적으로 다르지 않다면 의미가 없습니다. 그래서 지금까지 나온 전기(산업)기사 책들과 이 책의 차이점을 설명하고자 합니다.
이 책을 여타 전기(산업)기사 입문서들과 구별 짓는 핵심은 다음 다섯 가지입니다.

## 1. 수학을 아무것도 모르는 사람이 독자라고 생각하고 쓴 책입니다.

더하기 빼기만 알고 있어도 됩니다. 그다음 과정은 저에게 맡겨주세요. 기사, 기술사, 편입, 대학교 수학 개념이 부족한 분들 모두에게 도움이 되는 책입니다. 유튜브에 올라오는 무료강의를 참고해 주세요.

## 2. 전기(산업)기사에 출제되는 모든 수학 개념을 담았습니다.

전기(산업)기사 시험에는 수학 과목이 없지만, 수학을 알지 못하면 풀 수 없는 문제들이 많습니다.
전기(산업)기사에 나오는 수학 개념은 초등학교부터 대학교 2학년까지 범위가 방대합니다. 교육과정 중 전기(산업)기사에 출제되는 개념만 담았습니다.

### 3. 기본문제와 실제 기출문제를 담았습니다.

기본문제를 통해 전기(산업)기사에 나오는 수학 개념만 익힐 수 있도록 구성하였습니다. 그리고 그 수학
개념이 어떻게 실제 기출문제에 적용되는지 보여줍니다. 전기기사, 전기산업기사 40년 치를
참고하였습니다.

### 4. 기초전기수학 사전입니다.

실제 전기(산업)기사 시험에 적용되는 주제를 선별하여, 깔끔하게 정리했습니다. '전투수학'은 두 번째로
출간할 전기(산업)기사 과녀도 문제집의 참고서적으로 활용될 것입니다. 과녀도 무제집 문제마다
'전투수학'의 어떤 단원이 적용된 문제인지 주석을 달 예정입니다.

### 5. 수학 이외의 영역도 다룹니다.

회로이론 및 제어공학에 나오는 SI 접두어, 라플라스, 오일러공식 그리고 전기자기학에 나오는 $\nabla$ (델),
유전율, 투자율의 개념을 이 책에 실었습니다. 전기와 수학, 그 중간 어디쯤에 있는 개념은 넣는 편이
좋다고 판단했습니다.

**Easy Electric**, 이제 시작합니다.

# TABLE OF CONTENTS

유 튜 버 연 고 맨 의 전 투 수 학

# TABLE OF CONTENTS

유 튜 버 연 고 맨 의 전 투 수 학

# TABLE OF CONTENTS

유 튜 버 연 고 맨 의 전 투 수 학

# TABLE OF CONTENTS

유 튜 버 연 고 맨 의 전 투 수 학

# TABLE OF CONTENTS

## 유 튜 버 연 고 맨 의 전 투 수 학

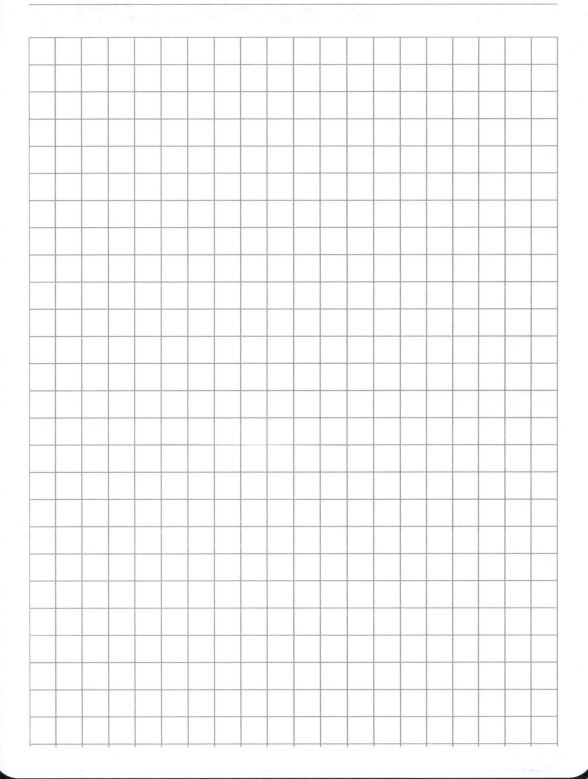

# SI 접두어, 단위

## 1. SI 접두어

국제단위계(international system of units ; 약칭 SI)에서 각 단위의 양의 크기를 쉽게 나타내기 위해 각 단위의 앞에 붙여 쓰는 접두어를 말한다.

✓ 1m를 기준으로 1,000m이면 1km, 0.01m이면 1cm, 0.001m이면 1mm

| $10^9$ | 기가(giga) | G | 십억 | 1 000 000 000 |
|---|---|---|---|---|
| $10^6$ | 메가(mega) | M | 백만 | 1 000 000 |
| $10^3$ | 킬로(kilo) | k | 천 | 1 000 |
| $10^0$ | | | 일 | 1 |
| $10^{-2}$ | 센티(centi) | c | 백분의 일 | 0.01 |
| $10^{-3}$ | 밀리(milli) | m | 천분의 일 | 0.001 |
| $10^{-6}$ | 마이크로(micro) | μ | 백만분의 일 | 0.000 001 |
| $10^{-9}$ | 나노(nano) | n | 십억분의 일 | 0.000 000 001 |
| $10^{-12}$ | 피코(pico) | p | 일조분의 일 | 0.000 000 000 001 |

- **cm³(세제곱센티미터)** : 한 모서리의 길이가 1cm인 정육면체의 부피를 '1cm³'라고 하고, '일 세제곱센티미터'라고 읽는다.
- **m³(세제곱미터)** : 한 모서리의 길이가 1m인 정육면체의 부피를 '1m³'라고 하고, '일 세제곱미터'라고 읽는다.

$$1m^3 = 1cm^3 의 1000000 = 100 \times 100 \times 100$$

- **부피** : 어떤 입체가 차지하는 공간의 크기이다.

## 2. 단위

50kg+165cm는 연산이 불가능하지만 다음과 같은 연산은 가능하다.

$$3m \times 10m^2 = 30m^3$$

즉, 길이 3m라는 양과 면적 10m²라는 양을 곱하면 부피 30m³라는 새로운 양이 된다.

이렇듯 2개의 단위를 곱하거나 나누면 다른 단위가 될 수 있다(다른 단위로 만들었을 때 의미가 있다면). 예를 들어, 컴퓨터 10kg을 3m 옮길 때 드는 에너지는,

$$10N \times 3m = 30N \cdot m = 30J$$

이 된다. 이 '·' 기호는 단위 사이에 있으면 곱셈을 의미한다. 두 단위 $N$과 $m$를 곱해서 새로운 에너지 단위 $J$(줄), 즉 $N \cdot m = J$가 되었다.

나눗셈의 경우도 살펴보자. 예를 들어, 길이 10m를 시간 2s로 나누면,

$$10m/2s = 5m/s$$

m/s는 '초당 미터'라고 읽으며, 속도의 단위다. 1초당 5m를 간다는 의미이다.

이 단위 안에 들어 있는 '/' 기호는 나눗셈을 의미한다.

이런 특정 단위들은 그때그때 알아가자.

# 기출문제

## 01
그림과 같은 전선로의 단락 용량은 약 몇 [MVA]인가?(단, 그림의 수치는 $10,000$[kVA]를 기준으로 한 %리액턴스를 나타낸다)

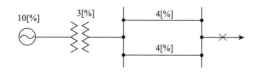

① 33.7

② 66.7

③ 99.7

④ 132.7

**풀이** 단락용량: $Ps = \dfrac{100}{\%X} P_n = \dfrac{100}{15} \times 10,000 \times 10^{-3}$
$= 66.7$[MVA]

$\%X = 10 + 3 + \dfrac{4 \times 4}{4 + 4} = 15$[%]

정답 ②

## 02
인덕턴스 $L = 20$[mH]인 코일에 실효값, $V = 50$[V], 주파수 $f = 60$[Hz]인 정현파 전압을 인가했을 때, 코일에 축적되는 평균 자기에너지 $W_L$은 약 몇 [J]인가?

① 0.22

② 0.33

③ 0.44

④ 0.55

**풀이** 인덕턴스에 축적되는 에너지

$W = \dfrac{1}{2} LI^2 = \dfrac{1}{2} L \times \left(\dfrac{V}{Z}\right)^2 = \dfrac{1}{2} L \left(\dfrac{V}{\omega L}\right)^2$
$= \dfrac{1}{2} \times 20 \times 10^{-3} \times \left(\dfrac{50}{2\pi \times 60 \times 20 \times 10^{-3}}\right)^2$
$= 0.44$[J]

정답 ③

## 03
그림과 같은 영역 $y \leq 0$은 완전 도체로 위치해 있고, 영역 $y \geq 0$은 완전 유전체로 위치해 있을 때 만약 경계 무한 평면의 도체면상에 면전하밀도 $\rho_s = 2$[nC/m²]가 분포되어 있다면 $P$점$(-4, 1, -5)$[m]의 전계의 세기[V/m]는?

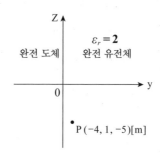

① $18\pi a_y$

② $36\pi a_y$

③ $-54\pi a_y$

④ $72\pi a_y$

**풀이** $E = \dfrac{\rho_s}{\varepsilon} = \dfrac{\rho_s}{\varepsilon_0 \varepsilon_r}$

$\therefore E = \dfrac{2 \times 10^{-9}}{\dfrac{10^{-9}}{36\pi} \times 2} = 36\pi$[V/m]

경계부간 평면상의 전계이므로 방향은 $y$방향이다.

$\therefore 36\pi a_y$[V/m]

정답 ②

## 04
직류 $500$[V] 절연저항계로 절연저항을 측정하니 $2$[MΩ]이 되었다면 누설전류[$\mu$A]는?

① 25

② 250

③ 1,000

④ 1,250

**풀이** 누설전류

$I = \dfrac{V}{R} = \dfrac{500}{2 \times 10^6} = 250 \times 10^{-6}$[A] $= 250$[$\mu$A]

정답 ②

## 05

정전용량 $6[\mu F]$, 극간거리 $2[\text{mm}]$의 평판 콘덴서에 $300[\mu C]$의 전하를 주었을 때 극판 간의 전계는 몇 $[\text{V/mm}]$인가?

① 25  ② 50
③ 150  ④ 200

**풀이** 전계의 세기 : $E = \dfrac{V}{d} = \dfrac{50}{2} = 25[\text{V/mm}]$

(전기량 : $Q = ne = It = CV$ 에서

전압 : $V = \dfrac{Q}{C} = \dfrac{300 \times 10^{-6}}{6 \times 10^{-6}} = 50[\text{V}]$)

정답 ①

## 06

투자율 $\mu = \mu_0$, 굴절률 $n = 2$, 전도율 $\sigma = 0.5$ 의 특성을 갖는 매질 내부의 한 점에서 전계가 $E = 10\cos(2\pi ft)a_x$ 로 주어질 경우 전도전류와 변위 전류 밀도의 최댓값의 크기가 같아지는 전계의 주파수 $f[\text{GHz}]$는?

① 1.75  ② 2.25
③ 5.75  ④ 10.25

**풀이** 전도전류와 변위전류가 같을 때 : $\sigma = 2\pi f\varepsilon$

$\begin{aligned}주파수\ f &= \dfrac{\sigma}{2\pi\varepsilon} = \dfrac{\sigma}{2\pi(n^2\varepsilon_0)}\\ &= \dfrac{0.5}{2\pi \times 2^2 \times 8.855 \times 10^{-12}}\\ &= 2.25 \times 10^9[\text{Hz}] = 2.25[\text{GHz}]\end{aligned}$

정답 ②

## 07

자성체 $3 \times 4 \times 20[\text{cm}^3]$가 자속밀도 $B = 130[\text{mT}]$로 자화되었을 때 자기모멘트가 $48[A \cdot \text{m}^2]$이었다면 자화의 세기(M)은 몇 $[\text{A/m}]$인가?

① $10^4$  ② $10^5$
③ $2 \times 10^4$  ④ $2 \times 10^5$

**풀이** 자화의 세기 : $J = \dfrac{M}{V}[\text{A/m}]$

($J$:자화의 세기, $M$:단위 체적당의 자기모멘트, $V$:자성체의 체적$[\text{m}^3]$)

$J = \dfrac{M}{V} = \dfrac{48}{3 \times 4 \times 20 \times 10^{-6}} = 2 \times 10^5[\text{A/m}]$

$cm^3$을 $m^3$으로 수정

정답 ④

## 08

3상 송전선로의 전압이 $66,000[\text{V}]$, 주파수가 $60[\text{Hz}]$, 길이가 $10[\text{km}]$, 1선당 정전용량이 $0.3464$ $[\mu F/\text{km}]$인 무부하 충전전류는 약 몇 $[\text{A}]$인가?

① 40  ② 45
③ 50  ④ 55

**풀이** 전선의 충전전류 : $I_c = 2\pi fCl\dfrac{V}{\sqrt{3}}[\text{A}]$

($C$:전선 1선당 정전용량$[\text{F}]$, $V$:선간전압$[\text{V}]$, $l$:선로의 길이$[\text{km}]$, $f$:주파수$[\text{Hz}]$)

$\begin{aligned}I_c &= 2\pi fCl\dfrac{V}{\sqrt{3}}\\ &= 2\pi \times 60 \times 0.3464 \times 10^{-6} \times 10 \times \dfrac{66,000}{\sqrt{3}}\\ &\fallingdotseq 50[\text{A}]\end{aligned}$

정답 ③

## *09*  5,000[μF]의 콘덴서를 60[V]로 충전시켰을 때 콘덴서에 축적되는 에너지는 몇 [J]인가?

① 5                    ② 9

③ 45                   ④ 90

**풀이** 콘덴서 정전 용량

$C = 5000[\mu F] = 5000 \times 10^{-6}[F]$

콘덴서에 축적되는 에너지

$W = \dfrac{1}{2}CV^2[J]$

$\quad = \dfrac{1}{2} \times (5000 \times 10^{-6}) \times 3600 = 9[J]$

**정답** ②

## *10*  공기 중에 있는 지름 6[cm]인 단일 도체구의 정전용량은 약 몇 [pF]인가?

① 0.34                 ② 0.67

③ 3.34                 ④ 6.71

**풀이** 도체구의 정전용량 : $C = 4\pi\varepsilon_0 a[F]$

($C$ : 정전용량, $\varepsilon_0$ : 진공 중의 유전율, $a$ : 반지름)

지름 6[cm](=0.06[m])인 단일 도체구

$C = 4\pi\varepsilon_0 a = \dfrac{1}{9 \times 10^9} \times (3 \times 10^{-2}) = \dfrac{1}{3} \times 10^{-11}$

$$4\pi\varepsilon_0 = 4 \times 3.14 \times 8.855 \times 10^{-12} = \dfrac{1}{9 \times 10^9}$$

$C = 3.3 \times 10^{-12}[F] = 3.3[pF]$

$$p(\text{피코}) = 10^{-12}$$

**정답** ③

## *11*  무한장 평행 2선 선로에 주파수 4[MHz]의 전압을 가하였을 때 전압의 위상정수는 약 몇 [rad/m]인가?(단, 여기서 전파속도 $3 \times 10^8$[m/sec]로 한다)

① 0.0734               ② 0.0838

③ 0.0934               ④ 0.0634

**풀이** 전파속도 $v = \dfrac{\omega}{\beta}$ 의 식에서

위상정수 $\beta = \dfrac{\omega}{v} = \dfrac{2\pi f}{v} = \dfrac{2\pi \times 4 \times 10^6}{3 \times 10^8} = 0.0838$

**정답** ②

# 02 문자와 식

---

> ✓ **문자를 사용한 식의 법칙**
>
> ① '×' 기호는 생략하거나 '·'으로
> ② '÷' 기호는 분수
> ③ 수(계수)는 앞, 문자는 뒤
> ④ 첨자는 오른쪽 아래, 지수는 오른쪽 위
> ⑤ 괄호의 순서 [{ ( 수식 ) }]

✓ 문자에 붙이는 수나 문자를 첨자라 하고 $x_1$, $x_2$, $x_N$, $E_{150}$처럼 오른쪽 아래에 적는다. 문자가 몇 번 곱해졌는지 나타내는 지수는 오른쪽 위에 쓴다. 예를 들어, $a$를 3번 곱한 $aaa$는 $a^3$으로 적는다.

## 1. 곱셈과 나눗셈 생략

### [1] 곱셈 기호(×)의 생략

① 곱셈 기호 ×를 생략하고 수를 문자 앞에 쓴다.

   ✓ $5 \times a = 5a$, $x \times (-2) = -2x$

② 곱셈 기호 ×를 생략하고 알파벳 순서로 쓴다.

   ✓ $x \times c \times a \times b = abcx$

③ 곱셈 기호 ×와 1을 생략한다.

   ✓ $x \times y \times z \times 1 = xyz$, $(-1) \times x = -x$

④ 거듭제곱으로 나타낸다.

   ✓ $a \times a \times a = a^3$, $y \times x \times x = x^2 y$

⑤ 곱셈 기호 ×를 생략하고 수를 괄호 앞에 쓴다.

   ✓ $5 \times (x - y) = 5(x - y)$, $(x + y) \times 2 = 2(x + y)$

**(2) 나눗셈 기호(÷)의 생략**

나눗셈 기호 ÷를 생략하고 분수의 꼴로 나타낸다. 즉, 나눗셈을 역수의 곱셈으로 바꾼 후 곱셈 기호 ×를 생략한다.

✓ $x \div 3 = x \times \frac{1}{3} = \frac{x}{3}$, $a \div (-5) = a \times \left(-\frac{1}{5}\right) = -\frac{a}{5}$

# 2. 문자를 사용한 식

**(1) 문자를 사용하면 수량 사이의 관계를 간단한 식으로 나타낼 수 있다.**

✓ 한 자루에 200원짜리 우표 $x$장의 가격 → $200 \times x = 200x$ (원)

**(2) 문자를 사용하여 식 세우기**

① 문제의 뜻을 파악하여 그에 맞는 규칙을 찾는다.

② 문자를 사용하여 ①의 규칙에 맞도록 식을 세운다.

✓ 한 개에 $a$원인 사탕 3개를 사고 1,000원을 냈을 때의 거스름돈 → $1000 - 3a$ (원)

# 3. 대입과 식의 값

**(1) 대입**

문자를 사용한 식에서 문자에 어떤 수를 바꾸어 넣는 것

**(2) 식의 값**

문자를 사용한 식에서 문자에 어떤 수를 대입하여 계산한 결과

**(3) 식의 값을 구하는 방법**

문자에 주어진 수를 대입할 때,

① 주어진 식에서 생략된 곱셈 기호 ×를 다시 쓴다.

② 분모에 분수를 대입할 때에는 나눗셈 기호 ÷를 다시 쓴다.

③ 대입하는 수가 음수이면 반드시 괄호(       )를 사용한다.

✓ $a = \frac{1}{4}$일 때, $\frac{3}{a}$의 값은 $\frac{3}{a} = 3 \div a = 3 \div \frac{1}{4} = 3 \times 4 = 12$

---

> **✓ 주의**
>
> $\frac{1}{2} \times x$ 는 $\frac{1}{2}x$ 또는 $\frac{x}{2}$ 로 나타낸다.
>
> 소수 0.1, 0.01, $\cdots$ 과 같은 수와 문자의 곱에서는 1을 생략하지 않는다.
>
> 즉, $0.1 \times a \longrightarrow \begin{cases} 0.1a & (\bigcirc) \\ 0.a & (\times) \end{cases}$
>
> $(-0.1) \times b \longrightarrow \begin{cases} -0.1b & (\bigcirc) \\ -0.b & (\times) \end{cases}$
>
> 문자를 1 또는 $-1$로 나눌 때는 1을 생략한다.
>
> $x \div 1 = \frac{x}{1} = x$
>
> $y \div (-1) = \frac{y}{-1} = -y$

## 기본문제

**01** 다음 식을 곱셈기호 $\times$를 생략하여 나타내시오.

(1) $a \times b \times (-2)$

(2) $a \times a \times 3 \times a \times b$

(3) $(-1) \times a + 2 \times b$

(4) $a \times 3 \times (x+y)$

**02** 다음 식을 나눗셈 기호 $\div$를 생략하여 나타내시오.

(1) $4 \div a$

(2) $a - b \div 2$

(3) $(a+b) \div 4$

(4) $3 \div (x+y)$

**03** 다음 식을 기호 $\times$, $\div$를 생략하여 나타내시오.

(1) $a \times b \div 4$

(2) $(-4) \div a \times b$

(3) $x \times 2 - y \div z$

(4) $3 \div (4+y) \times x$

## 04 다음 식을 곱셈 기호 ×를 사용하여 나타내시오.

(1) $2abc$

(2) $xy^2$

(3) $0.1a(x-y)$

(4) $-x^2y^2z^2$

## 05 다음 식을 나눗셈 기호 ÷를 사용하여 나타내시오.

(1) $\dfrac{1}{a}$

(2) $\dfrac{a-b}{3}$

(3) $\dfrac{4}{x+y}$

(4) $\dfrac{1}{3}(x-y)$

## 06 다음을 문자를 사용한 식으로 나타내시오.

(1) 한 자루에 $y$원인 만년필 6자루의 가격

(2) 자동페라리가 시속 170km로 $x$시간 동안 달린 거리

## 07 $a=-3$일 때, 다음 식의 값을 구하시오.

(1) $2a+5$

(2) $-a+4$

(3) $-2a^2$

(4) $4+a^3$

## 08 다음 식의 값을 구하시오.

(1) $a=\dfrac{1}{2}$일 때, $\dfrac{2}{a}-2$

(2) $a=3$, $b=-2$일 때, $3a-b^2$

(3) $x=2$, $y=-5$일 때, $\dfrac{6y}{x}-xy$

# 4. 다항식과 일차식

## (1) 항

$3x - 2y + 7$ 에서 $3x, -2y, 7$ 과 같이 수 또는 문자의 곱으로만
이루어진 식

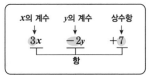

## (2) 상수항

$3x - 2y + 7$ 에서 7과 같이 문자 없이 수 만으로 이루어진 항

## (3) 계수

수와 문자의 곱으로 이루어진 항에서 문자 앞에 곱해진 수

✓ $3x$에서 $x$의 계수는 3, $-y$에서 $y$의 계수는 $-1$이다.

## (4) 다항식

$3x - 2y + 7$과 같이 하나의 항이나 여러 개의 항의 합으로 이루어진 식

## (5) 단항식

$-2x, 4y$ 와 같이 다항식 중에서 하나의 항으로만 이루어진 식

## (6) 차수

항에 포함되어 있는 어떤 문자의 곱해진 개수

✓ $\underline{3x^2}$의 문자 $x$에 대한 차수는 2, $\underline{-4y^3}$의 문자 $y$에 대한 차수는 3이다.
  $-3 \times x \times x$                         $= (-4) \times y \times y \times y$

## (7) 다항식의 차수

다항식에서 차수가 가장 큰 항의 차수

✓ 다항식 $\underline{5x^2 - 3x + 2}$의 차수는 2이다.
  $5x^2$의 차수는 2, $-3x$의 차수는 1, 2의 차수는 0

## (8) 일차식

차수가 1인 다항식

✓ $5x, \dfrac{1}{3}y$

## 5. 일차식의 곱셈, 나눗셈

### (1) (수)×(일차식), (일차식)×(수)의 경우

분배법칙을 이용하여 일차식의 각 항에 수를 곱한다.

$$-2(5x-3) = (-2) \times 5x + (-2) \times (-3) = -10x + 6$$

### (2) (일차식)÷(수)의 경우

나눗셈을 곱셈으로 고쳐서 계산한다. 즉, 분배법칙을 이용하여 나누는 수의 역수를 곱한다.

$$(8x+4) \div (-2) = (8x+4) \times \left(-\frac{1}{2}\right) = 8x \times \left(-\frac{1}{2}\right) + 4 \times \left(-\frac{1}{2}\right) = -4x - 2$$

역수

## 6. 일차식의 덧셈, 뺄셈

### (1) 동류항

문자와 차수가 각각 같은 항

✓ $3x$와 $-x$는 공통적으로 $x$를 가진 동류항이다.

### (2) 동류항의 계산

분배법칙을 이용하여 동류항의 계수끼리 더하거나 뺀 후 문자 앞에 쓴다.

✓ $5a + 2a = (5 + 2)a = 7a$, $5a - 2a = (5 - 2)a = 3a$

### (3) 일차식의 덧셈, 뺄셈

① 괄호가 있으면 분배법칙을 이용하여 괄호를 푼다.

② 동류항끼리 모아서 계산한다.

✓ $(3a + 2) - (a - 3) = 3a + 2 - a + 3 = (3 - 1)a + (2 + 3) = 2a + 5$
　　　　　　　　　　　　　괄호를 푼다.　　　　동류항끼리 모아서 계산한다.

**기본문제**

**09** 다음 표의 빈칸에 알맞은 것을 써넣으시오.

| | 항 | 상수항 |
|---|---|---|
| (1) $3x+1$ | | |
| (2) $x-3y+17$ | | |

**10** 다음 표의 빈칸에 알맞은 것을 써넣으시오.

| | 계수 | 다항식의 차수 |
|---|---|---|
| (1) $4x+3$ | $x$의 계수: | |
| (2) $\dfrac{b}{3}+\dfrac{1}{5}$ | $b$의 계수: | |
| (3) $\dfrac{1}{2}x^2+x-3$ | $x^2$의 계수:<br>$x$의 계수: | |

**11** 다음 식을 간단히 하시오.

(1) $3\times 2x$

(2) $-4a\times(-2)$

(3) $-3a\times\left(-\dfrac{5}{6}\right)$

(4) $15a\div(-3)$

(5) $14y\div\dfrac{7}{5}$

(6) $2(2x-4)$

(7) $-(-2y+3)$

(8) $(a-3)\div\dfrac{1}{3}$

(9) $2x-8x$

(10) $\dfrac{1}{2}b-\dfrac{5}{3}b$

(11) $-11x+5+3x+7$

(12) $\dfrac{3}{2}y+1+\dfrac{1}{2}y-\dfrac{2}{3}$

(13) $4(x+2)+2(-2x+3)$

(14) $3(-10x+8)-(-15x+7)$

## 01

그림과 같은 정전용량이 $C_0$[F]가 되는 평행판 공기콘덴서가 있다. 이 콘덴서의 판면적의 $\frac{2}{3}$ 가 되는 공간에 비유전율 $\epsilon_s$인 유전체를 채우면 공기콘덴서의 정전용량[F]는?

① $\dfrac{2\varepsilon_s}{3}C_0$

② $\dfrac{3}{1+2\varepsilon_s}C_0$

③ $\dfrac{1+\varepsilon_s}{3}C_0$

④ $\dfrac{1+2\varepsilon_s}{3}C_0$

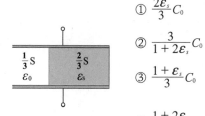

**풀이** 주어진 그림은 콘덴서 병렬이므로

$$C = C_1 + C_2 = \frac{\varepsilon_0 \frac{1}{3}S}{d} + \frac{\varepsilon_0 \varepsilon_s \frac{2}{3}S}{d}$$
$$= \frac{\varepsilon_0 S}{d}\left(\frac{1}{3} + \frac{2\varepsilon_s}{3}\right) = C_0\left(\frac{1+2\varepsilon_s}{3}\right)$$

**정답** ④

## 02

시간지연요인을 포함한 어떤 특정계가 다음 미분방정식 $\dfrac{dy(t)}{dt} + y(t) = x(t-T)$ 로 표현된다. $x(t)$를 입력, $y(t)$를 출력이라 할 때 이 계의 전달함수는?

① $\dfrac{e^{-sT}}{s+1}$

② $\dfrac{s+1}{e^{-sT}}$

③ $\dfrac{e^{sT}}{s-1}$

④ $\dfrac{e^{-2sT}}{s+1}$

**풀이** $\dfrac{dy(t)}{dt} + y(t) = x(t-T)$

$sY(s) + Y(s) = X(s)e^{-sT}$

$(s+1)Y(s) = X(s)e^{-sT}$

$G(s) = \dfrac{Y(s)}{X(s)} = \dfrac{e^{-sT}}{s+1}$

**정답** ①

## 03

저항 $R$인 검류계 $G$에 그림과 같이 $r_1$인 저항을 병렬로, 또 $r_2$인 저항을 직렬로 접속하였을 때 $A$, $B$ 단자 사이의 저항을 $R$과 같게 하고, 또한 $G$에 흐르는 전류를 전 전류의 $\frac{1}{n}$로 하기 위한 $r_1$[Ω]의 값은?

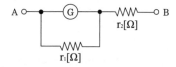

① $\dfrac{n-1}{R}$

② $R\left(1-\dfrac{1}{n}\right)$

③ $\dfrac{R}{n-1}$

④ $R\left(1+\dfrac{1}{n}\right)$

**풀이** $\dfrac{1}{n}I = \dfrac{r_1}{R+r_1} \times I$

$nr_1 = R + r_1$

$nr_1 - r_1 = R$

$(n-1)r_1 = R$

$r_1 = \dfrac{R}{n-1}$

**정답** ③

## 04

상전압이 120[V]인 평형 3상 $Y$결선의 전원에 $Y$결선 부하를 도선으로 연결하였다. 도선의 임피던스는 $1 + j[\Omega]$이고 부하의 임피던스는 $20 + j10[\Omega]$이다. 이 때 부하에 걸리는 전압은 약 몇 [V]인가?

① $67.18 \angle - 25.4°$     ② $101.62 \angle 0°$

③ $113.14 \angle - 1.1°$     ④ $118.42 \angle - 30°$

**풀이**

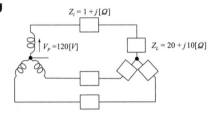

도선의 임피던스 : $Z_l = 1 + j[\Omega]$

부하 임피던스 : 
$$\begin{aligned} Z_L &= 20 + j10 \\ &= \sqrt{20^2 + 10^2} \angle \tan^{-1}\frac{10}{20} \\ &= 22.36 \angle 26.565° \end{aligned}$$

합성 임피던스 : 
$$\begin{aligned} Z &= Z_l + Z_L = 1 + j + 20 + j10 \\ &= 21 + j11 \\ &= \sqrt{21^2 + 11^2} \angle \tan^{-1}\frac{11}{21} \\ &= 23.71 \angle 27.646° \end{aligned}$$

부하전압 : 
$$\begin{aligned} V_L &= I_P Z_L = \frac{V_P}{Z} \cdot Z_L \\ &= \frac{120 \angle 0°}{23.71 \angle 27.646°} \times 22.36 \angle 26.565° \\ &= 113.14 \angle - 1.1° \end{aligned}$$

**정답** ③

## 05

전계 $E = i2e^{3x} \sin 5y - je^{3x} \cos 5y + k3ze^{4z}$ 일 때, 점 $(x=0, y=0, z=0)$에서의 발산은?

① 0            ② 3

③ 6            ④ 10

**풀이**

$$\begin{aligned} divE &= \nabla \cdot E \\ &= \frac{\partial}{\partial x}E_x + \frac{\partial}{\partial y}E_y + \frac{\partial}{\partial z}E_z \\ &= \frac{\partial}{\partial x}(2e^{3x} \sin 5y) + \frac{\partial}{\partial y}(-e^{3x} \cos 5y) + \frac{\partial}{\partial z}(3ze^{4z}) \\ &= 6e^{3x} \sin 5y + 5e^{3x} \sin 5y + 3(e^{4x} + 4ze^{4z}) \\ &= 11e^{3x} \sin 5y + 3(1 + 4z)e^{4z} \end{aligned}$$

$$[divE]_{x=0, y=0, z=0} = 3$$

**정답** ②

**06** 그림과 같이 중심에서 반지름이 $a$[m]의 도체구 1과, 내반지름 $b$[m], 외반지름이 $c$[m]의 도체구 2가 있다. 이 도체계에서 전위계수 $P_{11}$[1/F]에 해당되는 것은?

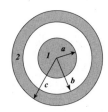

① $\dfrac{1}{4\pi\varepsilon}\dfrac{1}{a}$

② $\dfrac{1}{4\pi\varepsilon}\left(\dfrac{1}{a}-\dfrac{1}{b}\right)$

③ $\dfrac{1}{4\pi\varepsilon}\left(\dfrac{1}{b}-\dfrac{1}{c}\right)$

④ $\dfrac{1}{4\pi\varepsilon}\left(\dfrac{1}{a}-\dfrac{1}{b}+\dfrac{1}{c}\right)$

**풀이** 전위계수 : 정전용량의 역수

두 도체간의 전위계수를 구하면,

$$\begin{cases} V_1 = P_{11}Q_1 + P_{12}Q_2 \\ V_2 = P_{21}Q_1 + P_{22}Q_2 \end{cases}$$

$Q_1 = 1, Q_2 = 0$ 일 때 $V_1 = P_{11}, V_2 = P_{21}$

$Q_1 = 0, Q_2 = 1$ 일 때 $V_2 = P_{22}, V_1 = P_{12}$

내구에 $Q_1 = 1$ 을 줄 때 외구에는 $-1, +1$의 전하가 내외에 유기되므로

$V_a = \dfrac{Q}{4\pi\varepsilon a}$[V], $V_b = \dfrac{Q}{4\pi\varepsilon b}$[V], $V_c = \dfrac{Q}{4\pi\varepsilon c}$[V]

$V_1 = V_a - V_b + V_c$ 이므로

$$V_1 = P_{11} = \dfrac{1}{4\pi\varepsilon}\left(\dfrac{1}{a}-\dfrac{1}{b}+\dfrac{1}{c}\right)\text{[V]}$$

**정답** ④

**07** 불평형 3상 전류가 $I_a = 16 + j2$[A], $I_b = -20 - j9$[A], $I_c = -2 + j10$[A]일 때 영상분 전류 [A]는?

① $-2 + j$[A]

② $-6 + j3$[A]

③ $-9 + j6$[A]

④ $-18 + j9$[A]

**풀이** 영상전류 $I_0 = \dfrac{1}{3}(I_a + I_b + I_c)$

$$\therefore I_0 = \dfrac{1}{3}(16 + j2 - 20 - j9 - 2 + j10)$$
$$= \dfrac{1}{3}(-6 + j3) = -2 + j\text{[A]}$$

**정답** ①

## 01

(1) 정답 $-2ab$

(2) 정답 $3a^3b$

(3) 정답 $-a + 2b$

(4) 정답 $3a(x+y)$

## 02

(1) 정답 $\dfrac{4}{a}$

(2) 정답 $a - \dfrac{b}{2}$

(3) 정답 $\dfrac{a+b}{4}$

(4) $3 \div (x+y) = 3 \times \dfrac{1}{(x+y)} = \dfrac{3}{x+y}$ 정답 $\dfrac{3}{x+y}$

## 03

(1) $a \times b \div 4 = a \times b \times \dfrac{1}{4} = \dfrac{ab}{4}$ 정답 $\dfrac{ab}{4}$

(2) $(-4) \div a \times b = (-4) \times \dfrac{1}{a} \times b = -\dfrac{4b}{a}$ 정답 $-\dfrac{4b}{a}$

(3) $x \times 2 - y \div z = x \times 2 - y \times \dfrac{1}{z} = 2x - \dfrac{y}{z}$ 정답 $2x - \dfrac{y}{z}$

(4) $3 \div (4+y) \times x = 3 \times \dfrac{1}{4+y} \times x = \dfrac{3x}{4+y}$ 정답 $\dfrac{3x}{4+y}$

## 04

(1) 정답 $2 \times a \times b \times c$

(2) 정답 $x \times y \times y$

(3) 정답 $0.1 \times a \times (x - y)$

(4) 정답 $(-1) \times x \times x \times y \times y \times z \times z$

## 05

(1) 정답 $1 \div a$

(2) 정답 $(a - b) \div 3$

(3) 정답 $4 \div (x + y)$

(4) 정답 $(x - y) \div 3$

## 06

(1) 정답 $6y$원

(2) 정답 $170x$km

## 07

(1) $2a + 5 = 2 \times (-3) + 5 = -6 + 5 = -1$   정답 $-1$

(2) $-a + 4 = -(-3) + 4 = 3 + 4 = 7$   정답 $7$

(3) $-2a^2 = -2 \times (-3)^2 = -2 \times 9 = -18$   정답 $-18$

(4) $4 + a^3 = 4 + (-3)^3 = 4 + (-27) = -23$   정답 $-23$

## 08

(1) $\dfrac{2}{a} - 2 = 2 \div a - 2 = 2 \div \dfrac{1}{2} - 2 = 2 \times 2 - 2 = 4 - 2 = 2$   정답 $2$

(2) $3a - b^2 = 3 \times 3 - (-2)^2 = 9 - 4 = 5$   정답 $5$

(3) $\dfrac{6y}{x} - xy = \dfrac{6 \times (-5)}{2} - 2 \times (-5) = -15 - (-10) = -15 + 10 = -5$   정답 $-5$

## 09

|  | 항 | 상수항 |
|---|---|---|
| (1) $3x + 1$ | $3x,\ 1$ | $1$ |
| (2) $x - 3y + 17$ | $x,\ -3y,\ 17$ | $17$ |

## 10

|  | 계수 | 다항식의 차수 |
|---|---|---|
| (1) $4x + 3$ | $x$의 계수 : $4$ | $1$ |
| (2) $\dfrac{b}{3} + \dfrac{1}{5}$ | $b$의 계수 : $\dfrac{1}{3}$ | $1$ |
| (3) $\dfrac{1}{2}x^2 + x - 3$ | $x^2$의 계수 : $\dfrac{1}{2}$<br>$x$의 계수 : $1$ | $2$ |

## 11

(1) 정답 $6x$

(2) 정답 $8a$

(3) 정답 $\dfrac{5}{2}a$

(4) $15a \div (-3) = 15a \times \left(-\dfrac{1}{3}\right) = -5a$ 정답 $-5a$

(5) $14y \div \dfrac{7}{5} = 14y \times \dfrac{5}{7} = 10y$ 정답 $10y$

(6) $2(2x-4) = 2 \times 2x + 2 \times (-4) = 4x - 8$ 정답 $4x - 8$

(7) $-(-2y+3) = (-1) \times (-2y) + (-1) \times 3 = 2y - 3$ 정답 $2y - 3$

(8) $(a-3) \div \dfrac{1}{3} = (a-3) \times 3 = a \times 3 + (-3) \times 3 = 3a - 9$ 정답 $3a - 9$

(9) $2x - 8x = (2-8)x = -6x$ 정답 $-6x$

(10) $\dfrac{1}{2}b - \dfrac{5}{3}b = \left(\dfrac{1}{2} - \dfrac{5}{3}\right)b = -\dfrac{7}{6}b$ 정답 $-\dfrac{7}{6}b$

(11) $-11x + 5 + 3x + 7 = -11x + 3x + 5 + 7 = (-11+3)x + (5+7) = -8x + 12$ 정답 $-8x + 12$

(12) $\dfrac{3}{2}y + 1 + \dfrac{1}{2}y - \dfrac{2}{3} = \dfrac{3}{2}y + \dfrac{1}{2}y + 1 - \dfrac{2}{3} = \left(\dfrac{3}{2} + \dfrac{1}{2}\right)y + \left(1 - \dfrac{2}{3}\right) = 2y + \dfrac{1}{3}$ 정답 $2y + \dfrac{1}{3}$

(13) $4(x+2) + 2(-2x+3) = 4x + 8 - 4x + 6 = 4x - 4x + 8 + 6 = 14$ 정답 $14$

(14) $3(-10x+8) - (-15x+7) = -30x + 24 + 15x - 7 = -30x + 15x + 24 - 7 = -15x + 17$

정답 $-15x + 17$

# 03 등식, 방정식

## 1. 등식

**등식**: 등호(=)의 양쪽이 서로 같음을 나타내는 식이다.

등호 왼쪽은 좌변, 오른쪽을 우변이라 한다. 좌변, 우변을 합쳐 양변이라 한다.

---

✓ **등식의 성질**

1. 등식의 양변에 같은 수를 더해도 등식은 성립한다.

✓ $a=b$이면 $a+c=b+c$

2. 등식의 양변에서 같은 수를 빼도 등식은 성립한다.

✓ $a=b$이면 $a-c=b-c$

3. 등식의 양변에 같은 수를 곱해도 등식은 성립한다.

✓ $a=b$이면 $ac=bc$

4. 등식의 양변을 0이 아닌 같은 수로 나누어도 등식은 성립한다.

✓ $a=b$이면 $a\div c=b\div c(c\ne0)$

---

✓ 수가 아닌 문자를 곱해도 등식은 성립한다.

**(1) 식의 대입**: 주어진 식의 문자에 그 문자를 나타내는 다른 식을 대입하는 것이다.

문자에 다항식을 대입할 때는 대입하는 식을 반드시 괄호로 묶어서 대입한다(대입하여도 등식은 성립한다).

✓ $y=2x+5$일 때, $2x+7y$를 $x$의 식으로 나타내면,

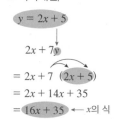

$$y = 2x + 5$$

$$2x + 7y$$
$$= 2x + 7\,(2x + 5)$$
$$= 2x + 14x + 35$$
$$= 16x + 35 \quad \leftarrow x\text{의 식}$$

## 2. 방정식

미지수를 포함한 등식이다.

미지수란, 아직 알지 못하는 미지의 수이다.

등식이란 문자 그대로 동'등'한 '식'을 뜻한다. 등호 '='로 오른쪽과 왼쪽의 값이 같다는 것을 말한다.

등호 '='을 사용하여 '좌우 파인애플 수가 같다'는 것을 '등식'으로 나타냈으며 ❓를 미지수라 할 수 있다. 따라서, 이 '등식'은 '방정식'이다.

❓의 값을 구하는 것을 '방정식을 푼다'라고 한다. 참고로 ❓는 2이다.

위 그림을 문자식을 이용하면 $x+3=5$로 표현할 수 있다.

**예제**    (1) $2x+3=5$

         (2) $x+8=5$

         (3) $y+18=5$

**풀이**    (1) $x=1$

         (2) $x=-3$

         (3) $y=-13$

---

### ✓ 복잡한 형태의 일차방정식

| | |
|---|---|
| $\frac{1}{2}x = x - 2$ | 양변에 미지수 $x$가 있다. |
| $\frac{1}{2}x - x = -2$ | 미지수 $x$는 좌변으로 이항한다. |
| $\left(\frac{1}{2} - 1\right)x = -2$ | 좌변을 정리한다. |
| $-\frac{1}{2}x = -2$ | 수는 우변으로 이항한다. |
| $\left(-\frac{1}{2}x\right)(-2) = (-2)(-2)$ | 양변에 $(-2)$를 곱한다. |
| $x = +4$ | 우변이 방정식의 해다. |

**예제** (1) $\frac{2}{3}x = x - 3$

(2) $\frac{3}{2}x = \frac{x}{3} + 2$

(3) $E = V + Ir$ 이라면 식에서 내부저항 $r[\Omega]$의 값은?

**풀이** (1) $\frac{2}{3}x = x - 3$

$\left(\frac{2}{3}x\right) \times 3 = (x - 3) \times 3$

$2x = 3x - 9$

$-x = -9$

$\therefore x = 9$

(2) $\frac{3}{2}x = \frac{x}{3} + 2$

$\left(\frac{3}{2}x\right) \times 6 = \left(\frac{x}{3} + 2\right) \times 6$

$9x = 2x + 12$

$7x = 12$

$\therefore x = \frac{12}{7}$

(3) 이 문제는 '조건 $E = V + Ir$로 미지수 $r$의 값을 구하라'는 것과 같다. 미지수인 $r$이 좌변에 오도록 식의 좌변과 우변을 편의상 서로 바꿔보자.

$V + Ir = E$에서 $V$를 우변으로 이항하면, $Ir = E - V$가 되고 양변을 $I$로 나누면 $r = \frac{E - V}{I}$라는 해를 얻는다.

답이 문자식 형태지만, 우변에 $r$이 포함되어 있지 않으므로 해를 바르게 구한 것이다.

## 01

두 점전하 $q$, $\frac{1}{2}q$ 가 $a$ 만큼 떨어져 놓여있다. 이 두 점전하를 연결하는 선상에서 전계의 세기가 영(0)이 되는 점은 $q$ 가 놓여있는 점으로부터 얼마나 떨어진 곳인가?

① $\sqrt{2a}$

② $(2-\sqrt{2})a$

③ $\frac{\sqrt{3}}{2}a$

④ $\frac{(1+\sqrt{2})a}{2}$

**풀이** 동일 전하 사이에 전계가 영(0)인 점은 작은 전하 가까운 곳이 되므로 $q$ 에서 $x$ 위치라면 $\frac{1}{2}q$ 에서의 위치는 $a-x$ 거리가 된다. 그러므로

$$E_1 = E_2, \quad \frac{q}{4\pi\varepsilon_0 x^2} = \frac{\frac{1}{2}q}{4\pi\varepsilon_0 (a-x)^2}$$

$$\frac{1}{2}x^2 = (a-x)^2, \quad x = \sqrt{2}(a-x), \quad (\sqrt{2}+1)x = \sqrt{2}a$$

$$x = \frac{\sqrt{2}a}{(\sqrt{2}+1)} \times \frac{\sqrt{2}-1}{\sqrt{2}-1} = (2-\sqrt{2})a$$

**정답** ②

## 02

개루프 전달 함수 $G(s) = \frac{(s+2)}{(s+1)(s+3)}$ 인 단위 피드백 제어계의 특성 방정식은?

① $s^2 + 3s + 2 = 0$

② $s^2 + 4s + 3 = 0$

③ $s^2 + 4s + 6 = 0$

④ $s^2 + 5s + 5 = 0$

**풀이** 부궤환 제어계의 전달 함수는 $\frac{C(s)}{R(s)} = \frac{G(s)}{1 + G(s)H(s)}$

이고, 특성 방정식은 $1 + G(s)H(s) = 0$ 이다.

$$1 + \frac{s+2}{(s+1)(s+3)} = 0$$

양변에 분모를 곱하면

$$(s+1)(s+3) + (s+2) = 0$$

$$\therefore s^2 + 5s + 5 = 0$$

**정답** ④

## 03

$\frac{E_o(s)}{E_i(s)} = \frac{1}{s^2 + 3s + 1}$ 의 전달함수를 미분방정식으로 표시하면?(단, $\pounds^{-1}[E_o(s)] = e_o(t)$, $\pounds^{-1}[E_i(s)] = e_i(t)$ 이다)

① $\frac{d^2}{dt^2}e_i(t) + 3\frac{d}{dt}e_i(t) + e_i(t) = e_o(t)$

② $\frac{d^2}{dt^2}e_o(t) + 3\frac{d}{dt}e_o(t) + e_o(t) = e_i(t)$

③ $\frac{d^2}{dt^2}e_i(t) + 3\frac{d}{dt}e_i(t) + \int e_i(t)dt = e_o(t)$

④ $\frac{d^2}{dt^2}e_o(t) + 3\frac{d}{dt}e_o(t)\int eo_{(t)}dt = e_i(t)$

**풀이** $(s^2 + 3s + 1)E_0(s) = E_i(s)$

$s^2 E_0(s) + 3s E_0(s) + E_0(s) = E_i(s)$

$\frac{d^2}{dt^2}e_o(t) + 3\frac{d}{dt}e_o(t) + e_o(t) = e_i(t)$

**정답** ②

## 04

기준 선간전압 23[kV], 기준 3상 용량 5,000 [kVA], 1선의 유도 리액턴스가 15[Ω]일 때 %리액턴스는?

① 28.36[%]

② 14.18[%]

③ 7.09[%]

④ 3.55[%]

**풀이** %리액턴스 $\%X = \frac{PX}{10V^2}\%$

($P$ : 전력[kVA], $V$ : 선간전압[kV], $X$ : 리액턴스)
선간전압(V) : 23[kV], 기준 3상 용량(P) : 5,000[kVA],
유도 리액턴스 : 15[Ω]

$$\%X = \frac{PX}{10V^2} = \frac{5000 \times 15}{10 \times 23^2} = 14.18[\%]$$

**정답** ②

## 05
0.2[$\mu$F]인 평행판 공기 콘덴서가 있다. 전극간에 그 간격의 절반 두께의 유리판을 넣었다면 콘덴서의 용량은 약 몇 [$\mu$F]인가?(단, 유리의 비유전율은 10이다)

① 0.26        ② 0.36

③ 0.46        ④ 0.56

**풀이** 극판간 공극의 두께 $\frac{1}{2}$ 유리판을 넣을 경우 정전용량 $C$

$$C = \frac{2C_0}{1+\frac{1}{\varepsilon_s}} = \frac{2 \times 0.2}{1+\frac{1}{10}} = 0.36[\mu\text{F}]$$

**정답** ②

## 07
시간지연요인을 포함한 어떤 특정계가 다음 미분방정식 $\frac{dy(t)}{dt} + y(t) = x(t-T)$ 로 표현된다. $x(t)$를 입력, $y(t)$를 출력이라 할 때 이 계의 전달함수는?

① $\frac{e^{-sT}}{s+1}$        ② $\frac{s+1}{e^{-sT}}$

③ $\frac{e^{sT}}{s-1}$        ④ $\frac{e^{-2sT}}{s+2}$

**풀이** $\frac{dy(t)}{dt} + y(t) = x(t-T)$

$$sY(s) + Y(s) = X(s)e^{-sT}$$
$$(s+1)Y(s) = X(s)e^{-sT}$$
$$G(s) = \frac{Y(s)}{X(s)} = \frac{e^{-sT}}{s+1}$$

**정답** ①

## 06
저항 $R$인 검류계 $G$에 그림과 같이 $r_1$인 저항을 병렬로, 또 $r_2$인 저항을 직렬로 접속하였을 때 $A$, $B$ 단자 사이의 저항을 $R$과 같게 하고 또한 $G$에 흐르는 전류를 전 전류의 $\frac{1}{n}$ 로 하기 위한 $r_1[\Omega]$의 값은?

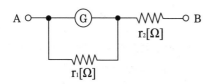

① $\frac{n-1}{R}$        ② $R\left(1-\frac{1}{n}\right)$

③ $\frac{R}{n-1}$        ④ $R\left(1+\frac{1}{n}\right)$

**풀이** $\frac{1}{n}I = \frac{r_1}{R+r_1} \times I$

$$nr_1 = R + r_1$$
$$nr_1 - r_1 = R$$
$$(n-1)r_1 = R$$
$$r_1 = \frac{R}{n-1}$$

**정답** ③

## 08 다음 방정식에서 $\dfrac{X_3(s)}{X_1(s)}$ 를 구하면?

$$x_2(t) = \frac{d}{dt}x_1(t)$$

$$x_3(t) = x_2(t) + 3\int x_3(t)dt + 2\frac{d}{dt}x_2(t) - 2x_1(t)$$

① $\dfrac{s(2s^2 + s - 2)}{s - 3}$  ② $\dfrac{s(2s^2 - s - 2)}{s - 3}$

③ $\dfrac{s(2s^2 + s + 2)}{s - 3}$  ④ $\dfrac{(2s^2 + s + 2)}{s - 3}$

**풀이**  $x_2(t) = \dfrac{dx_1(t)}{dt}$

$x_3(t) = x_2(t) + 3\int x_3(t)dt + 2\dfrac{dx_2(t)}{dt} - 2x_1(t)$

$X_2(s) = s \cdot X_1(s)$

$X_3(s) = X_2(s) + \dfrac{3}{s} \cdot X_3(s) + 2 \cdot s \cdot X_2(s) - 2 \cdot X_1(s)$

$X_3(s) = s \cdot X_1(s) + \dfrac{3}{s} X_3(s) + 2s \cdot s \cdot X_1(s) - 2X_1(s)$

$X_3(s) - \dfrac{3}{s} \cdot X_3(s) = (2s_2 + s - 2) \cdot X_1(s)$

$\left(1 - \dfrac{3}{s}\right) \cdot X_3(s) = (2s^2 + s - 2) \cdot X_1(s)$

$\dfrac{X_3(s)}{X_1(s)} = \dfrac{2s^2 + s - 2}{1 - \dfrac{3}{s}} = \dfrac{s(2s^2 + s - 2)}{s - 3}$

정답 ①

## 09 그림과 같이 $q_1 = 6 \times 10^{-8}[C]$, $q_2 = -12 \times 10^{-8}$ [C]의 두 전하가 서로 10[cm] 떨어져 있을 때 전계세기가 0이 되는 점은?

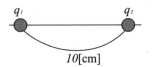

$$q_1 \qquad\qquad q_2$$
$$10[cm]$$

① $q_1$과 $q_2$의 연장선상 $q_1$으로부터 왼쪽으로 약 24.1 [cm] 지점이다.

② $q_1$과 $q_2$의 연장선상 $q_1$으로부터 오른쪽으로 약 14.1 [cm] 지점이다.

③ $q_1$과 $q_2$의 연장선상 $q_1$으로부터 왼쪽으로 약 2.41 [cm] 지점이다.

④ $q_1$과 $q_2$의 연장선상 $q_1$으로부터 오른쪽으로 약 1.41 [cm] 지점이다.

**풀이**

$$10[cm] + x$$
$$P \quad\quad q_1 \quad\quad\quad\quad q_2$$
$$x$$
$$10[cm]$$

$$E = \frac{1}{4\pi\varepsilon_0}\left\{\frac{6 \times 10^{-8}}{x^2} - \frac{12 \times 10^{-8}}{(x + 0.1)^2}\right\} = 0$$

$\{\quad\quad\}$ 큰 괄호 안은 0이 되어야 한다.

$$\frac{6 \times 10^{-8}}{x^2} = \frac{12 \times 10^{-8}}{(x + 0.1)^2}$$

$2x^2 = (x + 0.1)^2 \rightarrow \sqrt{2}x = x + 0.1 \rightarrow x(\sqrt{2} - 1) = 0.1$

$\therefore x = \dfrac{0.1}{\sqrt{2} - 1} \fallingdotseq 0.241[m] = 24.1[cm]$

정답 ①

# 04 정수와 유리수의 계산

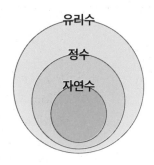

## 1. 유리수의 덧셈

### (1) 부호가 같은 두 수의 덧셈

두 수의 절댓값의 합에 공통인 부호를 붙인다.

$$\left(+\frac{2}{3}\right)+\left(+\frac{1}{3}\right)=+\left(\frac{2}{3}+\frac{1}{3}\right)=+1 \qquad \left(-\frac{2}{3}\right)+\left(-\frac{1}{3}\right)=-\left(\frac{2}{3}+\frac{1}{3}\right)=-1$$

공통인 부호 / 절댓값의 합

### (2) 부호가 다른 두 수의 덧셈

두 수의 절댓값의 차에 절댓값이 큰 수의 부호를 붙인다.

> ✓ **절댓값**
>
> 0부터 해당하는 숫자까지와의 거리를 의미하며, 해당하는 숫자를 $a$라고 했을 때, $|a|$와 같이 표시한다.
> 즉, $|0|=0$이며, $|1|=1$이고, $|-1|=1$이다.

$$\left(-\frac{1}{3}\right)+\left(+\frac{4}{3}\right)=+\left(\frac{4}{3}-\frac{1}{3}\right)=+1 \qquad \left(+\frac{1}{3}\right)+\left(-\frac{4}{3}\right)=-\left(\frac{4}{3}-\frac{1}{3}\right)=-1$$

절댓값이 큰 수의 부호 / 절댓값의 차

**(3) 덧셈의 계산 법칙** : 세 수 $a$, $b$, $c$에 대하여,

① **덧셈의 교환법칙** : $a+b=b+a$

② **덧셈의 결합법칙** : $(a+b)+c=a+(b+c)$

## 2. 유리수의 뺄셈

두 수의 뺄셈은 빼는 수의 부호를 바꾸어 더한다.

$$\left(-\frac{3}{5}\right)-\left(+\frac{2}{5}\right)=\left(-\frac{3}{5}\right)+\left(-\frac{2}{5}\right)=-\left(\frac{3}{5}+\frac{2}{5}\right)=-1$$

덧셈으로 바꾼다.
부호를 바꾼다.

✓ **부호를 바꾸는 방법**

$$\triangle-(+\square)=\triangle+(-\square)$$
$$\triangle-(-\square)=\triangle+(+\square)$$

### 기본문제

(1) $(+3)+(+4)$

(2) $(-2)+(+4)$

(3) $\left(+\frac{1}{3}\right)+\left(+\frac{5}{6}\right)$

(4) $(-2)+\left(-\frac{2}{5}\right)$

(5) $(-3)+(+4)+(-7)$

(6) $\left(-\frac{5}{2}\right)+\left(+\frac{3}{5}\right)+\left(+\frac{1}{15}\right)$

(7) $(+3)-(+7)$

(8) $(-8)-(+6)$

(9) $\left(+\frac{3}{4}\right)-\left(+\frac{3}{2}\right)$

(10) $(+15)-(-3)-(+8)$

(11) $(-2)-(-10)+(+3)$

(12) $\left(-\frac{2}{7}\right)-\left(+\frac{5}{14}\right)+\left(-\frac{3}{2}\right)$

(13) $\frac{2}{3}-\frac{5}{6}+\frac{1}{12}$

(14) $2.4-1.3+4.7$

## 01
선형 시불변 시스템의 상태 방정식
$$\frac{d}{dt}x(t) = Ax(t) = Ax(t) + Bu(t)$$ 에서
$A = \begin{bmatrix} 1 & 3 \\ 1 & -2 \end{bmatrix}$, $B = \begin{bmatrix} 0 \\ 1 \end{bmatrix}$ 일 때, 특성 방정식은?

① $s^2 + s - 5 = 0$  ② $s^2 - s - 5 = 0$

③ $s^2 + 3s + 1 = 0$  ④ $s^2 - 3s + 1 = 0$

**풀이**
$$\begin{bmatrix} \dot{x_1} \\ \dot{x_2} \end{bmatrix} = \begin{bmatrix} 1 & 3 \\ 1 & -2 \end{bmatrix} = \begin{bmatrix} x_1 \\ x_2 \end{bmatrix} + \begin{bmatrix} 0 \\ 1 \end{bmatrix} u$$
$$|sI - A| = \begin{bmatrix} s & 0 \\ 0 & s \end{bmatrix} - \begin{bmatrix} 1 & 3 \\ 1 & -2 \end{bmatrix} = \begin{vmatrix} s-1 & -3 \\ -1 & s+2 \end{vmatrix}$$
$$= (s-1)(s+2) - 3 = s^2 + s - 5$$
$$\therefore s^2 + s - 5 = 0$$

**정답** ①

## 02
자유공간에 점 $P(5, -2, 4)$가 도체면상에 있으며, 이 점에서의 전계 $E = 6a_x - 2a_y + 3a_z$[V/m]이다. 점 $P$에서의 면전하밀도 $\rho_s$[C/m²]은?

① $-2\epsilon_0$[C/m²]  ② $3\epsilon_0$[C/m²]

③ $6\epsilon_0$[C/m²]  ④ $7\epsilon_0$[C/m²]

**풀이** 전계의 세기: $E = \frac{\rho_s}{\epsilon_0}$[V/m]
$$\therefore \rho_s = \epsilon_0 E = \epsilon_0 |6a_x - 2a_y + 3a_z|$$
$$= \epsilon_0(\sqrt{6^2 + (-2)^2 + 3^2})$$
$$= 7\epsilon_0 [C/m^2]$$
면전하밀도: $D = \rho_s$[C/m²]  $D = \epsilon_0 E$[C/m²]

**정답** ④

## 03
$A = \begin{bmatrix} -2 & 2 \\ 1 & -3 \end{bmatrix}$의 고유값은?

① $-2, -5$  ② $-1, -4$

③ $1, 4$  ④ $2, 5$

**풀이** A의 고유값=특성 방정식의 해
특성 방정식
$$|sI - A| = \begin{bmatrix} s & 0 \\ 0 & s \end{bmatrix} - \begin{bmatrix} -2 & 2 \\ 1 & -3 \end{bmatrix} = \begin{vmatrix} s+2 & -2 \\ -1 & s+3 \end{vmatrix}$$
$$= (s+2)(s+3) - 2 = s^2 + 5s + 4$$
$$\therefore s^2 + 5s + 4 = 0$$
$$(s+1)(s+4) = 0 \quad \therefore s = -1 \, or \, -4$$

**정답** ②

## 04
전위 $V = 3xy + z + 4$일 때 전계 $E$는?

① $i3x + j3y + k$  ② $-i3y + j3x + k$

③ $i3x - j3y - k$  ④ $-i3y - j3x - k$

**풀이** 전계 $E = -gradV = -\nabla \cdot V$
$$= -\left(\frac{\partial}{\partial x}i + \frac{\partial}{\partial y}j + \frac{\partial}{\partial z}k\right) \cdot V$$ 에서
$$E = -\left(\frac{\partial}{\partial x}i + \frac{\partial}{\partial y}j + \frac{\partial}{\partial z}k\right)(3xy + z + 4)$$
$$= -(3yi + 3xj + k) = -3yi - 3xj - k$$

**정답** ④

## 05

회로에서 단자 $a$, $b$ 사이에 교류전압 200[V]를 가하였을 때 $c$, $d$ 사이의 전위차는 몇[V]인가?

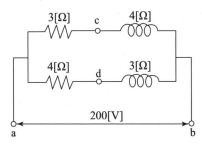

① 46[V]　　　　　　② 96[V]

③ 56[V]　　　　　　④ 76[V]

**풀이**

$$I_1 = \frac{200}{3+j4} = \frac{200(3-j4)}{(3+j4)(3-j4)} = \frac{200(3-j4)}{25}$$
$$= \frac{600-j800}{25} = 24-j32[A]$$
$$I_2 = \frac{200}{4+j3} = \frac{200(4-j3)}{(4+j3)(4-j3)} = \frac{200(4-j3)}{25}$$
$$= \frac{800-j600}{25} = 32-j24[A]$$
$$V_{cd} = 4(32-j24)-3(24-j32)$$
$$= 128-j96-72+j96 = 56[V]$$

**정답** ③

## 06

어떤 회로에 $E=100+j20$[V]인 전압을 가했을 때 $I=4+j3$[A]인 전류가 흘렀다면 이 회로의 임피던스는?

① $19.5+j3.9$[Ω]　　　② $18.4-j8.8$[Ω]

③ $17.3-j8.5$[Ω]　　　④ $15.3+j3.7$[Ω]

**풀이**

$$Z = \frac{E}{I} = \frac{100+j20}{4+j3} = \frac{(100+j20)(4-j3)}{(4+j3)(4-j3)}$$
$$= \frac{1}{25}(400-j300+j80+60) = \frac{1}{25}(460-j220)$$
$$= 18.4-j8.8[Ω]$$
$$R = 18.4[Ω], X = 8.8[Ω]$$

**정답** ②

## 07

다음과 같은 상태 방정식의 고유값 $\lambda_1$ 과 $\lambda_2$ 는?

$$\begin{bmatrix} x_1 \\ x_1 \end{bmatrix} = \begin{bmatrix} 1 & -2 \\ -3 & 2 \end{bmatrix}\begin{bmatrix} x_1 \\ x_2 \end{bmatrix} + \begin{bmatrix} 2 & -3 \\ -4 & 3 \end{bmatrix}\begin{bmatrix} r_1 \\ r_2 \end{bmatrix}$$

① $4, -1$　　　　　② $-4, 1$

③ $6, -1$　　　　　④ $-6, 1$

**풀이**

$$|\lambda I - A| = \begin{bmatrix} \lambda & 0 \\ 0 & \lambda \end{bmatrix} - \begin{bmatrix} 1 & -2 \\ -3 & 2 \end{bmatrix} = \begin{vmatrix} \lambda-1 & 2 \\ 3 & \lambda-2 \end{vmatrix}$$
$$= (\lambda-1)(\lambda-2)-6 = \lambda^2-3\lambda-4$$
$$= (\lambda-4)(\lambda+1) = 0$$
$$\therefore \lambda = 4, -1$$

**정답** ①

## CHAPTER 04    정수와 유리수의 계산

(1) $(+3)+(+4)=+(3+4)=+7$   정답   $+7$

(2) $(-2)+(+4)=+(4-2)=+2$   정답   $+2$

(3) $\left(+\dfrac{1}{3}\right)+\left(+\dfrac{5}{6}\right)=\left(+\dfrac{2}{6}\right)+\left(+\dfrac{5}{6}\right)=+\left(\dfrac{2}{6}+\dfrac{5}{6}\right)=+\dfrac{7}{6}$   정답   $+\dfrac{7}{6}$

(4) $(-2)+\left(-\dfrac{2}{5}\right)=\left(-\dfrac{10}{5}\right)+\left(-\dfrac{2}{5}\right)=-\left(\dfrac{10}{5}+\dfrac{2}{5}\right)=-\dfrac{12}{5}$   정답   $-\dfrac{12}{5}$

(5) $(-3)+(+4)+(-7)=\{(-3)+(-7)\}+(+4)=(-10)+(+4)=-6$   정답   $-6$

(6) $\left(-\dfrac{5}{2}\right)+\left(+\dfrac{3}{5}\right)+\left(+\dfrac{1}{15}\right)=\left(-\dfrac{75}{30}\right)+\left(+\dfrac{18}{30}\right)+\left(+\dfrac{2}{30}\right)=\left(-\dfrac{75}{30}\right)+\left\{\left(+\dfrac{18}{30}\right)+\left(+\dfrac{2}{30}\right)\right\}$

$\qquad\qquad =\left(-\dfrac{75}{30}\right)+\left(+\dfrac{20}{30}\right)=-\dfrac{55}{30}=-\dfrac{11}{6}$   정답   $-\dfrac{11}{6}$

(7) $(+3)-(+7)=(+3)+(-7)=-(7-3)=-4$   정답   $-4$

(8) $(-8)-(+6)=(-8)+(-6)=-(8+6)=-14$   정답   $-14$

(9) $\left(+\dfrac{3}{4}\right)-\left(+\dfrac{3}{2}\right)=\left(+\dfrac{3}{4}\right)+\left(-\dfrac{6}{4}\right)=-\left(\dfrac{6}{4}-\dfrac{3}{4}\right)=-\dfrac{3}{4}$   정답   $-\dfrac{3}{4}$

(10) $(+15)-(-3)-(+8)=(+15)+3+(-8)=18-8=10$   정답   $10$

(11) $(-2)-(-10)+(+3)=-2+(+10)+(+3)=8+3=11$   정답   $11$

(12) $\left(-\dfrac{2}{7}\right)-\left(+\dfrac{5}{14}\right)+\left(-\dfrac{3}{2}\right)=-\dfrac{2}{7}+\left(-\dfrac{5}{14}\right)+\left(-\dfrac{3}{2}\right)=\dfrac{-4-5-21}{14}=-\dfrac{30}{14}=-\dfrac{15}{7}$   정답   $-\dfrac{15}{7}$

(13) $\dfrac{2}{3}-\dfrac{5}{6}+\dfrac{1}{12}=\dfrac{8}{12}-\dfrac{10}{12}+\dfrac{1}{12}=\dfrac{8-10+1}{12}=-\dfrac{1}{12}$   정답   $-\dfrac{1}{12}$

(14) $2.4-1.3+4.7=1.1+4.7=5.8$   정답   $5.8$

# 05 함수의 뜻과 함숫값

## 1. 함수

두 변수 $x$, $y$에 대하여 x의 값이 하나 정해짐에 따라 y의 값이 오직 하나씩 정해지는 관계에 있을 때, $y$는 $x$의 함수라 하며 기호로 y=f(x)와 같이 나타낸다.

① 함수 기호 $f$는 함수를 뜻하는 영어 단어 function의 첫 글자를 기호화한 것이다.

② $x$의 값 하나에 대하여 $y$의 값이 2개 이상 정해지면 $y$는 $x$의 함수가 아니다.

③ $y=3x$와 $f(x)=3x$는 서로 같은 표현이다.

④ $x$, $y$와 같이 여러 가지로 변하는 값을 나타내는 문자를 변수라 한다.

⑤ 변수와는 다르게 변하지 않는 일정한 값을 나타내는 수나 문자를 상수라 한다.

---

소문에 따르면 연고맨은 매초 3km씩 이동한다고 한다. 연고맨이 $x$초 동안 이동한 거리를 $y$km라 할 때, $x$의 값에 따른 $y$의 값의 변화는 다음 표와 같다.

| $x$(초) | 1 | 2 | 3 | 4 | 5 | ⋯ |
|---|---|---|---|---|---|---|
| $y$(km) | 3 | 6 | 9 | 12 | 15 | ⋯ |

위의 표에서 $x$의 값이 1, 2, 3, ⋯ 으로 정해짐에 따라 $y$의 값은 각각 3, 6, 9, ⋯ 로 오직 하나씩 정해지므로 $y$는 $x$의 함수이다. 이때 이 함수를 식으로 나타내면, $y=3x$ 또는 $f(x)=3x$이다.

---

## 2. 함숫값

### (1) 함숫값

함수 $y=f(x)$에서 $x$의 값에 따라 하나씩 정해지는 $y$의 값 $f(x)$를 $x$에 대한 함숫값이라 한다.

### (2) 함수 $y=f(x)$에서

$f(a) \Rightarrow x=a$에서의 함숫값

$\Rightarrow x=a$일 때, $y$의 값

$\Rightarrow f(x)$에 $x=a$를 대입하여 얻은 값

**예제**  함수 $f(x)=6x-1$에서 $x$의 값이 $-1$, 0, 1일 때, $x$에 대한 함숫값 $f(x)$를 각각 구하시오.

**풀이**  $x=-1$일 때, $f(-1)=6 \times (-1)-1=-7$

$x=0$일 때, $f(0)=6 \times 0-1=-1$

$x=1$일 때, $f(1)=6 \times 1-1-5$

## 기본문제

### 01 다음 표를 완성하고, 물음에 답하시오.

**(1) 300원짜리 지우개 $x$개를 샀을 때, 지불하는 돈 $y$원**

| $x$(개) | 1 | 2 | 3 | 4 |
|---|---|---|---|---|
| $y$(원) | | | | |

① $x$와 $y$ 사이의 관계식을 구하시오.
② $y$가 $x$의 함수인지 아닌지 말하시오.

**(2) 넓이가 6cm²인 직사각형의 가로의 길이가 $x$cm일 때, 세로의 길이 $y$cm**

| $x$(cm) | 1 | 2 | 3 | 6 |
|---|---|---|---|---|
| $y$(cm) | | | | |

① $x$와 $y$ 사이의 관계식을 구하시오.
② $y$가 $x$의 함수인지 아닌지 말하시오.

**(3) 자연수 $x$의 배수 $y$**

| $x$ | 2 | 3 | 4 | 5 |
|---|---|---|---|---|
| $y$ | | | | |

① $y$가 $x$의 함수인지 아닌지 말하시오.
② 함수가 아니라면 그 이유를 말하시오.

### 02 함수 $f(x)=3x-1$에 대하여 다음 함숫값을 구하시오.

(1) $f(1)=3\times\boxed{\phantom{00}}-1=\boxed{\phantom{00}}$ 　 (2) $f(2)$

(3) $f(0)$ 　 (4) $f\left(\dfrac{1}{3}\right)$

(5) $f(-1)$

### 03 함수 $f(x)=-2x+7$에 대하여 $f(0)+f(1)$의 값을 구하시오.

## 01

대지면 높이 $h[\text{m}]$로 평행하게 가설된 매우 긴 선전하(선전하 밀도 $\lambda[\text{C/m}]$)가 지면으로부터 받는 힘$[\text{N/m}]$은?

① $h$에 비례한다.      ② $h$에 반비례한다.

③ $h^2$에 비례한다.      ④ $h^2$에 반비례한다.

**풀이** 선전하간의 작용력

$$f = -\lambda E = -\lambda \frac{\lambda}{2\pi\epsilon_0 (2h)} = \frac{-\lambda^2}{4\pi\epsilon_0 h} \propto \frac{1}{h}$$

$h[\text{m}]$ : 높이

$-\lambda[\text{C/m}]$ : 같은 거리 선전하 간의 작용력

정답 ②

## 02

전기 쌍극자에 관한 설명으로 **틀린** 것은?

① 전계의 세기는 거리의 세제곱에 반비례한다.

② 전계의 세기는 주위 매질에 따라 달라진다.

③ 전계의 세기는 쌍극자모멘트에 비례한다.

④ 쌍극자의 전위는 거리에 반비례한다.

**풀이** 전위 : $V = \dfrac{M\cos\theta}{4\pi\epsilon_0 r^2}[\text{V}] \propto \dfrac{1}{r^2}$ 거리의 제곱에 반비례

전계 : $E = \dfrac{M\sqrt{1 + 3\cos^2\theta}}{4\pi\epsilon_0 r^3}[\text{V/m}] \propto \dfrac{1}{r^3}$

( $M = Q \cdot \delta[\text{C} \cdot \text{m}]$ →전기쌍극자 모멘트)

정답 ④

## 03

송전선로에서 송전전력, 거리, 전력손실률과 전선의 밀도가 일정하다고 할 때, 전선 단면적 $A[\text{mm}^2]$는 전압 $V[\text{V}]$와 어떤 관계에 있는가?

① $V$에 비례한다.      ② $V^2$에 비례한다.

③ $\dfrac{1}{V}$ 에 비례한다.      ④ $\dfrac{1}{V^2}$ 에 비례한다.

**풀이** 전력손실률 : 공급전력에 대한 전력손실의 비율

$$K = \frac{R_l}{P} = \frac{PR}{V^2\cos^2\theta} = \frac{P\rho l}{V^2\cos^2\theta A} \text{ 이므로 } A \propto \frac{1}{V^2}$$

( $R$ : 1선의 저항, $P$ : 전력)

정답 ④

## 04

전기 쌍극자에 의한 전계의 세기는 쌍극자로부터의 거리 $r$에 대해서 어떠한가?

① $r$에 반비례한다.      ② $r^2$에 반비례한다.

③ $r^3$에 반비례한다.      ④ $r^4$에 반비례한다.

**풀이** $E = \dfrac{M}{4\pi\epsilon_0 r^3}\sqrt{1 + \cos^2\theta}[\text{V/m}]$

$\therefore r^3$에 반비례

정답 ③

## 05 다음 설명 중 잘못된 것은?

① 저항률의 역수는 전도율이다.

② 도체의 저항률은 온도가 올라가면 그 값이 증가한다.

③ 저항의 역수는 컨덕턴스이고, 그 단위는 지멘스[S]를 사용한다.

④ 도체의 저항은 단면적에 비례한다.

**풀이** $R = \rho \dfrac{l}{A}[\Omega] \rightarrow R \propto \dfrac{1}{A}$

도체의 저항은 단면적에 반비례한다.

**정답** ④

## 06 전기 쌍극자(electric dipole)의 중점으로부터 거리 $r$[m]떨어진 $P$점에서 전계의 세기는?

① $r$에 비례한다.      ② $r^2$에 비례한다.

③ $r^2$에 반비례한다.      ④ $r^3$에 반비례한다.

**풀이** 전기쌍극자의 전계의 세기 및 전위

전계의 세기 : $E = \dfrac{M}{4\pi\epsilon_0 r^3}\sqrt{1 + 3\cos^2\theta}[\text{V/m}]$

$\rightarrow E \propto \dfrac{1}{r^3}$

전위 : $V = \dfrac{M}{4\pi\epsilon_0 r^2}\cos\theta[\text{V}] \rightarrow V \propto \dfrac{1}{r^2}$

**정답** ④

## 07 반지름 $a$[m]인 구대칭 전하에 의한 구내외의 전계의 세기에 해당되는 것은?

① 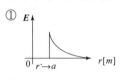    ②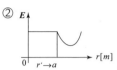

③ 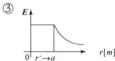    ④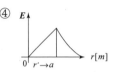

**풀이** 구체의 전하 분포

1. 내부에 전하가 균일 분포하는 경우

• 구체 외부($r>a$) : $E = \dfrac{Q}{4\pi\epsilon_0 r^2} \propto \dfrac{1}{r^2}[\text{V/m}]$

• 구체 표면($r=a$) : $E_a = \dfrac{Q}{4\pi\epsilon_0 a^2}[\text{V/m}]$ (일정)

• 구체 내부($r<a$) : $E_i = \dfrac{rQ}{4\pi\epsilon_0 a^3} \propto r[\text{V/m}]$

∴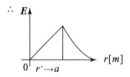

2. 표면에 전하가 존재하는 경우

• 구체 외부($r>a$) : $E = \dfrac{Q}{4\pi\epsilon_0 r^2} \propto \dfrac{1}{r^2}[\text{V/m}]$

• 구체 표면($r=a$)(일정) : $E_a = \dfrac{Q}{4\pi\epsilon_0 a^2}[\text{V/m}]$

• 구체 내부($r<a$) : $E_i = 0$

※ 일반적으로 도체인지 균등분포인지 분명한 지시가 있어야 하나 구대칭 전하의 일반적인 문제는 균등분포로 해석한다. 도체라는 말이 있다면 정답은 ①

**정답** ④

**08** 다음 함수 $F(s) = \dfrac{5s+3}{s(s+1)}$ 의 역라플라스 변환은?

① $2 + 3e^t$          ② $3 + 2e^{-t}$

③ $3 - 2e^{-t}$          ④ $2 - 3e^{-t}$

**풀이** 라플라스 역변환

$$F(s) = \frac{5s+3}{s(s+1)} = \frac{k_1}{s} + \frac{k_2}{s+1}$$

$$k_1 = F(s) \times s \,|_{s=0} = \frac{3}{1} = 3$$

$$k_2 = F(s) \times (s+1)\,|_{s=-1} = \frac{-5+3}{-1} = 2$$

$$f(t) = 3 + 2e^{-t}$$

**정답** ②

**09** $\dfrac{1}{s^2 + 2s + 5}$ 의 라플라스 역변환 값은?

① $e^{-2t} \cos 2t$      ② $\dfrac{1}{2} e^{-t} \sin t$

③ $\dfrac{1}{2} e^{-t} \sin 2t$      ④ $\dfrac{1}{2} e^{-t} \cos 2t$

**풀이**
$$\frac{1}{s^2+2s+5} = \frac{1}{s^2+2s+1+4} = \frac{1}{(s+1)^2 + 2^2}$$
$$= \frac{1}{2} \times \frac{2}{(s+1)^2 + 2^2}$$

시간함수 $\sin \omega t$ 로 변환한다.

$$f(t) = \frac{1}{2} e^{-t} \sin 2t$$

**정답** ③

**10** 그림과 같이 주기가 3[s]인 전압 파형의 실효값은 약 몇 [V]인가?

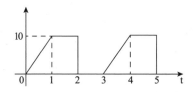

① 5.67     ② 6.67     ③ 7.57     ④ 8.57

**풀이** 실효값: $V = \sqrt{\dfrac{1}{T} \displaystyle\int_0^T v^2 \, dt}$

$$= \sqrt{\frac{1}{3}\left[\int_0^1 (10t)^2 \, dt + \int_1^2 10^2 \, dt\right]}$$

$$= \frac{20}{3} = 6.67[\text{V}]$$

**정답** ②

**11** 어떤 회로의 전류가 $i(t) = 20 - 20e^{-200t}$[A]로 주어졌다. 정상값은 몇 [A]인가?

① 5          ② 12.6

③ 15.6       ④ 20

**풀이** $i(t) = 20 - 20e^{-200t}$에서 정상값은 $t = \infty$인 경우이므로

$$i(t) = 20 - 20^{-200 \times \infty} = 20[\text{A}]$$

$$\left(e^{-\infty} = \frac{1}{e^\infty} = \frac{1}{\infty} = 0\right)$$

**정답** ④

**12** 개루프 전달 함수 $G(s) = \dfrac{(s+2)}{(s+1)(s+3)}$ 인 단위 피드백 제어계의 특성 방정식은?

① $s^2 + 3s + 2 = 0$     ② $s^2 + 4s + 3 = 0$

③ $s^2 + 4s + 6 = 0$     ④ $s^2 + 5s + 5 = 0$

**풀이** 부궤환 제어계의 전달함수는 $\dfrac{C(s)}{R(s)} = \dfrac{G(s)}{1 + G(s)H(s)}$

이고, 특성 방정식은 $1 + G(s)H(s) = 0$이다.

$$1 + \frac{s+2}{(s+1)(s+3)} = 0$$

양변에 분모를 곱하면

$$(s+1)(s+3) + (s+2) = 0$$

$$\therefore\ s^2 + 5s + 5 = 0$$

**정답** ④

## 01

(1)

| $x$(개) | 1 | 2 | 3 | 4 |
|---|---|---|---|---|
| $y$(원) | 300 | 600 | 900 | 1,200 |

① $y = 300x$

② 함수이다.

(2)

| $x$(cm) | 1 | 2 | 3 | 6 |
|---|---|---|---|---|
| $y$(cm) | 6 | 3 | 2 | 1 |

① $y = \dfrac{6}{x}$

② 함수이다.

(3)

| $x$ | 2 | 3 | 4 | 5 |
|---|---|---|---|---|
| $y$ | 2, 4, ⋯ | 3, 6, ⋯ | 4, 8, ⋯ | 5, 10, ⋯ |

① 함수가 아니다.

② $x$의 값 하나에 대하여 $y$의 값이 2개 이상 정해지므로 함수가 아니다.

## 02

(1) $f(1) = 3 \times 1 - 1 = 2$ 　정답 **2**

(2) $f(2) = 3 \times 2 - 1 = 5$ 　정답 **5**

(3) $f(0) = 3 \times 0 - 1 = -1$ 　정답 **-1**

(4) $f\left(\dfrac{1}{3}\right) = 3 \times \dfrac{1}{3} - 1 = 0$ 　정답 **0**

(5) $f(-1) = 3 \times (-1) - 1 = -4$ 　정답 **-4**

## 03

(1) $f(0) = -2 \times 0 + 7 = 7$ 　　　　　　　정답 **12**
$f(1) = -2 \times 1 + 7 = 5$
$\therefore f(0) + f(1) = 7 + 5 = 12$

# 06 단항식과 다항식

## 1. 단항식의 곱셈과 나눗셈

### 1) 단항식의 곱셈

> ( i ) 계수는 계수끼리, 문자는 문자끼리 곱한다.
>
> ( ii ) 같은 문자끼리의 곱셈은 지수법칙을 이용하여 간단히 한다.

단항식의 곱셈에서는 부호, 숫자, 같은 문자의 순서대로 계산하면 편리하다.

✓ $7x^2 \times 3x^3 = (7 \times 3) \times (x^2 \times x^3) = 21x^5$

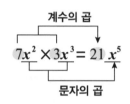

단항식의 곱셈에서 부호는 다음과 같이 결정된다.

① 음수가 홀수 개 ⇒ (−)      ② 음수가 짝수 개 ⇒ (+)

### 2) 단항식의 나눗셈

> **방법1** : 분수 꼴로 바꾸어 계산한다. ⇒ $A \div B = \dfrac{A}{B}$
>
> **방법2** : 나눗셈을 역수의 곱셈으로 바꾸어 계산한다(나누는 식의 역수를 곱한다).
>
> ⇒ $A \div B = A \times \dfrac{1}{B} = \dfrac{A}{B}$

곱셈과 나눗셈이 혼합된 식은 앞에서부터 순서대로 계산한다.

$A \div B \times C = A \times \dfrac{1}{B} \times C = \dfrac{AC}{B}$

계수의 몫

$34a^2 b \div 2a = 17ab$

문자의 몫

**기본문제**

**01** 다음 식을 간단히 하시오.

(1) $4x \times 5y^2$

(2) $6x^2 \times \left(-\dfrac{1}{2}x^3\right)$

(3) $(-10x^2y) \times \left(-\dfrac{1}{2}y^4\right)$

**02** 다음 식의 역수를 구하시오.

(1) $\dfrac{4}{5}ab$

(2) $-\dfrac{3y}{2x}$

**03** 다음 식을 간단히 하시오.

(1) $25x^3 \div 5x$

(2) $(-24x^2) \div 8x$

(3) $(-9a^6) \div (-3a^3)$

**04** 다음 식을 간단히 하시오.

(1) $10a^4 \div \dfrac{5}{6}a^2 = 10a^4 \div \dfrac{5a^2}{6} = 10a^4 \times \dfrac{6}{5a^2} = \left(10 \times \dfrac{6}{5}\right) \times \left(a^4 \times \dfrac{1}{a^2}\right) = $ ☐

(2) $(-4x^3) \div \dfrac{1}{2}x^2$

**05** 다음 식을 간단히 하시오.

(1) $3a \times (-2a) \div 9a$

(2) $16x^2y \div (-4x) \times (-2y)$

(3) $4a^2b \div (-2ab) \times 2ab^2$

## 2. 다항식의 덧셈과 뺄셈

### 1) 다항식의 덧셈과 뺄셈

#### (1) 다항식의 덧셈

괄호를 풀고 동류항끼리 모아서 간단히 한다.

#### (2) 다항식의 뺄셈

빼는 식의 각 항의 부호를 바꾸어 더한다.

---

✓ **괄호를 푸는 방법**

① 괄호 앞에 '+'가 있으면 ⇒ 괄호 안의 각 항의 부호를 그대로

$$+(A - B + C) = A - B + C$$

✓ $+(4x - 3y + 5) = 4x - 3y + 5$

② 괄호 앞에 '-'가 있으면 ⇒ 괄호 안의 각 항의 부호를 반대로

$$-(A - B + C) = -A + B - C$$
$$-(A + B - C) = -A - B + C$$

✓ $-(4x - 3y + 5) = -4x + 3y - 5$

③ 여러 가지 괄호가 있는 식은 다음 순서로 괄호를 풀어서 계산한다.

(소괄호) ⇒ {중괄호} ⇒ [대괄호]

---

### 2) 동류항

$3x$와 $x$, $-5y$와 $8y$, 7과 $-2$와 같이 문자와 차수가 각각 같은 항

✓ $(4a + 3b) - (2a - b)$

$= 4a + 3b - 2a + b$          괄호를 푼다

$= 4a - 2a + 3b + b$          동류항끼리 모은다.

$= (4 - 2)a + (3 + 1)b$       동류항끼리 계산한다.

$= 2a + 4b$

# 3. 이차식의 덧셈과 뺄셈

## 1) 이차식

다항식의 각 항의 차수 중 가장 큰 차수가 2인 다항식

$$\underset{\text{이차항}}{2x^2} + \underset{\text{일차항}}{5x} + \underset{\text{상수항}}{3}$$

✓ (1) 다항식 $2x^2 + 5x + 3$은 차수가 가장 큰 항 $2x^2$의 차수가 2이므로 이차식이다.
✓ (2) 다항식 $-x^2, 3x^2 + 2$는 $x$에 대한 이차식이고 $-2y^2 - 3y + 5, y^2 + 1$은 $y$에 대한 이차식이다.

## 2) 이차식의 덧셈과 뺄셈

( i ) 괄호를 풀고 동류항끼리 모아서 간단히 한다.
( ii ) 차수가 높은 항부터 낮은 항의 순서로 정리한다.

✓ $(3y^2 - 2y + 1) - (y^2 + 5y - 6)$
$= 3y^2 - 2y + 1 - y^2 - 5y + 6$        괄호를 푼다.
$= 3y^2 - y^2 - 2y - 5y + 1 + 6$        동류항끼리 모은다.
$= (3 - 1)y^2 + (-2 - 5)y + (1 + 6)$        동류항끼리 계산한다.
$= 2y^2 - 7y + 7$

**기본문제**

**06** 다음 식을 간단히 하시오.

(1) $(a + 2b) + (4a - b)$

(2) $(-3x + 2y) + (4x - 5y)$

(3) $(2x - y) + (x + 2y - 5)$

**07** 다음 식을 간단히 하시오.

(1) $(6x - 4y) - (8x - 5y)$

(2) $(3x - y) - (-x + 2y)$

**08** 다음 식을 간단히 하시오.

(1) $(x^2 - 3x) + (-5x^2 + 6)$

(2) $(4x^2 - x + 1) - (2x^2 - 5x + 3)$

**09** 다음 식을 간단히 하시오.

(1) $4x + \{x - (2x - y)\}$

## 4. 단항식과 다항식의 곱셈과 나눗셈

### 1) 전개

단항식과 다항식의 곱셈에서 괄호를 풀어 하나의 다항식으로 나타내는 것을 전개한다고 하며, 전개하여 얻은 다항식을 전개식이라 한다.

$$3x(x - y - 1) \xrightarrow{\text{전개}} \underbrace{3x^2 - 3xy - 3x}_{\text{전개식}}$$

## 2) (단항식)×(다항식)의 계산

분배법칙을 이용하여 단항식을 다항식의 각 항에 곱한다.

$$A(\overset{①}{B}+\overset{②}{C}) = AB + AC, \quad (\overset{①}{B}+\overset{②}{C})\,A = AB + AC$$

✓ $-2x(3x^2 - x + 6) = (-2x) \times 3x^2 + (-2x) \times (-x) + (-2x) \times 6 = -6x^3 + 2x^2 - 12x$

## 3) (다항식)÷(단항식)의 계산

다항식에 단항식의 역수를 곱하여 계산한다.

$$(A + B + C) \div D = (A + B + C) \times \frac{1}{D} = A \times \frac{1}{D} + B \times \frac{1}{D} + C \times \frac{1}{D}$$

✓ $(3x^2y - 2x) \div \frac{1}{2}x = (3x^2y - 2x) \times \frac{2}{x} = 3x^2y \times \frac{2}{x} + (-2x) \times \frac{2}{x} = 6xy - 4$

# 5. (다항식)×(다항식)의 전개

다음과 같이 분배법칙을 이용하여 전개한 다음 동류항끼리 모아서 간단히 한다.

$$(a + b)(c + d) = \underset{①}{ac} + \underset{②}{ad} + \underset{③}{bc} + \underset{④}{bd}$$

**10** 다음 식을 간단히 하시오.

(1) $4a \times (3a + 2b - 5)$

(2) $\frac{1}{2}x \times (6x - 8y + 3)$

**11** 다음 식을 간단히 하시오.

(1) $(10x^2 - 25xy) \div 5x = \dfrac{10x^2 - 25xy}{\boxed{\phantom{xxx}}} = \dfrac{10x^2}{\boxed{\phantom{x}}} - \dfrac{25xy}{\boxed{\phantom{x}}} = \boxed{\phantom{xxxxx}}$

(2) $(27x^3y + 9y) \div (-3y)$

(3) $(3x^2 - 8x) \div \frac{1}{2}x$

**12** 다음 식을 간단히 하시오.

(1) $x(3x + 6y) + 3x(2x - 9y)$

(2) $\dfrac{2ab^2 - 3a^2b}{a} - 4b(b - a)$

**13** 다음 식을 전개하시오.

(1) $(a + 2)(2b - 3) = a \times 2b + a \times (\boxed{\phantom{xxx}}) + 2 \times 2b + 2 \times (\boxed{\phantom{xxx}}) = \boxed{\phantom{xxxxxx}}$

(2) $(a - 8b)(3a + d)$

(3) $(x + 3y)(2x - y)$

## 01 그림의 회로에서 합성 인덕턴스는?

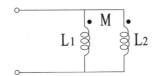

① $\dfrac{L_1 L_2 - M^2}{L_1 + L_2 - 2M}$      ② $\dfrac{L_1 L_2 + M^2}{L_1 + L_2 - 2M}$

③ $\dfrac{L_1 L_2 - M^2}{L_1 + L_2 + 2M}$      ④ $\dfrac{L_1 L_2 + M^2}{L_1 + L_2 + 2M}$

**풀이** 병렬 접속 시 합성 인덕턴스 : 병렬 접속형의 등가 회로를 그려보면 다음과 같다.

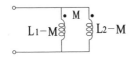

그러므로 합성 인덕턴스 $L_0$는

$$L_0 = M + \frac{(L_1 - M)(L_2 - M)}{(L_1 - M) + (L_2 - M)} = \frac{L_1 L_2 - M^2}{L_1 + L_2 - 2M}$$

**정답** ①

## 02 선형 시불변 시스템의 상태 방정식

$\dfrac{d}{dt}x(t) = Ax(t) = Ax(t) + Bu(t)$ 에서

$A = \begin{bmatrix} 1 & 3 \\ 1 & -2 \end{bmatrix}$, $B = \begin{bmatrix} 0 \\ 1 \end{bmatrix}$ 일 때, 특성 방정식은?

① $s^2 + s - 5 = 0$      ② $s^2 - s - 5 = 0$

③ $s^2 + 3s + 1 = 0$      ④ $s^2 - 3s + 1 = 0$

**풀이**

$$\begin{bmatrix} \dot{x}_1 \\ \dot{x}_2 \end{bmatrix} = \begin{bmatrix} 1 & 3 \\ 1 & -2 \end{bmatrix} = \begin{bmatrix} x_1 \\ x_2 \end{bmatrix} + \begin{bmatrix} 0 \\ 1 \end{bmatrix} u$$

$$|sI - A| = \begin{bmatrix} s & 0 \\ 0 & s \end{bmatrix} - \begin{bmatrix} 1 & 3 \\ 1 & -2 \end{bmatrix} = \begin{vmatrix} s-1 & -3 \\ -1 & s+2 \end{vmatrix}$$

$$= (s-1)(s+2) - 3 = s^2 + s - 5$$

$$\therefore s^2 + s - 5 = 0$$

**정답** ①

## 03 개루프 전달 함수 $G(s) = \dfrac{(s+2)}{(s+1)(s+3)}$ 인 단위 피드백 제어계의 특성 방정식은?

① $s^2 + 3s + 2 = 0$      ② $s^2 + 4s + 3 = 0$

③ $s^2 + 4s + 6 = 0$      ④ $s^2 + 5s + 5 = 0$

**풀이** 부궤환 제어계의 전달함수는 $\dfrac{C(s)}{R(s)} = \dfrac{G(s)}{1 + G(s)H(s)}$

이고, 특성 방정식은 $1 + G(s)H(s) = 0$이다.

$$1 + \frac{s+2}{(s+1)(s+3)} = 0$$

양변에 분모를 곱하면

$$(s+1)(s+3) + (s+2) = 0$$

$$\therefore s^2 + 5s + 5 = 0$$

**정답** ④

## 04 점전하 0.5[C]이 전계 $E = 3a_x + 5a_y + 8a_z$ [V/m] 중에서 속도 $4a_x + 2a_y + 3a_z$로 이동할 때 받는 힘은 몇 [N]인가?

① 4.95      ② 7.45

③ 9.95      ④ 13.47

**풀이**

$$F = qF = 0.5 \times (3a_x + 5a_y + 8a_z)$$

$$= 1.5a_x + 2.5a_y + 4a_z$$

$$\therefore F = \sqrt{1.5^2 + 2.5^2 + 4^2} = 4.95[N]$$

**정답** ①

**05** 전위 $V = 3xy + z + 4$일 때 전계 $E$는?

① $i3x + j3y + k$  ② $-i3y + j3x + k$

③ $i3x - j3y - k$  ④ $-i3y - j3x - k$

**풀이** 전계 $E = -\,gradV = -\nabla \cdot V$

$= -\left( \dfrac{\partial}{\partial x}i + \dfrac{\partial}{\partial y}j + \dfrac{\partial}{\partial z}k \right) \cdot V$ 에서

$E = -\left( \dfrac{\partial}{\partial x}i + \dfrac{\partial}{\partial y}j + \dfrac{\partial}{\partial z}k \right)(3xy + z + 4)$

$= -(3yi + 3xj + k) = -3yi - 3xj - k$

정답 ④

**06** 불평형 3상 전류가 $I_a = 16 + j2[\text{A}]$,

$I_b = -20 - j9[\text{A}]$, $I_c = -2 + j10[\text{A}]$일 때 영상분

전류 [A]는?

① $-2 + j[\text{A}]$  ② $-6 + j3[\text{A}]$

③ $-9 + j6[\text{A}]$  ④ $-18 + j9[\text{A}]$

**풀이** 영상전류 $I_0 = \dfrac{1}{3}(I_a + I_b + I_c)$

$\therefore I_0 = \dfrac{1}{3}(16 + j2 - 20 - j9 - 2 + j10)$

$= \dfrac{1}{3}(-6 + j3) = -2 + j[\text{A}]$

정답 ①

**07** $\dfrac{dx(t)}{dt} = Ax(t) + Bu(t)$, $A = \begin{bmatrix} 0 & 1 \\ -3 & 4 \end{bmatrix}$,

$B = \begin{bmatrix} 1 \\ 1 \end{bmatrix}$인 상태방정식에 대한 특성방정식을 구하면?

① $s^2 - 4s - 3 = 0$  ② $s^2 - 4s + 3 = 0$

③ $s^2 + 4s + 3 = 0$  ④ $s^2 + 4s - 3 = 0$

**풀이** 특성방정식 $|sI - A|$이므로

$\begin{bmatrix} s & 0 \\ 0 & s \end{bmatrix} - \begin{bmatrix} 0 & 1 \\ -3 & 4 \end{bmatrix} = \begin{vmatrix} s & -1 \\ 3 & s-4 \end{vmatrix}$

$= s(s-4) + 3 = s^2 - 4s + 3 = 0$

$(s-3)(s-1) = 0$

$s = 3, s = 1$

정답 ②

**08** 어떤 제어계의 전달함수

$G(s) = \dfrac{s}{(s+2)(s^2 + 2s + 2)}$ 에서 안정성을

판정하면?

① 안정하다.  ② 불안정하다.

③ 임계상태이다.  ④ 알 수 없다.

**풀이** 종합 전달 함수이므로 특성 방정식은

$(s+2)(s^2 + 2s + 2) = s^3 + 4s^2 + 6s + 4 = 0$

홀비쯔의 판별법에서

$a_0 = 1, a_1 = 4, a_2 = 6, a_3 = 4$ 이므로

$D_1 = a_1 = 4$

$D_2 = \begin{vmatrix} a_1 & a_3 \\ a_0 & a_2 \end{vmatrix} = \begin{vmatrix} 4 & 4 \\ 1 & 6 \end{vmatrix} = 24 - 4 = 20$

$D_1 > 0, D_2 > 0$ 이므로 제어계는 안정하다.

정답 ①

## 1. 단항식의 곱셈과 나눗셈 47p

## 01

(1) $4x \times 5y^2 = (4 \times 5) \times x \times y^2 = 20xy^2$　**정답** $20xy^2$

(2) $6x^2 \times \left(-\frac{1}{2}x^3\right) = \left\{6 \times \left(-\frac{1}{2}\right)\right\} \times (x^2 \times x^3) = -3x^5$　**정답** $-3x^5$

(3) $(-10x^2y) \times \left(-\frac{1}{2}y^4\right) = \left\{(-10) \times \left(-\frac{1}{2}\right)\right\} \times x^2 \times (y \times y^4) = 5x^2y^5$　**정답** $5x^2y^5$

## 02

(1) $\frac{4}{5}ab = \frac{4ab}{5}$ 이므로 역수는 $\frac{5}{4ab}$　**정답** $\frac{5}{4ab}$　　(2) $-\frac{3y}{2x}$ 의 역수는 $-\frac{2x}{3y}$　**정답** $-\frac{2x}{3y}$

## 03

(1) $25x^3 \div 5x = \frac{25x^3}{5x} = 5x^2$　**정답** $5x^2$　　　　(2) $(-24x^2) \div 8x = \frac{-24x^2}{8x} = -3x$　**정답** $-3x$

(3) $(-9a^6) \div (-3a^3) = \frac{-9a^6}{-3a^3} = 3a^3$　**정답** $3a^3$

## 04

(1) **정답** $12a^2$

(2) $(-4x^3) \div \frac{1}{2}x^2 = (-4x^3) \div \frac{x^2}{2} = (-4x^3) \times \frac{2}{x^2} = \{(-4) \times 2\} \times \left(x^3 \times \frac{1}{x^2}\right) = -8x$　**정답** $-8x$

## 05

(1) $3a \times (-2a) \div 9a = 3a \times (-2a) \times \frac{1}{9a} = \left\{3 \times (-2) \times \frac{1}{9}\right\} \times \frac{a \times a}{a} = -\frac{2}{3}a$　**정답** $-\frac{2}{3}a$

(2) $16x^2y \div (-4x) \times (-2y) = 16x^2y \times \left(-\frac{1}{4x}\right) \times (-2y) = \left\{16 \times \left(-\frac{1}{4}\right) \times (-2)\right\} \times \frac{x^2y \times y}{x} = 8xy^2$

　　**정답** $8xy^2$

(3) $4a^2b \div (-2ab) \times 2ab^2 = 4a^2b \times \left(-\frac{1}{2ab}\right) \times 2ab^2 = \left\{4 \times \left(-\frac{1}{2}\right) \times 2\right\} \times \frac{a^2b \times ab^2}{ab} = -4a^2b^2$

　　**정답** $-4a^2b^2$

## 06

(1) $(a + 2b) + (4a - b) = a + 2b + 4a - b = a + 4a + 2b - b = (1 + 4)a + (2 - 1)b = \boldsymbol{5a + b}$

　　정답　$\boldsymbol{5a + b}$

(2) $(-3x + 2y) + (4x - 5y) = -3x + 2y + 4x - 5y = -3x + 4x + 2y - 5y$

　　　　　$= (-3 + 4)x + (2 - 5)y = \boldsymbol{x - 3y}$　정답　$\boldsymbol{x - 3y}$

(3) $(2x - y) + (x + 2y - 5) = 2x - y + x + 2y - 5 = 2x + x - y + 2y - 5$

　　　　　$= (2 + 1)x + (-1 + 2)y - 5 = \boldsymbol{3x + y - 5}$　정답　$\boldsymbol{3x + y - 5}$

## 07

(1) $(6x - 4y) - (8x - 5y) = 6x - 4y - 8x + 5y = 6x - 8x - 4y + 5y = (6 - 8)x + (-4 + 5)y = \boldsymbol{-2x + y}$

　　정답　$\boldsymbol{-2x + y}$

(2) $(3x - y) - (-x + 2y) = 3x - y + x - 2y = 3x + x - y - 2y = (3 + 1)x + (-1 - 2)y = \boldsymbol{4x - 3y}$

　　정답　$\boldsymbol{4x - 3y}$

## 08

(1) $(x^2 - 3x) + (-5x^2 + 6) = x^2 - 3x - 5x^2 + 6 = x^2 - 5x^2 - 3x + 6 = (1 - 5)x^2 - 3x + 6 = \boldsymbol{-4x^2 - 3x + 6}$

　　정답　$\boldsymbol{-4x^2 - 3x + 6}$

(2) $(4x^2 - x + 1) - (2x^2 - 5x + 3) = 4x^2 - x + 1 - 2x^2 + 5x - 3 = 4x^2 - 2x^2 - x + 5x + 1 - 3$

　　　　　$= (4 - 2)x^2 + (-1 + 5)x + (1 - 3) = \boldsymbol{2x^2 + 4x - 2}$　정답　$\boldsymbol{2x^2 + 4x - 2}$

## 09

(1) $4x + \{x - (2x - y)\} = 4x + (x - 2x + y) = 4x + (-x + y) = 4x - x + y = \boldsymbol{3x + y}$　정답　$\boldsymbol{3x + y}$

## 10

(1) $4a \times (3a + 2b - 5) = 4a \times 3a + 4a \times 2b + 4a \times (-5) = 12a^2 + 8ab - 20a$

**정답** $12a^2 + 8ab - 20a$

(2) $\dfrac{1}{2}x \times (6x - 8y + 3) = \dfrac{1}{2}x \times 6x + \dfrac{1}{2}x \times (-8y) + \dfrac{1}{2}x \times 3 = 3x^2 - 4xy + \dfrac{3}{2}x$

**정답** $3x^2 - 4xy + \dfrac{3}{2}x$

## 11

(1) $(10x^2 - 25xy) \div 5x = \dfrac{10x^2 - 25xy}{5x} = \dfrac{10x^2}{5x} - \dfrac{25xy}{5x} = 2x - 5y$ **정답** $5x, 5x, 5x, 2x - 5y$

(2) $(27x^3y + 9y) \div (-3y) = \dfrac{27x^3y + 9y}{-3y} = \dfrac{27x^3y}{-3y} + \dfrac{9y}{-3y} = -9x^3 - 3$ **정답** $-9x^3 - 3$

(3) $(3x^2 - 8x) \div \dfrac{1}{2}x = (3x^2 - 8x) \times \dfrac{2}{x} = 3x^2 \times \dfrac{2}{x} + (-8x) \times \dfrac{2}{x} = 6x - 16$ **정답** $6x - 16$

## 12

(1) $x(3x + 6y) + 3x(2x - 9y) = x \times 3x + x \times 6y + 3x \times 2x + 3x \times (-9y)$

$$= 3x^2 + 6xy + 6x^2 - 27xy = 9x^2 - 21xy$$ **정답** $9x^2 - 21xy$

(2) $\dfrac{2ab^2 - 3a^2b}{a} - 4b(b - a) = 2b^2 - 3ab + (-4b) \times b + (-4b) \times (-a)$

$$= 2b^2 - 3ab - 4b^2 + 4ab = -2b^2 + ab$$ **정답** $-2b^2 + ab$

## 13

(1) $(a + 2)(2b - 3) = a \times 2b + a \times (-3) + 2 \times 2b + 2 \times (-3) = 2ab - 3a + 4b - 6$

**정답** $2ab - 3a + 4b - 6$

(2) $(a - 8b)(3a + d) = a \times 3a + a \times d + (-8b) \times 3a + (-8b) \times d = 3a^2 + ad - 24ab - 8bd$

**정답** $3a^2 + ad - 24ab - 8bd$

(3) $(x + 3y)(2x - y) = x \times 2x + x \times (-y) + 3y \times 2x + 3y \times (-y)$

$$= 2x^2 - xy + 6xy - 3y^2 = 2x^2 + 5xy - 3y^2$$ **정답** $2x^2 + 5xy - 3y^2$

# 07 다항식 심화

## 1. 다항식에서 사용하는 용어

> (1) **항**: 수 또는 문자의 곱으로만 이루어진 식
> (2) **상수항**: 특정한 문자를 포함하지 않는 항
> (3) **계수**: 항에서 특정한 문자를 제외한 나머지 부분
> (4) **다항식**: 한 개 또는 두 개 이상의 항의 합으로 이루어진 식
> (5) **단항식**: 한 개의 항으로만 이루어진 식
> (6) **차수**
>   ① **항의 차수**: 항에서 특정 문자가 곱해진 개수
>   ② **다항식의 차수**: 다항식에서 차수가 가장 높은 항의 차수
> (7) **동류항**: 특정한 문자에 대한 차수가 같은 항

**예제**   (1) 다항식 $3x^3 + x^2y^2 - 2y^4 + 5xy + 6$ 은

     ① $5xy$ 에서 $x$의 계수는 $5y$ 이다.

     ② $x$에 대한 삼차식이고, 상수항은 $-2y^4 + 6$ 이다.

     ③ $y$에 대한 사차식이고, 상수항은 $3x^3 + 6$ 이다.

   (2) 다항식 $x^3 + 3x^2y - 2xy - x^2y + 5xy - x + 6$ 에서 $x$에 대한 동류항은 $-2xy, 5xy, -x$ 이고,

     $x^2y$ 에 대한 동류항은 $3x^2y, -x^2y$ 이다.

## 2. 다항식의 정리

다항식은 동류항끼리 모아서 다음과 같은 방법으로 정리할 수 있다.
**(1) 내림차순으로 정리** : 한 문자에 대하여 차수가 높은 항부터 낮은 항의 순서로 나타내는 것
**(2) 오름차순으로 정리** : 한 문자에 대하여 차수가 낮은 항부터 높은 항의 순서로 나타내는 것

✓ 기사, 산업기사 시험에서는 내림차순으로 정리한다.

**예제** 다항식 $3x^2 - xy + y^2 + 4x - 2y + 1$을 다음과 같이 정리하시오.

(1) $x$에 대한 내림차순

(2) $y$에 대한 오름차순

**풀이** (1) 주어진 식은 $x$에 대한 이차식이므로 $x$에 대한 내림차순으로 정리하면 $3x^2 + (-y + 4)x + y^2 - 2y + 1$

(2) 주어진 식은 $y$에 대한 이차식이므로 $y$에 대한 오름차순으로 정리하면 $3x^2 + 4x + 1 - (x + 2)y + y^2$

## 3. 다항식의 덧셈과 뺄셈

다항식의 덧셈과 뺄셈은 다음과 같은 순서로 계산한다.

( i ) 괄호가 있는 경우 괄호를 푼다.

( ii ) 각 항을 동류항끼리 모아서 간단히 정리한다.

두 다항식 $A$, $B$에 대하여 $A+B$는 $A$, $B$의 각 항을 모두 더하여 동류항끼리 모아 정리한다.

또, $A - B$는 빼는 식 $B$의 각 항의 부호를 바꾸어서 더한다. 즉, $A - B = A + (-B)$를 이용한다.

특히, 괄호가 있으면 다음과 같이 괄호를 푼다.

(1) ( ) 앞의 부호가 **+**이면 ( ) 안의 부호는 그대로 $A + (B - C) = A + B - C$

(2) ( ) 앞의 부호가 **−**이면 ( ) 안의 부호는 반대로 $A - (B - C) = A - B + C$

**예제** 두 다항식 $A = 3x^2 + x + 2$, $B = x^2 - x - 3$에 대하여 다음을 계산하시오.

(1) $A + B$

(2) $A - B$

(3) $A - 2B$

**풀이** (1) $A + B = (3x^2 + x + 2) + (x^2 - x - 3) = 3x^2 + x + 2 + x^2 - x - 3$

$= (3 + 1)x^2 + (1 - 1)x + (2 - 3) = 4x^2 - 1$

(2) $A - B = (3x^2 + x + 2) - (x^2 - x - 3) = 3x^2 + x + 2 - x^2 + x + 3$

$= (3 - 1)x^2 + (1 + 1)x + 2 + 3 = 2x^2 + 2x + 5$

(3) $A - 2B = (3x^2 + x + 2) - 2(x^2 - x - 3) = 3x^2 + x + 2 - 2x^2 + 2x + 6$

$= (3 - 2)x^2 + (1 + 2)x + (2 + 6) = x^2 + 3x + 8$

## 4. 다항식의 덧셈에 대한 성질

다항식의 덧셈에 대하여 다음과 같은 성질이 성립한다.

> ✓ **세 다항식 A, B, C에 대하여**
>
> **(1) 교환법칙 :** $A + B = B + A$
>
> **(2) 결합법칙 :** $(A + B) + C = A + (B + C)$

✓ 다항식의 덧셈에 대한 결합법칙이 성립하므로 $(A + B) + C$와 $A + (B + C)$는 $A + B + C$와 같이 괄호를 사용하지 않고 나타낼 수 있다.

### 기본문제

**01** 다항식 $3x^2 - 2xy + 4y^2z + xz^2 - 3x^3$을 다음과 같이 정리하시오.

(1) $x$에 대한 내림차순

(2) $y$에 대한 오름차순

**02** 두 다항식 $A = -x^3 + 2x^2 + 4x - 5$, $B = 2x^3 - 5x^2 + 6x - 1$에 대하여 다음을 계산하시오.

(1) $A + 2B$

(2) $B - 2A$

(3) $A + B + 2(A - 3B)$

(4) $2B - 3A - 3(A + 2B)$

**03** 다음 $(2x^3 + 4x^2 + x) + (2x^2 - 1)$ 을 계산하는 과정이다. (가), (나), (다)에 알맞은 연산법칙을 구하시오.

$$(2x^3 + 4x^2 + x) + (2x^2 - 1)$$
$$= 2x^3 + 4x^2 + (x + 2x^2) - 1$$
$$= 2x^3 + 4x^2 + (2x^2 + x) - 1$$
$$= 2x^3 + (4x^2 + 2x^2) + x - 1$$
$$= 2x^3 + 6x^2 + x - 1$$

(가)

(나)

(다)

## 5. (다항식)×(다항식)의 전개

다음과 같이 분배법칙을 이용하여 전개한 다음 동류항끼리 모아서 간단히 한다.

$$(a + b)(c + d) = \underset{①}{ac} + \underset{②}{ad} + \underset{③}{bc} + \underset{④}{bd}$$

## 6. $(a + b)^2, (a - b)^2$ 의 전개

$$(a + b)^2 = a^2 + 2ab + b^2, \qquad (a - b)^2 = a^2 - 2ab + b^2$$

✓ $(a + b)^2 \neq a^2 + b^2, (a - b)^2 \neq a^2 - b^2$

## 7. $(a + b)(a - b)$ 의 공식

$$(a + b)(a - b) = a^2 - b^2$$

# 8. $(x+a)(x+b)$의 공식

$$(x+a)(x+b) = x^2 + \underset{\text{합}}{(a+b)}x + \underset{\text{곱}}{ab}$$

## 기본문제

### 04 다음 식을 전개하시오.

(1) $(a+2)(2b-3) = a \times 2b + a(\boxed{\phantom{xxxxx}}) + 2 \times 2b + 2 \times (\boxed{\phantom{xxxxx}}) = \boxed{\phantom{xxxxxxxxxx}}$

(2) $(a-8b)(3a+d)$                 (3) $(x+3y)(2x-y)$

### 05 다음 식을 전개하시오.

(1) $(x-4)^2 = x^2 - 2 \times \boxed{\phantom{xx}} \times \boxed{\phantom{xx}} + \boxed{\phantom{xx}}^2 = \boxed{\phantom{xxxxxx}}$

(2) $(a+7)^2$                    (3) $(2x-3)^2$

### 06 다음 식을 전개하시오.

(1) $(x+7)(x-7) = \boxed{\phantom{xx}}^2 - \boxed{\phantom{xx}}^2 = \boxed{\phantom{xxxxxx}}$

(2) $(2b+3)(2b-3)$             (3) $(x+2)(x-2)$

### 07 다음 식을 전개하시오.

(1) $(x+2)(x-7) = x^2 + \{\boxed{\phantom{xx}} + (\boxed{\phantom{xx}})\}x + \boxed{\phantom{xx}} \times (\boxed{\phantom{xx}}) = \boxed{\phantom{xxxxxx}}$

(2) $(y+9)(y-5)$

### 08 다음 식을 전개하시오.

(1) $(2x+1)(3x+4) = (2\times 3)x^2 + (2\times\boxed{\phantom{xx}} + \boxed{\phantom{xx}}\times\boxed{\phantom{xx}})x + \boxed{\phantom{xx}}\times\boxed{\phantom{xx}} = \boxed{\phantom{xxxxxx}}$

(2) $(6x+1)(2x-3)$             (3) $(2x-5)(5x-3)$

## 01

전계 $E = i3x^2 + j2xy^2 + kx^2yz$ 의 $divE$는 얼마인가?

① $-i6x + jxy + kx^2y$　② $i6x + j6xy + kx^2y$

③ $-6x + 6xy + x^2y$　④ $6x + 4xy + x^2y$

**풀이** $divE = \nabla \cdot E = \dfrac{\partial}{\partial x}(3x^2) + \dfrac{\partial}{\partial y}(2xy^2) + \dfrac{\partial}{\partial z}(x^2yz)$

$= 6x + 4xy + x^2y$

정답 ④

## 02

자유공간 중의 전위계에서 $V = 5(x^2 + 2y^2 - 3z^2)$ 일 때 점 $P(2, 0, -3)$에서의 전하밀도 $\rho$ 의 값은?

① 0 　② 2

③ 7 　④ 9

**풀이** 포아송의 방정식

$\nabla^2 V = -\dfrac{\rho}{\varepsilon^0}$

$\nabla^2 V = \dfrac{\partial^2 V}{\partial x^2} + \dfrac{\partial^2 V}{\partial y^2} + \dfrac{\partial^2 V}{\partial z^2}$

$= \dfrac{\partial^2}{\partial x^2}[5(x^2 + 2y^2 - 3z^2)]$

$+ \dfrac{\partial^2}{\partial y^2}[5(x^2 + 2y^2 - 3z^2)]$

$+ \dfrac{\partial^2}{\partial z^2}[5(x^2 + 2y^2 - 3z^2)]$

$= 10 + 20 - 30 = 0$

$\therefore \rho = 0$

정답 ①

## 03

개루프 전달함수 $G(s)H(s) = \dfrac{K}{s(s+3)^2}$ 의 이탈점에 해당되는 것은?

① $-2.5$ 　② $-2$

③ $-1$ 　④ $-0.5$

**풀이** $G(s)H(s) = \dfrac{K}{s(s+3)^2}$ 이므로

$1 + G(s)H(s) = 1 + \dfrac{K}{s(s+3)^2} = 0$

양변에 분모 $s(s+3)^2$ 을 곱하면

$s(s+3)^2 + K = 0$

$K = -s(s+3)^2 = -s^3 - 6s^2 - 9s$

$s$에 관하여 미분하면

$\dfrac{dK}{ds} = -3s^2 - 12s - 9 = -3(s^2 + 4s + 3) = 0$

$-3(s+1)(s+3) = 0,\ s = -1, -3$

따라서, 이탈점은 $a = -1, b = -3$ 이다.

정답 ③

## 04

$2C$의 점전하가 전계

$E = 2a_x + a_y - 4a_z\,[\text{V/m}]$ 및 자계

$B = -2a_x + 2a_y - a_z\,[\text{wb/m}^2]$ 내에서 속도

$v = 4a_x - a_y - 2a_z\,[\text{m/s}]$ 로 운동하고 있을 때 점전하에 작용하는 힘 $F$는 몇 [N]인가?

① $-14a_x + 18a_y + 6a_z$　② $14a_x - 18a_y - 6a_z$

③ $-14a_x + 18a_y + 4a_z$　④ $14a_x + 18a_y + 4a_z$

**풀이** 점전하에 작용하는 힘 : $F = q(E + v \times B)$

($q$ : 전하, $E$ : 전계, $v$ : 속도, $B$ : 자속밀도)

$F = q(E + v \times B)$

$= 2(2a_x + a_y - 4a_z) +$

$2(4a_x - a_y - 2a_z)$

$\times 2(-2a_x + 2a_y - a_z)$

$= 2(2a_x + a_y - 4a_z) + 2\begin{vmatrix} a_x & a_y & a_z \\ 4 & -1 & -2 \\ -2 & 2 & -1 \end{vmatrix}$

$= 2(2a_x + a_y - 4a_z) + 2(5a_x + 8a_y + 6a_z)$

$= 2(7a_x + 9a_y + 2a_z) = 14a_x + 18a_y + 4a_z[\text{N}]$

정답 ④

## 05 그림의 회로에서 합성 인덕턴스는?

① $\dfrac{L_1L_2 - M^2}{L_1 + L_2 - 2M}$   ② $\dfrac{L_1L_2 + M^2}{L_1 + L_2 - 2M}$

③ $\dfrac{L_1L_2 - M^2}{L_1 + L_2 + 2M}$   ④ $\dfrac{L_1L_2 + M^2}{L_1 + L_2 + 2M}$

**풀이** 병렬 접속 시 합성 인덕턴스 : 병렬 접속형의 등가 회로를 그려보면 그림과 같다.

그러므로 합성 인덕턴스 $L_0$는

$$L_0 = M + \frac{(L_1 - M)(L_2 - M)}{(L_1 - M) + (L_2 - M)} = \frac{L_1L_2 - M^2}{L_1 + L_2 - 2M}$$

**정답** ①

## 06 선형 시불변 시스템의 상태 방정식

$\dfrac{d}{dt}x(t) = Ax(t) = Ax(t) + Bu(t)$ 에서

$A = -\begin{bmatrix} 1 & 3 \\ 1 & -2 \end{bmatrix}$, $B = \begin{bmatrix} 0 \\ 1 \end{bmatrix}$ 일 때, 특성 방정식은?

① $s^2 + s - 5 = 0$   ② $s^2 - s - 5 = 0$

③ $s^2 + 3s + 1 = 0$   ④ $s^2 - 3s + 1 = 0$

**풀이**

$\begin{bmatrix} \dot{x}_1 \\ \dot{x}_2 \end{bmatrix} = \begin{bmatrix} 1 & 3 \\ 1 & -2 \end{bmatrix} = \begin{bmatrix} x_1 \\ x_2 \end{bmatrix} + \begin{bmatrix} 0 \\ 1 \end{bmatrix} u$

$|sI - A| = \begin{vmatrix} s & 0 \\ 0 & s \end{vmatrix} - \begin{bmatrix} 1 & 3 \\ 1 & -2 \end{bmatrix} = \begin{vmatrix} s-1 & -3 \\ -1 & s+2 \end{vmatrix}$

$\quad = (s-1)(s+2) - 3 = s^2 + s - 5$

$\therefore s^2 + s - 5 = 0$

**정답** ①

## 07 개루프 전달 함수 $G(s) = \dfrac{(s+2)}{(s+1)(s+3)}$ 인

단위 피드백 제어계의 특성 방정식은?

① $s^2 + 3s + 2 = 0$   ② $s^2 + 4s + 3 = 0$

③ $s^2 + 4s + 6 = 0$   ④ $s^2 + 5s + 5 = 0$

**풀이** 부궤환 제어계의 전달함수는 $\dfrac{C(s)}{R(s)} = \dfrac{G(s)}{1 + G(s)H(s)}$

이고, 특성 방정식은 $1 + G(s)H(s) = 0$ 이다.

$$1 + \frac{s+2}{(s+1)(s+3)} = 0$$

양변에 분모를 곱하면

$(s+1)(s+3) + (s+2) = 0$

$\therefore s^2 + 5s + 5 = 0$

**정답** ④

## 08 함수 $f(t) = e^{-2t}\cos 3t$ 의 라플라스 변환은?

① $F(s) = \dfrac{s+2}{s^2 + 4s + 13}$   ② $F(s) = \dfrac{s-2}{s^2 + 4s + 13}$

③ $F(s) = \dfrac{s+2}{s^2 + 4s - 5}$   ④ $F(s) = \dfrac{s-2}{s^2 + 4s - 5}$

**풀이**

$\pounds[e^{-at}f(t)] = F(s+a)$

$\pounds[e^{-at}\cos \omega t] = \dfrac{s+a}{(s+1)^2 + \omega^2}$

$F(s) = \pounds[e^{-2t}\cos 3t] = \dfrac{s+2}{(s+2)^2 + 3^2} = \dfrac{s+2}{s^2 + 4s + 13}$

**정답** ①

**09** $\dfrac{dx(t)}{dt} = Ax(t) + Bu(t),\ A = \begin{bmatrix} 0 & 1 \\ -3 & 4 \end{bmatrix},$

$B = \begin{bmatrix} 1 \\ 1 \end{bmatrix}$ 인 상태방정식에 대한 특성방정식을 구하면?

① $s^2 - 4s - 3 = 0$　　② $s^2 - 4s + 3 = 0$

③ $s^2 + 4s + 3 = 0$　　④ $s^2 + 4s - 3 = 0$

**풀이** 특성방정식 $|sI - A|$ 이므로

$\begin{bmatrix} s & 0 \\ 0 & s \end{bmatrix} - \begin{bmatrix} 0 & 1 \\ -3 & 4 \end{bmatrix} = \begin{vmatrix} s & -1 \\ 3 & s-4 \end{vmatrix}$

$= s(s-4) + 3 = s^2 - 4s + 3 = 0$

$(s-3)(s-1) = 0$

$s = 3,\ s = 1$

**정답** ②

## 기본문제 정답 해설

1. 다항식에서 사용하는 용어 ~ 4. 다항식의 덧셈에 대한 성질　　60p

## 01

(1) **정답** $-3x^3 + 3x^2 + (-2y + z^2)x + 4y^2z$　　**정답** $3x^2 + xz^2 - 3x^3 - 2xy + 4zy^2$

## 02

(1) $A + 2B = -x^3 + 2x^2 + 4x - 5 + 2(2x^3 - 5x^2 + 6x - 1) = -x^3 + 2x^2 + 4x - 5 + 4x^3 - 10x^2 + 12x - 2$

$= 3x^3 - 8x^2 + 16x - 7$　**정답** $3x^3 - 8x^2 + 16x - 7$

(2) $B - 2A = 2x^3 - 5x^2 + 6x - 1 - 2(-x^3 + 2x^2 + 4x - 5) = 2x^3 - 5x^2 + 6x - 1 + 2x^3 - 4x^2 - 8x + 10$

$= 4x^3 - 9x^2 - 2x + 9$　**정답** $4x^3 - 9x^2 - 2x + 9$

(3) $A + B + 2(A - 3B) = A + B + 2A - 6B = 3A - 5B = 3(-x^3 + 2x^2 + 4x - 5) - 5(2x^3 - 5x^2 + 6x - 1)$

$= -3x^3 + 6x^2 + 12x - 15 - 10x^3 + 25x^2 - 30x + 5 = -13x^3 + 31x^2 - 18x - 10$

**정답** $-13x^3 + 31x^2 - 18x - 10$

(4) $2B - 3A - 3(A + 2B) = 2B - 3A - 3A - 6B = -6A - 4B = -6(-x^3 + 2x^2 + 4x - 5)$

$-4(2x^3 - 5x^2 + 6x - 1) = 6x^3 - 12x^2 - 24x + 30 - 8x^3 + 20x^2 - 24x + 4$

$= -2x^3 + 8x^2 - 48x + 34$　**정답** $-2x^3 + 8x^2 - 48x + 34$

## 03

정답 (가) 결합법칙, (나) 교환법칙, (다) 결합법칙

### 5. (다항식)×(다항식)의 전개         62p

## 04

(1) $(a+2)(2b-3) = a \times 2b + a \times (-3) + 2 \times 2b + 2 \times (-3) = 2ab - 3a + 4b - 6$

    정답   $-3, -3, 2ab - 3a + 4b - 6$

(2) $(a-8b)(3a+d) = a \times 3a + a \times d + (-8b) \times 3a + (-8b) \times d = 3a^2 + ad - 24ab - 8bd$

    정답   $3a^2 + ad - 24ab - 8bd$

(3) $(x+3y)(2x-y) = x \times 2x + x \times (-y) + 3y \times 2x + 3y \times (-y) = 2x^2 - xy + 6xy - 3y^2$

               $= 2x^2 + 5xy - 3y^2$   정답   $2x^2 + 5xy - 3y^2$

## 05

(1) $(x-4)^2 = x^2 - 2 \times x \times 4 + 4^2 = x^2 - 8x + 16$   정답   $x, 4, 4^2, x^2 - 8x + 16$

(2) $(a+7)^2 = a^2 + 2 \times a \times 7 + 7^2 = a^2 + 14a + 49$   정답   $a^2 + 14a + 49$

(3) $(2x-3)^2 = (2x)^2 - 2 \times 2x \times 3 + 3^2 = 4x^2 - 12x + 9$   정답   $4x^2 - 12x + 9$

## 06

(1) $(x+7)(x-7) = x^2 - 7^2 = x^2 - 49$   정답   $x^2, 7^2, x^2 - 49$

(2) $(2b+3)(2b-3) = (2b)^2 - 3^2 = 4b^2 - 9$   정답   $4b^2 - 9$

(3) $(x+2)(x-2) = x^2 - 2^2 = x^2 - 4$   정답   $x^2 - 4$

## 07

(1) $(x+2)(x-7) = x^2 + \{2 + (-7)\}x + 2 \times (-7) = x^2 - 5x - 14$   정답   $x^2 - 5x - 14$

(2) $(y+9)(y-5) = y^2 + \{9 + (-5)\}y + 9 \times (-5) = y^2 + 4y - 45$   정답   $y^2 + 4y - 45$

## 08

(1) $(2x+1)(3x+4) = (2 \times 3)x^2 + (2 \times 4 + 1 \times 3)x + 1 \times 4 = 6x^2 + 11x + 4$

    정답   $4, 1, 3, 1, 4, 6x^2 + 11x + 4$

(2) $(6x+1)(2x-3) = (6 \times 2)x^2 + \{6 \times (-3) + 1 \times 2\}x + 1 \times (-3) = 12x^2 - 16x - 3$

    정답   $12x^2 - 16x - 3$

(3) $(2x-5)(5x-3) = (2 \times 5)x^2 + \{2 \times (-3) + (-5) \times 5\}x + (-5) \times (-3) = 10x^2 - 31x + 15$

    정답   $10x^2 - 31x + 15$

# 08 인수분해

## 1. 인수분해

### (1) 인수

하나의 다항식을 두 개 이상의 다항식의 곱으로 나타
낼 때, 각각의 식을 처음 다항식의 인수라 한다.

$$x^2+8x+15 \underset{\text{전개}}{\overset{\text{인수분해}}{\rightleftarrows}} (x+3)(x+5)$$

합의 모양                  곱의 모양

### (2) 인수분해

하나의 다항식을 두 개 이상의 인수의 곱으로 나타내는 것이다.

## 2. 공통인 인수의 인수분해

각 항에 공통인 인수가 있을 때는 분배법칙을 이용하여 공통인 인수를 묶어 인수분해한다.

$$\Rightarrow ma + mb = m(a + b)$$

✓ $4x^2 - 2xy^2 = 2x(2x - y^2)$

## 3. $a^2 + 2ab + b^2$, $a^2 - 2ab + b^2$ 의 인수분해

### (1) $a^2 + 2ab + b^2$, $a^2 - 2ab + b^2$ 꼴의 인수분해

$$a^2 + 2ab + b^2 = (a + b)^2, \quad a^2 - 2ab + b^2 = (a - b)^2$$

✓ $x^2 + 8x + 16 = x^2 + 2 \times x \times 4 + 4^2 = (x + 4)^2$
✓ $x^2 - 4x + 4 = x^2 - 2 \times x \times 2 + 2^2 = (x - 2)^2$

### (2) 완전제곱식

하나의 다항식의 제곱으로 된 식 또는 이 식에 상수를 곱한 식

✓ $(x + 2)^2, 3(a - 2b)^2$

## 4. $a^2 - b^2$의 인수분해

$$a^2 - b^2 = (a+b)(a-b)$$

두 항이 제곱의 차의 꼴이면 합과 차의 곱으로 인수분해된다.

✓ $4a^2 - b^2 = (2a)^2 - b^2 = (2a+b)(2a-b)$

## 5. $x^2 + (a+b)x + ab$의 인수분해

$$x^2 + \underset{\text{합}}{(a+b)}x + \underset{\text{곱}}{ab} = (x+a)(x+b)$$

① 곱하여 상수항이 되고 합하여 $x$의 계수가 되는 두 정수 $a$, $b$를 찾는다.
② $(x+a)(x+b)$꼴로 나타낸다.

**예제** $x^2 + 7x - 8$을 인수분해하시오.

**풀이** 오른쪽 표와 같이 곱이 $-8$인 두 정수를 먼저 찾은 후 그 중에서 합이 7인
두 정수를 찾는다.
곱이 $-8$, 합이 7인 두 정수는 $-1$, 8이므로
∴ $x^2 + 7x - 8 = (x-1)(x+8)$

| 곱이 -8인 두 정수 | | 합 |
|---|---|---|
| 1 | -8 | -7 |
| -1 | 8 | 7 |
| 2 | -4 | -2 |
| -2 | 4 | 2 |

## 기본문제

**01** 다음 식에서 공통인 인수를 찾아 인수분해하시오.

(1) $ax - ay \Rightarrow$ 공통인 인수: _____ , 인수분해: _____

(2) $3xy^3 - 9x^2 y^2 \Rightarrow$ 공통인 인수: _____ , 인수분해: _____

**02** 다음 식을 인수분해하시오.

(1) $x^2 + 4x + 4 = x^2 + \boxed{\phantom{xx}} \times x \times 2 + \boxed{\phantom{xx}}^2 = (x + \boxed{\phantom{xx}})^2$

**03** 다음 식을 인수분해하시오.

(1) $x^2 - 36 = x^2 - \boxed{\phantom{xx}}^2 = (x + 6)(x - \boxed{\phantom{xx}})$

(2) $9a^2 - 4b^2$

**04** 다음 식을 인수분해하시오.

(1) $x^2 - 7x + 10 =$ _____

| 곱이 10인 두 정수 | | 합 |
|:---:|:---:|:---:|
| 1 | 10 | |
| $-1$ | $-10$ | |
| 2 | 5 | |
| $-2$ | $-5$ | |

(2) $x^2 + 5x - 6 =$ _____

| 곱이 -6인 두 정수 | | 합 |
|:---:|:---:|:---:|
| 1 | $-6$ | |
| $-1$ | 6 | |
| 2 | $-3$ | |
| $-2$ | 3 | |

(3) $s^2 - 4s + 3$

(4) $s^2 + 5s + 4$

(5) $s^2 + 3s + 2$

## 01

직렬 저항 $2[\Omega]$, 병렬 저항 $1.5[\Omega]$인 무한제형회로(Infinite Ladder)의 입력저항(등가 2단자망의 저항)의 값은 얼마인가?

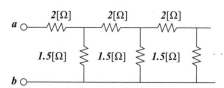

① $6[\Omega]$　　　　② $5[\Omega]$

③ $3[\Omega]$　　　　④ $4[\Omega]$

**풀이** 무한제형회로(사다리꼴회로)이므로 다음과 같은 등가 회로로 변환할 수 있다.

단자 $a$, $b$에서 본 합성저항 $R = 2 + \dfrac{1.5R}{1.5 + R}$

$1.5R + R^2 = 3 + 2R + 1.5R$

$R^2 - 2R - 3 = 0$ 에서 $(R-3)(R+1) = 0$

$R = 3$, $R = -1$ 저항 $R$값이 $(-)$는 없으므로

$R = 3[\Omega]$

※ $a$, $b$간에 직렬저항이 $3.5[\Omega]$이므로 합성저항은 $3.5[\Omega]$ 이하로 될 수밖에 없다.

**정답** ③

## 02

상태방정식 $\dfrac{d}{dt}x(t) = Ax(t) + Bu(t)$에서

$A = \begin{bmatrix} -6 & 7 \\ 2 & -1 \end{bmatrix}$이라면 $A$의 고유값은?

① $1, -8$　　　　② $1, -5$

③ $2, -8$　　　　④ $2, -5$

**풀이** $A$의 고유값 = 특성 방정식의 해

특성 방정식

$|sI - A| = \begin{bmatrix} s & 0 \\ 0 & s \end{bmatrix} - \begin{bmatrix} -6 & 7 \\ 2 & -1 \end{bmatrix} = \begin{vmatrix} s+6 & -7 \\ -2 & s+1 \end{vmatrix}$

$\quad = (s+6)(s+1) - 14 = 0$

$\quad = s^2 + 7s - 8 = 0$

$\quad = (s-1)(s+8) = 0$

$\therefore s = 1, -8$

**정답** ①

## 03

개루프 전달함수 $G(s)H(s) = \dfrac{K}{s(s+3)^2}$의 이탈점에 해당되는 것은?

① $1$　　　　② $-1$

③ $2$　　　　④ $-2$

**풀이** 이 계의 특성 방정식은

$1 + G(s)H(s) = 1 + \dfrac{K}{s(s+3)^2} = \dfrac{s(s+3)^2 + K}{s(s+3)^2} = 0$

분자가 0이어야 하므로

$s(s+3)^2 + K = 0$

$K = -s(s+3)^2 = -s^3 - 6s^2 - 9s$

$s$에 관하여 미분하면

$\dfrac{dK}{ds} = -3s^2 - 12s - 9 = -3(s^2 + 4s + 3) = 0$

괄호 안의 식을 인수분해하면 $(s+3)(s+1) = 0$

따라서, 이탈점은 $s = -3, -1$ 이다.

**정답** ②

## 04

$A = \begin{bmatrix} -2 & 2 \\ 1 & -3 \end{bmatrix}$의 고유값은?

① $-2, -5$　　　　② $-1, -4$

③ $1, 4$　　　　④ $2, 5$

**풀이** $A$의 고유값 = 특성 방정식의 해

특성 방정식

$|sI - A| = \begin{bmatrix} s & 0 \\ 0 & s \end{bmatrix} - \begin{bmatrix} -2 & 2 \\ 1 & -3 \end{bmatrix} = \begin{vmatrix} s+2 & -2 \\ -1 & s+3 \end{vmatrix}$

$\quad = (s+2)(s+3) - 2 = s^2 + 5s + 4 = 0$

$\therefore s^2 + 5s + 4 = 0$

$(s+1)(s+4) = 0 \quad \therefore s = -1, -4$

**정답** ②

**05** $\dfrac{dx(t)}{dt} = Ax(t) + Bu(t)$, $A = \begin{bmatrix} 0 & 1 \\ -3 & 4 \end{bmatrix}$, $B = \begin{bmatrix} 1 \\ 1 \end{bmatrix}$ 인

상태 방정식에 대한 특성 방정식을 구하면?

① $s^2 - 4x - 3 = 0$    ② $s^2 - 4s + 3 = 0$

③ $s^2 + 4s + 3 = 0$    ④ $s^2 + 4s - 3 = 0$

풀이 특성 방정식 $|sI - A|$ 이므로

$$\begin{bmatrix} s & 0 \\ 0 & s \end{bmatrix} - \begin{bmatrix} 0 & 1 \\ -3 & 4 \end{bmatrix} = \begin{vmatrix} s & -1 \\ 3 & s-4 \end{vmatrix}$$
$$= s(s-4) + 3 = s^2 - 4s + 3 = 0$$
$$(s-3)(s-1) = 0$$
$$s = 3, s = 1$$

정답 ②

**06** 상태 방정식 $\dot{X} = AX + BU$ 에서

$A = \begin{bmatrix} 0 & 1 \\ -2 & -3 \end{bmatrix}$, $B = \begin{bmatrix} 0 \\ 1 \end{bmatrix}$ 일 때 고유값은?

① $-1, -2$    ② $1, 2$

③ $-2, -3$    ④ $2, 3$

풀이 $|sI - A|$의 행렬식

$$|sI - A| = \begin{vmatrix} s & -1 \\ 2 & s+3 \end{vmatrix} = s(s+3) + 2 = s^2 + 3s + 2$$
$$s^2 + 3s + 2 = (s+1)(s+2) = 0$$
$$\therefore s = -1, -2$$

정답 ①

**07** 특성 방정식이 $s^4 + s^3 + 3s^2 + Ks + 2 = 0$인

제어계가 안정하기 위한 $K$의 범위는?

① $0 < K < 3$    ② $2 < K < 3$

③ $1 < K < 2$    ④ $3 < K$

풀이 루드의 표는

| $S^4$ | 1 | 3 | 2 |
|---|---|---|---|
| $S^3$ | 1 | $K$ | 0 |
| $S^2$ | $3-K$ | 2 | |
| $S^1$ | $\dfrac{K(3-K)-2}{3-K}$ | 0 | |
| $S^0$ | 2 | | |

$s^2$행으로부터 안정 조건은 $3 - K > 0 \rightarrow 3 > K$

$s^1$행으로부터 안정 조건은 $\dfrac{K(3-K)-2}{3-K} > 0$ 이므로

$-K^2 + 3K - 2 > 0$ 되어 마이너스를 전체 곱해도

같으니 $K^2 - 3K + 2 < 0$ 된다.

$(K-2)(K-1) < 0$

부등호의 해는 $1 < K < 2$

$\therefore 1 < K < 2$

정답 ③

## 08 특성 방정식이 $s^5 + s^4 + 4s^3 + 3s^2 + Ks + 1 = 0$인 제어계가 안정하기 위한 $K$의 범위는?

① $0 < K < 4$

② $\dfrac{5 - \sqrt{5}}{2} < K < \dfrac{5 + \sqrt{5}}{2}$

③ $0 < K < \dfrac{5 + \sqrt{5}}{2}$

④ $\dfrac{5 - \sqrt{5}}{2} < K < 4$

**풀이** 루드 표에 의하여

$$
\begin{array}{c|ccc}
S^5 & 1 & 4 & K \\
S^4 & 1 & 3 & 1 \\
S^3 & 1 & K-1 & 0 \\
S^2 & -K+4 & 1 & \\
S^1 & \dfrac{-K^2+5K-5}{-K+4} & 0 & \\
S^0 & 1 & &
\end{array}
$$

제1열에 부호의 변화가 없어야 하므로

$-K + 4 > 0, \, -K^2 + 5K - 5 > 0$

마이너스를 곱해도 부등호는 성립하므로

$K - 4 < 0, \, K^2 - 5K + 5 < 0$

$K^2 - 5K + 5 < 0$ 를 인수분해하여 해를 부등식으로 정리하면

$\dfrac{5 - \sqrt{5}}{2} < K < \dfrac{5 + \sqrt{5}}{2}$

$K < 4$ 이므로

$\therefore \dfrac{5 - \sqrt{5}}{2} < K < 4$

정답 ④

## 01

(1) $ax - ay$ 에서 공통인 인수는 $a$ 이므로 인수분해하면 $a(x-y)$ **정답** $a,\ a(x-y)$

(2) $3xy^3 - 9x^2y^2$ 에서 공통인 인수는 $3xy^2$ 이므로 인수분해하면 $3xy^2(y-3x)$ **정답** $3xy^2,\ 3xy^2(y-3x)$

## 02

(1) $x^2 + 4x + 4 = x^2 + 2 \times x \times 2 + 2^2 = (x+2)^2$ **정답** $2,\ 2,\ 2$

## 03

(1) $x^2 - 36 = x^2 - 6^2 = (x+6)(x-6)$ **정답** $6^2,\ 6$

(2) $9a^2 - 4b^2 = (3a)^2 - (2b)^2 = (3a+2b)(3a-2b)$ **정답** $(3a+2b)(3a-2b)$

## 04

(1) 곱이 10, 합이 $-7$ 인 두 정수는 $-2, -5$ 이므로 $x^2 - 7x + 10 = (x-2)(x-5)$ **정답** $(x-2)(x-5)$

| 곱이 10인 두 정수 | | 합 |
|---|---|---|
| 1 | 10 | **11** |
| $-1$ | $-10$ | $-11$ |
| 2 | 5 | **7** |
| $-2$ | $-5$ | $-7$ |

(2) 곱이 $-6$, 합이 5인 두 정수는 $-1, 6$ 이므로 **정답** $x^2 + 5x - 6 = (x-1)(x+6)$

| 곱이 $-6$인 두 정수 | | 합 |
|---|---|---|
| 1 | $-6$ | $-5$ |
| $-1$ | 6 | **5** |
| 2 | $-3$ | $-1$ |
| $-2$ | 3 | **1** |

(3) $s^2 - 4s + 3$ 곱이 3, 합이 $-4$ 인 두 정수는 $-1, -3$ 이므로 **정답** $s^2 - 4s + 3 = (s-1)(s-3)$

(4) $s^2 + 5s + 4$ 곱이 4, 합이 5인 두 정수는 1, 4이므로 **정답** $s^2 + 5s + 4 = (s+1)(s+4)$

(5) $s^2 + 3s + 2$ 곱이 2, 합이 3인 두 정수는 1, 2이므로 **정답** $s^2 + 3s + 2 = (s+1)(s+2)$

# 09

# 완전제곱식

## 1. 완전제곱식

다항식의 제곱꼴로 나타낸 식이다.

✓ $(x-y)^2, 2(a+b)^2, -5(x-6)^2$

**예제** 다음 식이 완전제곱식이 되도록 ☐ 안에 알맞은 수를 써넣으시오.

(1) $x^2 + 12x +$ ☐

(2) $x^2 - 14x +$ ☐

(3) $x^2 +$ ☐ $x + 25$

(4) $x^2 + 6x +$ ☐

(5) $x^2 - 9x +$ ☐

**풀이** (1) $x^2 + 12x +$ ☐ 에서 ☐ 는 $+12$의 절반의 제곱이므로 ☐ $= (+6)^2 = 36$

(2) $x^2 - 14x +$ ☐ 에서 ☐ 는 $-14$의 절반의 제곱이므로 ☐ $= (-7)^2 = 49$

(3) $x^2 +$ ☐ $x + 25 = x^2 +$ ☐ $x + 5^2$에서 ☐ $= \pm 2 \times 5 = \pm 10$

(4) $x^2 + 2 \cdot 3x +$ ☐ 에서 ☐ $= 9$

(5) $x^2 - 9x +$ ☐ $= x^2 - 2 \cdot \dfrac{9}{2}x +$ 에서 ☐ $= \dfrac{81}{4}$

## 2. $x^2 + (a+b)x + ab$꼴의 인수분해

**예제** 다음 식을 인수분해하시오.

(1) $x^2 + 7x + 12$

(2) $x^2 + x - 20$

(3) $x^2 - 2x - 24$

(4) $x^2 + 9x + 20$

**풀이** (1) 곱이 12, 합이 7인 두 정수는 3, 4이므로 $x^2 + 7x + 12 = (x+3)(x+4)$

(2) 곱이 $-20$, 합이 1인 두 정수는 $-4$, 5이므로 $x^2 + x - 20 = (x-4)(x+5)$

(3) 곱이 $-24$, 합이 $-2$인 두 정수는 4, $-6$이므로 $x^2 - 2x - 24 = (x+4)(x-6)$

(4) 곱이 20, 합이 9인 두 정수는 $+4$, $+5$이므로 $x^2 + 9x + 20 = (x+4)(x+5)$

*01* 라플라스 함수 $F(s) = \dfrac{4s + 16}{s^2 + 8s + 20}$ 에 대한

시간 함수는?

① $4e^{-4t}\cos 2t$　　　② $e^{-4t}\cos 2t$

③ $e^{-4t}\sin 4t$　　　④ $4e^{-t}\sin 4t$

**풀이**　$F(s) = \dfrac{4s + 16}{s^2 + 8s + 20} = 4 \cdot \dfrac{s + 4}{s^2 + 8s + 16 + 4}$

$\qquad = 4 \cdot \dfrac{s + 4}{(s + 4)^2 + 2^2} = 4e^{-4t}\cos 2t$

정답 **①**

*02* 함수 $f(t) = e^{-2t}\cos 3t$ 의 라플라스 변환은?

① $F(s) = \dfrac{s + 2}{s^2 + 4s + 13}$　② $F(s) = \dfrac{s - 2}{s^2 + 4s + 13}$

③ $F(s) = \dfrac{s + 2}{s^2 + 4s - 5}$　④ $F(s) = \dfrac{s - 2}{s^2 + 4s - 5}$

**풀이**　$£\left[e^{-at}f(t)\right] = F(s + a)$

$\qquad £\left[e^{-at}\cos \omega t\right] = \dfrac{s + a}{(s + 1)^2 + \omega^2}$

$\qquad F(s) = £\left[e^{-2t}\cos 3t\right] = \dfrac{s + 2}{(s + 2)^2 + 3^2} = \dfrac{s + 2}{s^2 + 4s + 13}$

정답 **①**

*03* $\dfrac{1}{s^2 + 2s + 5}$ 의 라플라스 역변환 값은?

① $e^{-2t}\cos 2t$　　　② $\dfrac{1}{2}e^{-t}\sin t$

③ $\dfrac{1}{2}e^{-t}\sin 2t$　　　④ $\dfrac{1}{2}e^{-t}\cos 2t$

**풀이**　$\dfrac{1}{s^2 + 2s + 5} = \dfrac{1}{s^2 + 2s + 1 + 4} = \dfrac{1}{(s + 1)^2 + 2^2}$

$\qquad\qquad = \dfrac{1}{2} \times \dfrac{2}{(s + 1)^2 + 2^2}$

시간함수 $\sin \omega t$ 로 변환한다.

$\qquad f(t) = \dfrac{1}{2}e^{-t}\sin 2t$

정답 **③**

*04* $F(s) = \dfrac{2(s + 1)}{s^2 + 2s + 5}$ 의 시간함수 $f(t)$ 는

어느 것인가?

① $2e^t\cos 2t$　　　② $2e^t\sin 2t$

③ $2e^{-t}\cos 2t$　　　④ $2e^{-t}\sin 2t$

**풀이**　$F(s) = \dfrac{2(s + 1)}{s^2 + 2s + 5} = \dfrac{2(s + 1)}{s^2 + 2s + 1 + 4} = \dfrac{2(s + 1)}{(s + 1)^2 + 2^2}$

이므로 $f(t) = 2e^{-t}\cos 2t$

정답 **③**

# 10 비례, 반비례, 비례식

## 1. 정비례

$x$가 2배, 3배, 4배, …로 변함에 따라 $y$도 2배, 3배, 4배, …로 변하는 관계를 $y$는 $x$에 정비례한다고 한다.

$y$가 $x$에 정비례할 때, 정비례 관계식은 $y=ax(a \neq 0)$이다.

| | | 2배 | 3배 | 4배 | | |
|---|---|---|---|---|---|---|
| 닭수(마리) | 1 | 2 | 3 | 4 | 5 | … |
| 다리 수(개) | 2 | 4 | 6 | 8 | 10 | … |

정비례 관계 $y=ax(a \neq 0)$를 그래프로 나타내면 오른쪽과 같은 직선이 된다.

이때, $a$의 값이 클수록 경사(기울기)가 가파르다.

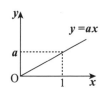

## 2. 반비례

$x$가 2배, 3배, 4배, …로 변함에 따라 $y$는 $\frac{1}{2}$배, $\frac{1}{3}$배, $\frac{1}{4}$배, …로 변하는 관계를 $x$와 $y$는 반비례(역비례)한다고 한다.

### 넓이가 100cm²인 직사각형의 가로 $x$, 세로 $y$

| | | 2배 | 4배 | | 10배 | | |
|---|---|---|---|---|---|---|---|
| 가로 $x(cm)$ | 1 | 2 | 4 | 5 | 10 | 50 | 100 |
| 세로 $y(cm)$ | 100 | 50 | 25 | 20 | 10 | 2 | 1 |

$\frac{1}{2}$배, $\frac{1}{4}$배, $\frac{1}{10}$배

$$y = \frac{a}{x}(a \neq 0) \text{의 그래프}$$

반비례 관계 $y = \frac{a}{x}(a \neq 0)$를 그래프로 나타내면 오른쪽과 같은 곡선이 된다.

이때, $a$값이 클수록 곡선이 $x$축, $y$축으로부터 멀어진다.

$y = \frac{a}{x}(a \neq 0)$꼴은 분모($x$)가 커지면 값($y$)은 작아진다.

✓ $y = \frac{5}{x}$,  $C = \frac{0.02413}{D}[\mu F/km]$,  $C = \frac{0.02413}{\log 10 \frac{D}{r}}[\mu F/km]$

## 3. 비례식

비율이 같은 두 비를 등식으로 나타낸 식을 비례식이라 한다.

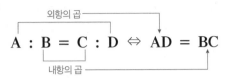

$$A : B = C : D \Leftrightarrow AD = BC$$

외항의 곱

내항의 곱

**기본문제**

**01** $3:6 = 1:x$ 에서 $x$의 값은?

**02** $V = IR$ 이고 $V$는 일정해야 할 때, $R$이 20% 감소하면 $I$는 몇 % 증가해야 하는가?

**03** $P = I^2R$ 에서 $I$가 2배 증가하면 $P$는 몇 배인가?

**04** $H = \dfrac{M}{2\pi r}$ 에서 $r$이 4배가 되면 $H$는 몇 배인가?

**05** $E = \dfrac{M}{4\pi\varepsilon_9 r^3}\sqrt{1 + \cos^2\theta}$ 에서 $E$와 $r$은 어떤 관계인가?

**06** $K = \dfrac{P\rho l}{V^2\cos^2\theta A}$ 에서 $A$와 $V$는 어떤 관계인가?

## 01

*N*회 감긴 환상코일의 단면적이 $S[\text{m}^2]$이고 평균 길이가 $l[\text{m}]$이다. 이 코일의 권수를 반으로 줄이고 인덕턴스를 일정하게 하려고 할 때, 다음 중 옳은 것은?

① 단면적을 2배로 한다.

② 길이를 $\frac{1}{4}$로 한다.

③ 전류의 세기를 $\frac{1}{2}$배로 한다.

④ 비투자율을 4로 한다.

**풀이** 환상코일의 자기 인덕턴스 : $L = \frac{\mu S N^2}{l}[\text{H}]$

( $\mu$ : 투자율, $S$ : 단면적, $N$ : 권수, $l$ : 길이)

권수를 $\frac{1}{2}$로 하면 $L$은 $\left(\frac{1}{2}\right)^2 = \frac{1}{4}$배로 되므로

단면적($S$)을 4배 또는 길이($l$)을 $\frac{1}{4}$배로 하면 인덕턴스 ($L$)은 일정하게 된다.

**정답** ②

## 02

일정 전압의 직류 전원에 저항을 접속하여 전류를 흘릴 때, 저항 값을 20[%] 감소시키면 흐르는 전류는 처음 저항에 흐르는 전류의 몇 배가 되는가?

① 1.0배          ② 1.1배

③ 1.25배          ④ 1.5배

**풀이** 전류 : $I = \frac{V}{R}$ ($I$ : 전류, $R$ : 저항, $V$ : 전압)

저항이 20[%] 감소되면 전류는 저항에 반비례하므로

전류는 $I = \frac{1}{0.8} = 1.25$배가 되어야 한다.

**정답** ③

## 03

부하전류가 2배로 증가하면 변압기의 2차측 동손은 어떻게 되는가?

① $\frac{1}{4}$로 감소한다.          ② $\frac{1}{2}$로 감소한다.

③ 2배로 증가한다.          ④ 4배로 증가한다.

**풀이** 동손 : 동손은 부하손으로 $P_c = I^2 R[\text{W}]$

동손은 전류의 제곱에 비례하므로 전류가 2배 되면 동손은 4배가 된다.

**정답** ④

## 04

도전율 $\sigma$, 투자율 $\mu$인 도체에 교류전류가 흐를 때 표피효과의 영향에 대한 설명으로 옳은 것은?

① $\sigma$가 클수록 작아진다.

② $\mu$가 클수록 작아진다.

③ $\mu_s$가 클수록 작아진다.

④ 주파수가 높을수록 커진다.

**풀이** 표피효과 침투깊이 : $\delta = \sqrt{\frac{2}{\omega \sigma \mu}} = \sqrt{\frac{1}{\pi f \sigma \mu}}[\text{m}]$

$k\left(= \frac{1}{2 \times 10^{-s}}\right)$ : 도전율 $[\mho/m]$, $\mu$ : 투자율[H/m]

$\omega$ : 각속도 $(= 2\pi f)$, $\delta$ : 표피두께(침투깊이), $f$ : 주파수

표피효과는 표피효과 깊이와 반비례한다.

즉, 표피효과 깊이가 작을수록 표피효과가 큰 것이다.

그러므로 투자율이 작으면 표피효과 깊이가 크고, 표피효과는 작아지는 것이다.

쉽게 말하면 주파수($f$)나 도전율($k$)이나 투자율($\mu$)에 표피효과는 비례하고 표피효과 깊이는 반비례한다.

**정답** ④

**05** 부하역률이 $\cos\theta$ 인 경우의 배전선로의 전력손실은 같은 크기의 부하전력으로 역률이 1인 경우의 전력손실에 비하여 몇 배인가?

① $\dfrac{1}{\cos^2\theta}$  ② $\dfrac{1}{\cos\theta}$

③ $\cos\theta$  ④ $\cos^2\theta$

**풀이** $P_l = 3I^2R = 3\left(\dfrac{P}{\sqrt{3}\,V\cos\theta}\right)^2 R = \dfrac{P^2R}{V^2\cos^2\theta}[\text{W}]$

$\therefore P_l \propto \dfrac{1}{\cos^2\theta}$

정답 ①

**06** 정전류가 흐르고 있는 무한 직선도체로부터 수직으로 0.1[m]만큼 떨어진 점의 자계의 크기가 100[A/m]이면 0.4[m]만큼 떨어진 점의 자계의 크기[A/m]는?

① 10  ② 25

③ 50  ④ 100

**풀이** 자계의 세기 : $H = \dfrac{1}{2\pi r}[\text{A/m}] \rightarrow H \propto \dfrac{1}{r}$

거리($r$)가 4배이므로 자계의 세기는 $\dfrac{1}{4}$로 된다.

$\therefore H_x = \dfrac{0.1}{0.4} \times 100 = 25[\text{A/m}]$

정답 ②

**07** 대지면 높이 $h[\text{m}]$로 평행하게 가설된 매우 긴 선전하(선전하 밀도 $\lambda[\text{C/m}]$)가 지면으로부터 받는 힘[N/m]은?

① $h$에 비례한다.  ② $h$에 반비례한다.

③ $h^2$에 비례한다.  ④ $h^2$에 반비례한다.

**풀이** 선전하간의 작용력

$f = -\lambda E = -\lambda\dfrac{\lambda}{2\pi\varepsilon_0(2h)} = \dfrac{-\lambda^2}{4\pi\varepsilon_0 h} \propto \dfrac{1}{h}$

$h[\text{m}]$ : 높이

$-\lambda[\text{C/m}]$ : 같은 거리 선전하 간의 작용력

정답 ②

**08** 전기 쌍극자에 관한 설명으로 틀린 것은?

① 전계의 세기는 거리의 세제곱에 반비례한다.

② 전계의 세기는 주위 매질에 따라 달라진다.

③ 전계의 세기는 쌍극자모멘트에 비례한다.

④ 쌍극자의 전위는 거리에 반비례한다.

**풀이** 전위 : $V = \dfrac{M\cos\theta}{4\pi\varepsilon_0 r^2}[\text{V}] \propto \dfrac{1}{r^2}$ 거리의 제곱에 반비례

전계 : $E = \dfrac{M\sqrt{1+3\cos^2\theta}}{4\pi\varepsilon_0 r^3}[\text{V/m}] \propto \dfrac{1}{r^3}$

($M = Q \cdot \delta[C \cdot m] \rightarrow$ 전기쌍극자 모멘트)

정답 ④

## 09

송전선로에서 송전전력, 거리, 전력손실률과 전선의 밀도가 일정하다고 할 때, 전선 단면적 $A[\text{mm}^2]$는 전압 $V[\text{V}]$와 어떤 관계에 있는가?

① $V$에 비례한다.
② $V^2$에 비례한다.
③ $\dfrac{1}{V}$에 비례한다.
④ $\dfrac{1}{V^2}$에 비례한다.

**풀이** **전력손실률** : 공급전력에 대한 전력손실의 비율

$$K = \frac{R_i}{P} = \frac{PR}{V^2\cos^2\theta} = \frac{P\rho l}{V^2\cos^2\theta A} \text{ 이므로 } A \propto \frac{1}{V^2}$$

($R$ : 1선의 저항, $P$ : 전력)

**정답** ④

## 10

전기 쌍극자에 의한 전계의 세기는 쌍극자로부터의 거리 $r$에 대해서 어떠한가?

① $r$에 반비례한다.
② $r^2$에 반비례한다.
③ $r^3$에 반비례한다.
④ $r^4$에 반비례한다.

**풀이** $E = \dfrac{M}{4\pi\varepsilon_0 r^3}\sqrt{1 + 3\cos^2\theta}[\text{V/m}]$ ∴ $r^3$에 반비례

**정답** ③

## 11

다음 설명 중 잘못된 것은?

① 저항률의 역수는 전도율이다.
② 도체의 저항률은 온도가 올라가면 그 값이 증가한다.
③ 저항의 역수는 컨덕턴스이고, 그 단위는 지멘스[S]를 사용한다.
④ 도체의 저항은 단면적에 비례한다.

**풀이** $R = \rho\dfrac{l}{A}[\Omega] \rightarrow R \propto \dfrac{1}{A}$

도체의 저항은 단면적에 반비례한다.

**정답** ④

## 12

전기 쌍극자(electric dipole)의 중점으로부터 거리 $r[\text{m}]$떨어진 $P$점에서 전계의 세기는?

① $r$에 비례한다.
② $r^2$에 비례한다.
③ $r^2$에 반비례한다.
④ $r^3$에 반비례한다.

**풀이** **전기쌍극자의 전계의 세기 및 전위**

전계의 세기 : $E = \dfrac{M}{4\pi\varepsilon_0 r^3}\sqrt{1 + 3\cos^2\theta}[\text{V/m}]$

$\rightarrow E \propto \dfrac{1}{r^3}$

전위 : $V = \dfrac{M}{4\pi\varepsilon_0 r^2}\cos\theta[\text{V}] \rightarrow V \propto \dfrac{1}{r^2}$

**정답** ④

**13** 반지름 $a$[m]인 구대칭 전하에 의한 구내 외의 전계의 세기에 해당되는 것은?

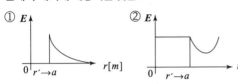

① $E$ ～ $r[m]$   $0$ $r' \to a$

② $E$ ～ $r[m]$   $0$ $r' \to a$

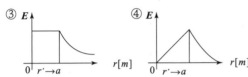

③ $E$ ～ $r[m]$   $0$ $r' \to a$

④ $E$ ～ $r[m]$   $0$ $r' \to a$

**풀이** 구체의 전하 분포

1. 내부에 전하가 균일 분포하는 경우

- 구체 외부$(r>a)$ : $E = \dfrac{Q}{4\pi\epsilon_0 r^2} \propto \dfrac{1}{r^2}$[V/m]

- 구체 표면$(r=a)$ : $E_a = \dfrac{Q}{4\pi\epsilon_0 a^2}$[V/m] (일정)

- 구체 내부$(r<a)$ : $E_i = \dfrac{rQ}{4\pi\epsilon_0 a^3} \propto r$[V/m]

$\therefore$

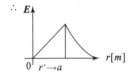

$E$ ～ $r[m]$   $0$ $r' \to a$

2. 표면에 전하가 존재하는 경우

- 구체 외부$(r>a)$ : $E = \dfrac{Q}{4\pi\epsilon_0 r^2} \propto \dfrac{1}{r^2}$[V/m]

- 구체 표면$(r=a)$(일정) : $E_a = \dfrac{Q}{4\pi\epsilon_0 a^2}$[V/m]

- 구체 내부$(r<a) : E_i = 0$

※ 일반적으로 도체인지 균등분포인지 분명한 지시가 있어야하나 구대칭 전하의 일반적인 문제는 균등분포로 해석한다. 도체라는 말이 있다면 정답은 ①

**정답** ④

**14** 정격전압 200[V], 전기자 전류 100[A]일 때 1,000[rpm]으로 회전하는 직류 분권 전동기가 있다. 이 전동기의 무부하 속도는 약 몇 [rpm]인가?(단, 전기자 저항은 0.15[Ω], 전기자 반작용은 무시한다)

① 981
② 1,081
③ 1,100
④ 1,180

**풀이**
$V_0 = E \propto N$
$E = V - I_a R_a = 200 - 100 \times 0.15 = 185$[A]
$N = 1,000$[rpm]
$200 : N' = 185 : 1,000$
$N' = \dfrac{200}{185} \times 1,000 = 1,081$[rpm]

**정답** ②

**15** 극수는 6, 회전수가 1,200[rpm]인 교류 발전기와 병렬운전하는 극수가 8인 교류 발전기의 회전수[rpm]는?

① 1,200
② 900
③ 750
④ 520

**풀이** $N_s \propto \dfrac{1}{p} \Rightarrow 8 : 1,200 = 6 : N_s$
$\therefore N_s = \dfrac{6}{8} \times 1,200 = 900$[rpm]

**정답** ②

**16** 송전선로의 정전용량은 등기 선간거리 $D$가 증가하면 어떻게 되는가?

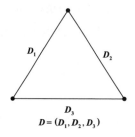

$$D = (D_1, D_2, D_3)$$

① 증가한다.

② 감소한다.

③ 변하지 않는다.

④ $D^2$에 반비례하여 감소한다.

**풀이** 정전용량: $C = \dfrac{0.02413}{\log_{10}\dfrac{D}{r}}[\mu F/km]$

($D$: 선간거리, $r$: 반지름)

선간거리 $D$가 커지면 정전용량은 적어진다.

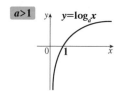

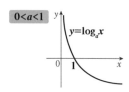

**정답** ②

| CHAPTER 10 | **비례, 반비례, 비례식** | 77p |
|---|---|---|

## 01

외항의 곱과 내항의 곱은 같다.

$3 \times x = 6 \times 1$  정답  $x = 2$

## 02

20% 감소했으니 $R$ 대신에 $0.8R$을 넣는다

$V = IR, V = I \cdot 0.8R$

$I \times \dfrac{8}{10}R$ 이며, $V$는 일정해야 하니 $\dfrac{8}{10}$ 을 없애주기 위해 $I$는 $\dfrac{10}{8}I$ 가 되어야 한다.

$\dfrac{10}{8}I$ 는 $1.25I$이며, $I$는 25% 증가해야 한다.   정답  **25% 증가**

## 03

$P = (2I)^2 R, P = 4I^2 R$  4배 증가한다.   정답  **4배 증가**

## 04

반비례 관계이므로 $H$는 $\dfrac{1}{4}$ 배이다.   정답  $\dfrac{1}{4}$ 배

## 05

분모에 있으므로 $E$와 $r$은 반비례 관계이며, $E \propto \dfrac{1}{r^3}$ 이다.

$E$는 $r^3$ 에 반비례 한다.   정답  **반비례**

## 06

$A$와 $V$의 관계를 나타내기 위해 좌변과 우변에 각각 위치하게 한다. $A$를 좌변으로 넘기자.

$AK = \dfrac{P\rho l}{V^2 \cos^2 \theta}$ , $A$와 $V$는 $y = -\dfrac{a}{x}(a \neq 0)$ 꼴이므로 반비례 관계이며 부호로 나타내면 $AK = \dfrac{1}{V^2}$ , $A$는 $V^2$ 에 반비례한다.

정답  **반비례**

# 여러 함수의 그래프

## 1. 좌표평면

$x$축과 $y$축으로 이루어진 평면

평면이 $x$축과 $y$축으로 인해 네 개의 부분으로 나뉜 것을 좌표평면이라고 한다.
좌표평면은 2개의 좌표축으로 인해 4개의 면으로 나뉘는데, $x$ 좌표와 $y$ 좌표가
모두 양수인 사분면을 제1사분면으로 하여 시계 반대 방향으로 돌면서 제2사분
면, 제3사분면, 제4사분면이라고 부른다.
각 사분면에서 $x$, $y$ 좌표의 부호는 다음과 같다.

|  | 제1사분면 | 제2사분면 | 제3사분면 | 제4사분면 |
|---|---|---|---|---|
| $x$ 좌표의 부호 | + | − | − | + |
| $y$ 좌표의 부호 | + | + | − | − |

✓ 점 $(5, 2)$ : $x$ 좌표 양수, $y$ 좌표 양수 ⇒ 제1사분면

점 $(-3, 1)$ : $x$ 좌표 음수, $y$ 좌표 양수 ⇒ 제2사분면

점 $(-5, -7)$ : $x$ 좌표 음수, $y$ 좌표 음수 ⇒ 제3사분면

점 $(3, -1)$ : $x$ 좌표 양수, $y$ 좌표 음수 ⇒ 제4사분면

점 $(0, -3)$ : $x$ 좌표 0, $y$ 좌표 음수 ⇒ $y$축(어느 사분면에도 속하지 않음)

점 $(5, 0)$ : $x$ 좌표 양수, $y$ 좌표 0 ⇒ $x$축(어느 사분면에도 속하지 않음)

좌표축 위의 점은 어느 사분면에도 속하지 않는다.

## 2. 일차함수의 그래프

일차함수에서 $x$값의 증가량에 대한 $y$값의 증가량의 비율

이때 이 증가량의 비율 $a$를 일차함수 $y=ax+b$의 그래프의 기울기라 한다.

> ✓ **일차함수 $y=ax+b$의 그래프**
>
> $$(\text{기울기}) = \frac{(y \text{의 값의 증가량})}{(x \text{의 값의 증가량})} = a$$
>
>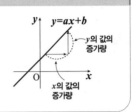

[1] 일차함수 $y=ax+b$에서 기울기 $a$는 $x$의 값이 1만큼 증가할 때 $y$의 값이

증가하는 양을 나타낸다.

   ✓ $y=3x-2$의 그래프의 기울기는 3이고, $x$의 값이 1만큼 증가할 때
     $y$의 값은 3만큼 증가함을 뜻한다.

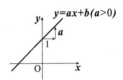

[2] 두 점 $(x_1, y_1)$, $(x_2, y_2)$를 지나는 일차함수의 그래프의 기울기

$$(\text{기울기}) = \frac{(y \text{의 값의 증가량})}{(x \text{의 값의 증가량})} = \frac{y_2 - y_1}{x_2 - x_1}$$

   ✓ 두 점 $(-2, 3)$, $(4, 6)$을 지나는 일차함수의 그래프의 기울기는

$$\text{기울기} = \frac{(y \text{의 값의 증가량})}{(x \text{의 값의 증가량})} = \frac{6-3}{4-(-2)} = \frac{1}{2}$$

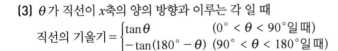

[3] $\theta$가 직선이 $x$축의 양의 방향과 이루는 각 일 때

$$\text{직선의 기울기} = \begin{cases} \tan\theta & (0° < \theta < 90° \text{일 때}) \\ -\tan(180° - \theta) & (90° < \theta < 180° \text{일 때}) \end{cases}$$

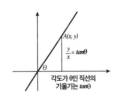

> ✓ **$x$절편, $y$절편**
>
> • $x$절편 : 직선이 $x$축과 만나는 점의 $x$좌표이고 직선의 방정식의 $y$에 0을 대입할 때 $x$의 값
> • $y$절편 : 직선이 $y$축과 만나는 점의 $y$좌표이고 직선의 방정식의 $x$에 0을 대입할 때 $y$의 값

**예제** 다음 일차함수의 그래프의 기울기와 $y$절편을 각각 구하시오.

(1) $y = -3x - 4$

(2) $y = \dfrac{5}{2}x + 7$

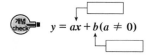

$y = ax + b\,(a \neq 0)$

**풀이** (1) 기울기: $-3$, $y$절편: $-4$

(2) 기울기: $\dfrac{5}{2}$, $y$절편: $7$

# 3. 상수함수

일차함수와 달리 $y=c$꼴이며, $x$의 값의 증가량에 영향받지 않고 $y$의 값이 늘 상수 $c$로 일정하다.

$y=$상수, $f(x)=$상수로 쓸 수 있다.

**예제** 다음 상수함수의 $y$ 절편을 구하시오

(1)
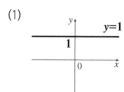

(2)
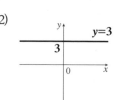

(3)
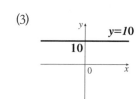

**풀이** (1) $y$절편: $1$

(2) $y$절편: $3$

(3) $y$절편: $10$

## 4. 단위계단함수

단위 계단 함수(Unit step function) 또는 헤비사이드 계단 함수(Heaviside step function)라 하며, 0보다 작은 수에 대해서는 0, 0보다 큰 실수에 대해서 1을 갖는 함수다. 이 함수는 신호처리, 라플라스 분야에서 자주 사용된다.

$f(t) = u(t)$, $y = u(t)$라 쓴다.

기본적인 단위 계단 함수(unit step function)의 변형으로, 0보다 작은 수에 대해서는 0, $a$보다 큰 실수에 대해서 1을 갖는 함수는

$f(t) = u(t - a)$, $y = u(t - a)$라 쓴다.

**예제**   1. 다음 그래프를 함수식으로 표현하시오.

(1)

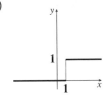

(2)

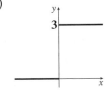

2. 다음 함수를 그래프로 표현하시오.

(1) $y = u(t - 4)$

(2) $y = 2u(t - 1)$

**풀이**   1. 다음 그래프를 함수식으로 표현하시오.

(1) $y = u(t - 1)$

(2) $y = 3u(t)$

2. 다음 함수를 그래프로 표현하시오.

(1)

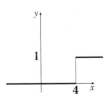

(2)

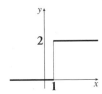

## 01

반지름 $a$[m]인 구대칭 전하에 의한 구내외의 전계의 세기에 해당되는 것은?

①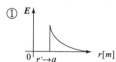

②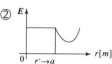

③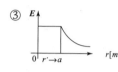

④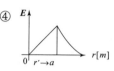

**풀이** 구체의 전하 분포

　1. 내부에 전하가 균일 분포하는 경우

　　• 구체 외부($r>a$): $E = \dfrac{Q}{4\pi\epsilon_0 r^2} \propto \dfrac{1}{r^2}$[V/m]

　　• 구체 표면($r=a$): $E_a = \dfrac{Q}{4\pi\epsilon_0 a^2}$[V/m] (일정)

　　• 구체 내부($r<a$): $E_i = \dfrac{rQ}{4\pi\epsilon_0 a^3} \propto r$[V/m]

　∴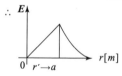

　2. 표면에 전하가 존재하는 경우

　　• 구체 외부($r>a$): $E = \dfrac{Q}{4\pi\epsilon_0 r^2} \propto \dfrac{1}{r^2}$[V/m]

　　• 구체 표면($r=a$)(일정): $E_a = \dfrac{Q}{4\pi\epsilon_0 a^2}$[V/m]

　　• 구체 내부($r<a$): $E_i = 0$

※ 일반적으로 도체인지 균등분포인지 분명한 지시가 있어야하나 구대칭 전하의 일반적인 문제는 균등분포로 해석한다. 도체라는 말이 있다면 정답은 ①

**정답** ④

## 02

그림과 같이 주기가 3[s]인 전압 파형의 실효값은 약 몇 [V]인가?

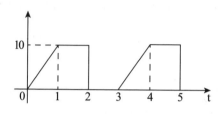

① 5.67　　　② 6.67　　　③ 7.57　　　④ 8.57

**풀이** 실효값: $V = \sqrt{\dfrac{1}{T}\displaystyle\int_0^T v^2\,dt}$

　　　　$= \sqrt{\dfrac{1}{3}\left[\displaystyle\int_0^1 (10t)^2\,dt + \int_1^2 10^2\,dt\right]}$

　　　　$= \dfrac{20}{3} = 6.67$[V]

**정답** ②

## 03

그림과 같은 구형파의 라플라스 변환은?

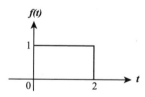

① $\dfrac{1}{s}(1 - e^{-s})$ 　　　② $\dfrac{1}{s}(1 + e^{-s})$

③ $\dfrac{1}{s}(1 - e^{-2s})$ 　　　④ $\dfrac{1}{s}(1 + e^{-2s})$

**풀이** $f(t) = u(t) - u(t-2)$

　　　$F(s) = \dfrac{1}{s} - \dfrac{1}{s}e^{-2s} = \dfrac{1}{s}(1 - e^{-2s})$

**정답** ③

## 04

$f(t) = 3u(t) + 2e^{-t}$인 시간함수를 라플라스 변환한 것은?

① $\dfrac{3s}{s^2 + 1}$  　　　　② $\dfrac{s + 3}{s(s + 1)}$

③ $\dfrac{5s + 3}{s(s + 1)}$  　　　④ $\dfrac{5s + 1}{(s + 1)s^2}$

**풀이**　$\pounds\,[3u(t) + 2e^{-t}] = \dfrac{3}{s} + 2\dfrac{1}{s + 1} = \dfrac{3(s + 1) + 2s}{s(s + 1)}$

$\qquad\qquad\qquad\qquad\quad = \dfrac{5s + 3}{s(s + 1)}$

**정답**　③

## 06

$f(t) = u(t - a) - u(t - b)$의 라플라스 변환은?

① $\dfrac{1}{s}(e^{-as} - e^{-bs})$  　　② $\dfrac{1}{s}(e^{as} + e^{bs})$

③ $\dfrac{1}{s^2}(e^{-as} - e^{-bs})$  　④ $\dfrac{1}{s^2}(e^{as} + e^{bs})$

**풀이**　$f(t) = u(t - a) - u(t - b)$

$\qquad F(s) = \dfrac{1}{s}e^{-as} - \dfrac{1}{s}e^{-bs} = \dfrac{1}{s}(e^{-as} - e^{-bs})$

**정답**　①

## 05

$\pounds\,[u(t - a)]$는 어느 것인가?

① $\dfrac{e^{as}}{s^2}$  　　　　　② $\dfrac{e^{-as}}{s^2}$

③ $\dfrac{e^{as}}{s}$  　　　　　④ $\dfrac{e^{-as}}{s}$

**풀이**　$\pounds\,[u(t - a)] = \dfrac{1}{s}e^{-as}$

**정답**　④

# 12 평행이동과 우함수 기함수

## 1. 평행이동

### 1) 점의 이동

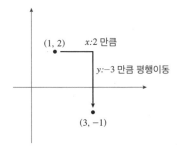

점 $(1, 2)$를 $x$축으로 2만큼 $y$축으로 $-3$만큼 이동하면, 점 $(3, -1)$이 된다.

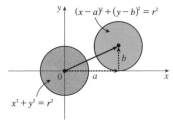

도형의 평행이동

도형 전체를 $x$축으로 $a$만큼, $y$축으로 $b$만큼 움직이려고 한다면 $x$ 대신에 $x-a$, $y$ 대신에 $y-b$를 넣는다.

### 2) 2차함수의 이동

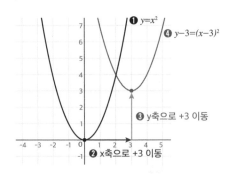

함수의 평행이동

## 3) 삼각함수의 이동

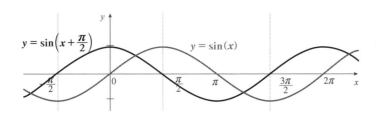

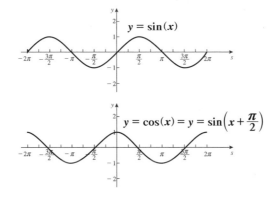

## 4) 단위계단 함수의 이동

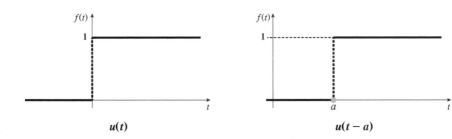

## 2. 우함수, 기함수

| 구분 | 우함수 | 기함수 |
|---|---|---|
| 정의 | $f(x) = f(-x)$ | $f(x) = -f(-x)$ |
| 그래프 | $y$축에 대칭 | 원점에 대칭 |
| 겉모양 | 한 번만 접으면 된다 | 두 번 접어야 한다 |

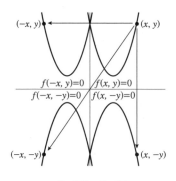

**x축 대칭, y축 대칭**

$x$축 대칭일 땐 $y$ 대신에 $-y$를 붙이고, $y$축 대칭일 땐 $x$ 대신에 $-x$를 넣는다.

**예제** $y=3x+1$을 $y$축 대칭이동하시오.

**풀이** $y = 3(-x) + 1$

$\therefore y = -3x + 1$

**예제** $y=3x+1$을 $x$축 대칭이동하시오.

**풀이** $-y = 3x + 1$

$\therefore y = -3x - 1$

## 기본문제

**01** $x$축으로 3만큼 $y$축으로 $-1$만큼 평행이동한 방정식을 구하시오.

(1) $2x - y + 7 = 0$                 (2) $x^2 + y^2 = 16$

**02** $x$축으로 $+90°$만큼 이동한 방정식을 구하시오.

(1) $y = \sin x$                     (2) $i = I_m \sin \omega t$

## 01

어느 소자에 걸리는 전압은 $v = 3\cos 3t$[V] 이고, 흐르는 전류 $i = -2\sin(3t+10°)$[A] 이다. 전압과 전류간의 위상차는?

① 10°  ② 30°

③ 70°  ④ 100°

**풀이** $v = 3\cos 3t = 3\sin(3t+90°)$

$i = -2\sin(3t+10°)$

전압($v$)과 전류($i$)의 위상차

$= 90° - (-10°) = 100°$

**정답** ④

## 02

2개의 교류전압 $v_1 = 141\sin(120\pi t - 30°)$ [V]와 $v_2 = 150\cos(120\pi t - 30°)$[V]의 위상차를 시간으로 표시하면 몇 초인가?

① $\dfrac{1}{60}$  ② $\dfrac{1}{120}$

③ $\dfrac{1}{240}$  ④ $\dfrac{1}{360}$

**풀이** $v_2$를 정리하면 다음과 같다.

$v_2 = 150\cos(120\pi t - 30°)$

$= 150\sin(120\pi t - 30° + 90°)$

$= 150\sin(120\pi t + 60°)$

$\therefore$ 위상차 $\theta = 60° - (-30°) = 90° = \dfrac{\pi}{2}$

$\theta = \omega t$ 의 식에서 $t = \dfrac{\theta}{\omega} = \dfrac{\dfrac{\pi}{2}}{120\pi} = \dfrac{1}{240}$

**정답** ③

## 03

다음 왜형파 전압과 전류에 의한 전력은 몇 [W]인가?(단, 전압의 단위는 [V], 전류의 단위는 [A]이다)

$e = 100\cos(\omega t + 30°) - 50\sin(3\omega t + 60°)$
$\quad + 25\sin 5\omega t$
$i = 20\cos(\omega t - 30°) + 15\sin(3\omega t + 30°)$
$\quad + 10\cos(5\omega t - 60°)$

① 933.0  ② 566.9

③ 420.0  ④ 283.5

**풀이** $\cos\theta = \sin(\omega t + 90°)$ 이므로

$i = 20\cos(\omega t - 30°) + 15\sin(3\omega t + 30°)$
$\quad + 10\sin(5\omega t - 60° + 90°)$

$= 20\cos(\omega t - 30°) + 15\sin(3\omega t + 30°)$
$\quad + 10\sin(5\omega t + 30°)$[A]

$P = V_1 I_1 \cos\theta_1 + V_3 I_3 \cos\theta_3 + V_5 I_5 \cos\theta_5$

$= \dfrac{100}{\sqrt{2}} \cdot \dfrac{20}{\sqrt{2}}\cos 60° - \dfrac{50}{\sqrt{2}} \cdot \dfrac{15}{\sqrt{2}}\cos 30°$

$\quad + \dfrac{25}{\sqrt{2}} \cdot \dfrac{10}{\sqrt{2}}\cos 30°$

$≒ 283.5$[W]

**정답** ④

## 04

어느 소자에 전압 $e = 125\sin 377t$[V]를 가했을 때 전류 $I = 50\cos 377t$[A]가 흘렀다. 이 회로의 소자는 어떤 종류인가?

① 순저항  ② 용량 리액턴스

③ 유도 리액턴스  ④ 저항과 유도 리액턴스

**풀이** 전류: $i = 50\cos 377t = 50\sin(377t + 90°)$ 이므로 전류가 전압보다 위상이 90° 앞서므로 $C$만의 회로이다.

**정답** ②

## 05

$e = E_m \cos\left(100\pi t - \dfrac{\pi}{3}\right)$[V]와

$i = I_m \sin\left(100\pi t + \dfrac{\pi}{4}\right)$[A]의 위상차를 시간으로

나타내면 약 몇 초인가?

① $3.33 \times 10^{-4}$　　② $4.33 \times 10^{-4}$

③ $6.33 \times 10^{-4}$　　④ $8.33 \times 10^{-4}$

**풀이**
$$e = E_m \cos\left(100\pi t - \frac{\pi}{3}\right) = E_m \sin\left(100\pi t - \frac{\pi}{3} + \frac{\pi}{2}\right)$$
$$= E_m \sin\left(100\pi t + \frac{\pi}{6}\right)$$
$$i = I_m \sin\left(100\pi t + \frac{\pi}{4}\right) \text{이므로}$$

위상차 $\theta = \dfrac{\pi}{4} - \dfrac{\pi}{6} = \dfrac{\pi}{12}$　　　　$\theta = \omega t$ 식에서

$$t = \frac{\theta}{\omega} = \frac{\dfrac{\pi}{12}}{100\pi} = \frac{1}{1200} = 8.33 \times 10^{-4}[s]$$

**정답** ④

## 06

다음과 같은 회로에서 $i_1 = I_m \sin\omega t$[A]일 때 개방된 2차 단자에 나타나는 유기기전력 $e_2$ 는 몇 [V]인가?

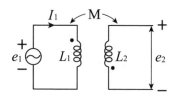

① $\omega M I_m \sin(\omega t - 90°)$　② $\omega M I_m \cos(\omega t - 90°)$

③ $-\omega M \sin\omega t$　④ $\omega M \cos\omega t$

**풀이** 상호유도회로
$$e_2 = -M\frac{di}{dt} = -M\frac{d}{dt}(I_m \sin\omega t) = -\omega M I_m \cos\omega t$$
$$= -\omega M I_m \sin(\omega t + 90°) = \omega M I_m \sin(\omega t - 90°)$$

**정답** ①

## 07

$i_1 = I_m \sin\omega t$[A]와 $i_2 = I_m \cos\omega t$[A]인 두 교류전류의 위상차는 몇 도인가?

① $0°$　　　　　　② $30°$

③ $60°$　　　　　　④ $90°$

**풀이** 위상 및 위상차
$$i_1 = I_m \sin\omega t[A]$$
$$i_2 = I_m \cos\omega t = I_m \sin(\omega t + 90°)[A]$$

**정답** ④

## 08

그림과 같은 단위계단 함수는?

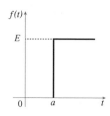

① $u(t)$　　　　　　② $u(t - a)$

③ $u(a - t)$　　　　　　④ $-u(t - a)$

**풀이** 단위계단 함수에서 시간이 $a$만큼 지연된 파형이므로
$$f(t) = u(t - a)$$

**정답** ②

## 09 다음 파형의 라플라스 변환은?

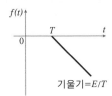

기울기=E/T

① $-\dfrac{E}{Ts^2}e^{-Ts}$

② $\dfrac{E}{Ts^2}e^{-Ts}$

③ $-\dfrac{E}{Ts^2}e^{Ts}$

④ $\dfrac{E}{Ts^2}e^{Ts}$

**풀이** $f(t) = -\dfrac{E}{T}(t-T)u(t-T)$ 이므로 시간추이 정리를

이용하여 라플라스 변환하면 $F(s) = -\dfrac{E}{Ts^2}e^{-Ts}$ 가 된다.

**정답** ①

## 10 $i = 10\sin\left(\omega t - \dfrac{\pi}{6}\right)$[A]로 표시되는 전류와

주파수는 같으나 위상이 45° 앞서는 실효값 100[V]의 전압을 표시하는 식으로 옳은 것은?

① $100\sin\left(\omega t - \dfrac{\pi}{10}\right)$

② $100\sqrt{2}\sin\left(\omega t + \dfrac{\pi}{12}\right)$

③ $\dfrac{100}{\sqrt{2}}\sin\left(\omega t - \dfrac{5}{12}\pi\right)$

④ $100\sqrt{2}\sin\left(\omega t - \dfrac{\pi}{12}\right)$

**풀이** $v = 100\sqrt{2}\sin\left(\omega t - \dfrac{\pi}{6} + \dfrac{\pi}{4}\right)$

$= 100\sqrt{2}\sin\left(\omega t + \dfrac{\pi}{12}\right)$

**정답** ②

## 기본문제 정답 해설

### 01

(1) $x \rightarrow x - 3$     $y \rightarrow y + 1$

    **정답** $2(x-3) - (y+1) + 7 = 0$

(2) $x \rightarrow x - 3$     $y \rightarrow y + 1$

    **정답** $(x-3)^2 + (y+1)^2 = 16$

### 02

(1) $y = \sin x$     $x \rightarrow x + 90°$

    $y = \sin(x + 90°) = \cos(x)$    **정답** $\cos(x)$

(2) $i = I_m \sin \omega t$     $\omega t \rightarrow \omega t + 90°$

    $i = I_m \sin(\omega t + 90°) = I_m \cos(\omega t)$

    **정답** $I_m \cos(\omega t)$

# 13 원과 구

## 1. 원주율($\pi$)

### (1) 원주

원의 둘레를 나타내며, 보통 $l$(소문자 엘)로 표시한다.

### (2) 원주율

원에서 지름의 길이에 대한 둘레의 길이의 비율을 원주율이라 하고, 기호로 $\pi$ 와 같이 나타내며 '파이'라 읽는다.

✓ 원주율($\pi$)은 원의 크기에 관계 없이 항상 일정하고 그 값은 실제로 3.141592…로 불규칙하게 한없이 계속되는 수이며, 3.14라고 기억해두면 된다. 대부분의 경우 $\pi$ (파이)를 사용하여 나타낸다.

## 2. 원의 둘레의 길이와 넓이

> 반지름의 길이가 $r$인 원의 둘레의 길이를 $l$, 넓이를 $S$라 하면
> (1) $l = 2\pi r$ ←(원의 둘레의 길이)=(지름의 길이)× $\pi$
> (2) $S = \pi r^2$ ←(원의 넓이)= $\pi$ ×(반지름의 길이)$^2$

✓ 여기서 $\pi$ 는 3.141592… 생략해서 3.14이다.

**예제**  반지름의 길이가 3cm인 원의 둘레의 길이 $l$과 넓이 $S$를 구하면

**풀이**  $l = 2\pi \times 3 = 6\pi\,(\text{cm})$            $S = \pi \times 3^2 = 9\pi\,(\text{cm}^2)$

## 기본문제

**01** 다음 원의 둘레의 길이와 넓이를 구하시오.

(1)
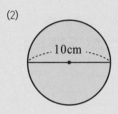
3 cm

(2)

10cm

**02** 다음 ☐ 안에 알맞은 수를 써넣으시오.

(1) 둘레의 길이가 $20\pi$cm 인 원의 반지름의 길이는 ☐cm이다.

(2) 넓이가 $25\pi$cm² 인 원의 지름의 길이는 ☐cm이다.

## 3. 구의 부피

반지름의 길이가 $r$ 인 구의 부피를 $V$ 라 하면

$$V = \frac{4}{3}\pi r^3$$

✓ 반지름의 길이가 $2cm$인 구의 부피는 $\frac{4}{3}\pi \times 2^3 = \frac{32}{3}\pi$ (cm³)

## 기본문제

**03** 다음 ☐ 안에 알맞은 것을 써넣으시오.

(1)
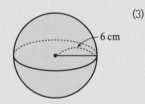
5 cm

반지름의 길이 = _____
부피 = _____

(2)
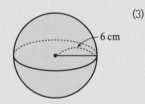
6 cm

반지름의 길이 = _____
부피 = _____

(3)
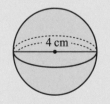
4 cm

반지름의 길이 = _____
부피 = _____

**01** 그림과 같이 반지름 $a$[m]의 한 번 감긴 원형 코일이 균일한 자속밀도 $B$[WB/m²]인 자계에 놓여 있다. 지금 코일 면을 자계와 나란하게 전류 $I$[A]를 흘리면 원형 코일이 자계로부터 받는 회전 모멘트는 몇 [N·m/rad]인가?

① $2\pi aBI$

② $\pi aBI$

③ $2\pi a^2 BI$

④ $\pi a^2 BI$

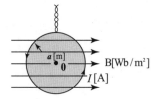

**풀이** 원형 코일의 회전 모멘트

• 자성체에 의한 토크: $T = M \times H = MH\sin\theta$

• 도체에 의한 토크: $T = NIBS\cos\theta$

여기서, $T = NIBS\cos\theta$

(원형코일 면적 $S = \pi a^2$

자계와의 각 $= 0°$, $N = 1$)

정답 ④

**02** 중심은 원점에 있고 반지름 $a$[m]인 원형선도체가 $z=0$인 평면에 있다. 도체에 선전하밀도 $\rho_L$[C/m]가 분포되어 있을 때 $z=b$[m]인 점에서의 전계 $E$[V/m]는?(단, $a_r$, $a_z$는 원통좌표계에서 $r$ 및 $z$ 방향의 단위벡터이다)

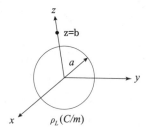

① $\dfrac{ab\rho_L}{2\pi\varepsilon_0(a^2+b^2)}a_z$    ② $\dfrac{ab\rho_L}{4\pi\varepsilon_0(a^2+b^2)}a_z$

③ $\dfrac{ab\rho_L}{2\varepsilon_0(a^2+b^2)^{\frac{3}{2}}}a_z$    ④ $\dfrac{ab\rho_L}{4\varepsilon_0(a^2+b^2)^{\frac{3}{2}}}a_z$

**풀이** 전위: $V = \dfrac{Q}{4\pi\varepsilon_0 r}$[V]

($Q$:전하, $r$:전하($Q$)로 부터의 거리, $\varepsilon_0$ :유전율)

$r = \sqrt{a^2 + z^2}$, $Q = \rho_L \cdot l = \rho_L \cdot 2\pi a$

$V = \dfrac{Q}{4\pi\varepsilon_0 r} = \dfrac{\rho_L \cdot 2\pi a}{4\pi\varepsilon_0\sqrt{a^2+z^2}} = \dfrac{\rho_L a}{2\varepsilon_0\sqrt{a^2+z^2}}$[V]

$E = -gradV = -\dfrac{\partial V}{\partial z}a_z = -\dfrac{\partial}{\partial z}\left[\dfrac{\lambda a}{2\varepsilon_0\sqrt{a^2+z^2}}\right]$

$= \dfrac{\rho_L}{2\varepsilon_0}\dfrac{az}{(a^2+z^2)^{\frac{3}{2}}}az$

$z=b$를 대입하면 $E = \dfrac{ab\rho_L}{2\varepsilon_0(a^2+b^2)^{\frac{3}{2}}}a_z$[V/m]

정답 ③

## 03

길이 $l$[m], 지름 $d$[m]인 원통이 길이 방향으로 균일하게 자화되어 자화의 세기가 $J$[Wb/m²]인 경우 원통 양단에서의 전자극의 세기[Wb]는?

① $\pi d^2 J$

② $\pi d J$

③ $\dfrac{4J}{\pi d^2}$

④ $\dfrac{\pi d^2 J}{4}$

**풀이** 자화의 세기 : 자성체의 양 단면의 단위 면적에 발생한

자기량 : $J = \dfrac{m}{S} = \dfrac{ml}{Sl} = \dfrac{M}{V}$[Wb/m²]

$S$ : 자성체의 단면적[m²]

$m$ : 자화된 자기량(전자극의 세기)[Wb]

$l$ : 자성체의 길이[m]

$V$ : 자성체의 체적[m³]

$M$ : 자기모멘트 ($M = ml$[Wb·m])

**전자극의 세기** : $m = J \cdot S = J \cdot \pi a^2 = J \cdot \pi \left(\dfrac{d}{2}\right)^2$

$\qquad\qquad\qquad = J \cdot \dfrac{\pi d^2}{4}$[Wb]

**정답** ④

## 04

진공 중의 전계강도 $E = ix + jy + kz$로 표시될 때 반지름 10[m]의 구면을 통해 나오는 전체 전속은 약 몇 [C]인가?

① $1.1 \times 10^{-7}$

② $2.1 \times 10^{-7}$

③ $3.2 \times 10^{-7}$

④ $5.1 \times 10^{-7}$

**풀이** 가우스 정리의 미분형을 이용하면 $divE = \dfrac{\rho}{\varepsilon_0}$

여기서, $\rho$ 는 체적전하밀도이므로

$\rho = \dfrac{Q}{v} = \dfrac{Q}{\frac{4}{3}\pi r^3}$[C/m³] 이고

$divE = \nabla \cdot E = \dfrac{\partial x}{\partial x} + \dfrac{\partial y}{\partial y} + \dfrac{\partial z}{\partial z} = 1 + 1 + 1 = 3$

이다. 그러므로 $divE = \dfrac{\rho}{\varepsilon_0} = \dfrac{\dfrac{Q}{v}}{\varepsilon_0}$,

$Q = divE \times v \times \varepsilon_0 = divE \times \dfrac{4}{3}\pi r^3 \times \varepsilon_0$

$\quad = 3 \times \dfrac{4}{3}\pi \times 10^3 \times 8.855 \times 10^{-12}$

$\quad = 1.1 \times 10^{-7}$[C]

**정답** ①

## 01

(1) 정답 둘레의 길이: $2\pi \times 3 = 6\pi$(cm)

넓이: $\pi \times 3^2 = 9\pi$(cm²)

(2) 지름의 길이가 10cm이므로 반지름의 길이는 5cm이다.

정답 둘레의 길이: $2\pi \times 5 = 10\pi$(cm)

넓이: $\pi \times 5^2 = 25\pi$(cm²)

## 02 구하는 원의 반지름의 길이를 $r(cm)$ 라 하면

(1) $2\pi r = 20\pi$   정답 $r = 10$

(2) $\pi r^2 = 25\pi, r^2 = 25$   $\therefore r = 5$

따라서, 원의 지름의 길이는   정답 $5 \times 2 = 10$(cm)

## 03

(1) 정답 반지름의 길이가 5cm이므로 (부피) $= \frac{4}{3}\pi \times 5^3 = \frac{500}{3}\pi$(cm³)

(2) 정답 반지름의 길이가 6cm이므로 (부피) $= \frac{4}{3}\pi \times 6^3 = 288\pi$(cm³)

(3) 정답 반지름의 길이가 2cm이므로 (부피) $= \frac{4}{3}\pi \times 2^3 = \frac{32}{3}\pi$(cm³)

# 14 피타고라스 정리

## 1. 피타고라스

직각삼각형 $ABC$에서 직각을 끼고 있는 두 변의 길이를 각각 $a$, $b$라 하고, 빗변의 길이를 $c$라고 하면 $c^2 = a^2 + b^2$이 성립한다.'

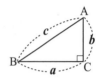

① 피타고라스 정리는 직각삼각형에서만 적용된다.

② 직각삼각형에서 빗변은 가장 긴 변이다.

## 2. 직각삼각형의 세 변의 길이 사이의 관계

직각삼각형에서 두 변의 길이를 알면 피타고라스 정리를 이용하여 나머지 한 변의 길이를 구할 수 있다.

이때, 삼각형의 변의 길이는 양수이다.

직각삼각형 $ABC$에서 직각을 끼고 있는 두 변의 길이를 각각 $a$, $b$라 하고, 빗변의 길이를 $c$라고 하면,

$a = \sqrt{c^2 - b^2}$, $b = \sqrt{c^2 - a^2}$, $c = \sqrt{a^2 + b^2}$

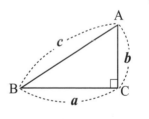

**예제** 오른쪽 직각삼각형에서 $x$의 값을 구하여라.

**풀이** 피타고라스 정리에 의해 $10^2 = x^2 + 5^2$, $x^2 = 75$

∴ $x = \pm 5\sqrt{3}$

그런데 변의 값이 음수는 아니므로 $(x > 0)$  ∴ $x = 5\sqrt{3}$

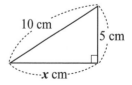

## 기본문제

**01** 다음 그림의 직각삼각형 $ABC$에서 $x$의 값을 구하여라.

(1)
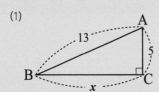

(2)
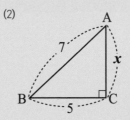

(3)
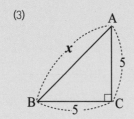

(4)
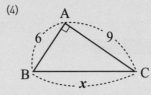

## 기출문제

**01** 어떤 변압기의 단락시험에서 % 저항강하 1.5[%]와 %리액턴스 강하 3[%]를 얻었다. 부하 역률이 80[%] 앞선 경우의 전압 변동률[%]은?

① $-0.6$

② $0.6$

③ $-3.0$

④ $3.0$

**풀이** $\varepsilon = p\cos\theta - q\sin\theta = 1.5 \times 0.8 - 3 \times 0.6$
$\qquad = -0.6[\%]$

**정답** ①

**02** 3,300[V], 60[Hz], 뒤진역률 60[%], 300[kW]의 단상 부하가 있다. 그 역률을 100[%]로 하기 위한 전력용 콘덴서의 용량은 몇 [kVA]인가?

① 150

② 250

③ 400

④ 500

**풀이** 역률 개선 시 콘덴서의 용량
$\qquad Q_c = P(\tan\theta_1) = 300 \times \dfrac{0.8}{0.6} = 400[\text{kVA}]$

**정답** ③

## 03

뒤진 역률 80[%], 1,000[kW]의 3상 부하가 있다. 이것에 콘덴서를 설치하여 역률을 95[%]로 개선하려면 콘덴서의 용량은 약 몇 [kVA]로 해야 하는가?

① 240 ② 420
③ 630 ④ 950

**풀이** 역률 개선용 콘덴서의 용량

$$Q_c = P(\tan\theta_1 - \tan\theta_2)$$
$$= P\left(\frac{\sqrt{1-\cos^2\theta_1}}{\cos\theta_1} - \frac{\sqrt{1-\cos^2\theta_2}}{\cos\theta_2}\right)$$
$$= 1,000 \times \left(\frac{0.6}{0.8} - \frac{\sqrt{1-0.95^2}}{0.95}\right) = 420[kVA]$$

**정답** ②

## 04

단상 2선식 배전선로의 선로 임피던스가 $2 + 5[\Omega]$ 무유도성 부하전류 10[A]일 때 송전단 역률은?(단, 수전단 전압의 크기는 100[V]이고, 위상각은 0°이다)

① $\frac{5}{12}$ ② $\frac{5}{13}$ ③ $\frac{11}{12}$ ④ $\frac{12}{13}$

**풀이** 부하단(수전단)은 무유도성이므로 저항부하이며

$$R = \frac{V}{I} = \frac{100}{10} = 10[\Omega]$$

전체 선로와 부하의 임피던스는

$$Z = 2 + j5 + 10 = 12 + j5 \text{ 이므로}$$

**역률** : $\cos\theta = \frac{R}{Z} = \frac{12}{\sqrt{12^2 + 5^2}} = \frac{12}{13}$

$$|Z| = \sqrt{R^2 + X^2}$$

**정답** ④

## 05

중심은 원점에 있고 반지름 $a$[m]인 원형선도체가 $z=0$인 평면에 있다. 도체에 선전하밀도 $\rho_L$ [C/m]가 분포되어 있을 때 $z=b$[m]인 점에서의 전계 $E$[V/m]는?(단, $a_r$, $a_z$는 원통좌표계에서 $r$ 및 $z$ 방향의 단위벡터이다)

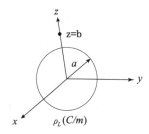

① $\dfrac{ab\rho_L}{2\pi\varepsilon_0(a^2+b^2)}a_z$ ② $\dfrac{ab\rho_L}{4\pi\varepsilon_0(a^2+b^2)}a_z$

③ $\dfrac{ab\rho_L}{2\varepsilon_0(a^2+b^2)^{\frac{3}{2}}}a_z$ ④ $\dfrac{ab\rho_L}{4\varepsilon_0(a^2+b^2)^{\frac{3}{2}}}a_z$

**풀이** 전위 : $V = \dfrac{Q}{4\pi\varepsilon_0 r}$[V]

($Q$ : 전하, $r$ : 전하($Q$)로 부터의 거리, $\varepsilon_0$ : 유전율)

$$r = \sqrt{a^2 + z^2},\ Q = \rho_L \cdot l = \rho_L \cdot 2\pi a$$

$$V = \frac{Q}{4\pi\varepsilon_0 r} = \frac{\rho_L \cdot 2\pi a}{4\pi\varepsilon_0 \sqrt{a^2 + z^2}} = \frac{\rho_L a}{2\varepsilon_0 \sqrt{a^2 + z^2}}[V]$$

$$E = -\,grad V = -\frac{\partial V}{\partial z}a_z = -\frac{\partial}{\partial z}\left[\frac{\lambda a}{2\varepsilon_0 \sqrt{a^2 + z^2}}\right]$$

$$= \frac{\rho_L}{2\varepsilon_0}\frac{az}{(a^2 + z^2)^{\frac{3}{2}}}a_z$$

$z=b$를 대입하면 $E = \dfrac{ab\rho_L}{2\varepsilon_0(a^2+b^2)^{\frac{3}{2}}}a_z$[V/m]

**정답** ③

**06** 판자석의 세기 $\phi_m = 0.01[\text{Wb/m}]$, 반지름 $a = 5[\text{cm}]$인 원형 자석판이 있다. 자석의 중심에서 축상 10[cm]인 점에서의 자위의 세기[AT]는?

① 100  ② 175
③ 400  ④ 420

**풀이** 전기이중층의 관계식과 판자석의 관계식이 유사하므로

비교해보면 전위 $V = \dfrac{M}{4\pi\varepsilon_0}\omega[\text{V}]$,

자위 $U = \dfrac{M}{4\pi\mu_0}\omega[\text{A}]$에서

입체각 $\omega = 2\pi(1-\cos\theta) = 2\pi\left(1-\dfrac{x}{\sqrt{a^2+x^2}}\right)$

이므로 판자석의 세기 $M$을 $\phi_m$로 하면

$$U = \frac{\phi_m\omega}{4\pi\mu_0} = \frac{\phi_m 2\pi(1-\cos\theta)}{4\pi\mu_0} = \frac{\phi_m(1-\cos\theta)}{2\mu_0}$$
$$= \frac{\phi_m\left(1-\frac{x}{\sqrt{x^2+a^2}}\right)}{2\mu_0} = \frac{0.01\left(1-\frac{0.1}{\sqrt{0.05^2+0.1^2}}\right)}{2\times4\pi\times10^{-7}}$$
$$= 420[\text{AT}]$$

**정답** ④

**07** 반지름 $a[\text{m}]$의 원판형 전기 2중층의 중심축상 $x[\text{m}]$의 거리에 있는 점 $P(+$전하측)의 전위는? (단, 2중층의 세기는 $M[\text{C/m}]$이다)

① $\dfrac{M}{\varepsilon_0}\left(1-\dfrac{x}{\sqrt{x^2+a^2}}\right)[\text{V}]$

② $\dfrac{M}{2\varepsilon_0}\left(1-\dfrac{x}{\sqrt{x^2+a^2}}\right)[\text{V}]$

③ $\dfrac{M}{\varepsilon_0}\left(1-\dfrac{a}{\sqrt{x^2+a^2}}\right)[\text{V}]$

④ $\dfrac{M}{2\varepsilon_0}\left(1-\dfrac{a}{\sqrt{x^2+a^2}}\right)[\text{V}]$

**풀이** 점 $P$의 전위는 $V_p = \dfrac{M}{4\pi\varepsilon_0 r^2}\cos\theta = \dfrac{M}{4\pi\varepsilon_0}\omega[\text{V}]$

$$\frac{\cos\theta}{r^2} = \omega$$

점 $P$에서 원판 도체를 본 입체각 $\omega$는

$\omega = 2\pi(1-\cos\theta) = 2\pi\left(1-\dfrac{x}{\sqrt{a^2+x^2}}\right)$가 되므로

$\therefore V_p = \dfrac{M}{4\pi\varepsilon_0} + 2\pi\left(1-\dfrac{x}{\sqrt{a^2+x^2}}\right)$
$= \dfrac{M}{2\varepsilon_0}\left(1-\dfrac{x}{\sqrt{a^2+x^2}}\right)[\text{V}]$

**정답** ②

## 기본문제 정답 해설

| CHAPTER 14 | **피타고라스 정리** | 102p |

**01**

(1) $13^2 = x^2 + 5^2$에서 $x^2 = 144$  **정답** $\therefore x = 12(\because x>0)$

(2) $7^2 = x^2 + 5^2$, $x^2 = 24$  **정답** $\therefore x = 2\sqrt{6}(\because x>0)$

(3) $x^2 = 5^2 + 5^2$, $x^2 = 50$  **정답** $\therefore x = 5\sqrt{2}(\because x>0)$

(4) $x^2 = 6^2 + 9^2 = 117$  **정답** $\therefore x = \sqrt{117} = 3\sqrt{13}(\because x>0)$

# 15 절댓값

## 1. 절댓값

어떤 수의 절댓값은 0으로부터 그 수까지의 거리를 의미한다.

$$|a| = \begin{cases} a & (a \geq 0) \\ -a & (a < 0) \end{cases}$$

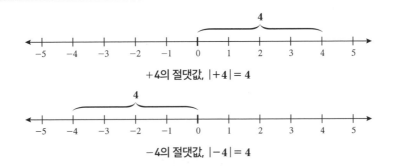

+4의 절댓값, $|+4| = 4$

−4의 절댓값, $|-4| = 4$

(1) $Z = 6.2 + j7$ 일 때 $|Z| = \sqrt{X^2 + Y^2} = \sqrt{6.2^2 + 7^2} = 9.33$

여기서 $|Z|$는 절댓값이 아니고 크기다.

(2) $\begin{vmatrix} s & -1 \\ 2 & s+3 \end{vmatrix} = s(s+3) + 2 = s^2 + 3s + 2$

여기서 $\begin{vmatrix} s & -1 \\ 2 & s+3 \end{vmatrix}$는 절댓값이 아니고 행렬 판별식이다.

(1) $|f(x)| < a \Leftrightarrow -a < f(x) < a$          (2) $|f(x)| > a \Leftrightarrow f(x) < -a$ 또는 $f(x) > a$

## 기본문제

(1) $|3|$

(2) $|-5|$

(3) $|4|$

(4) $\left|\dfrac{\pi}{6}-\dfrac{\pi}{4}\right|$

(5) $|-3+j4|$

(6) $\begin{vmatrix} 2 & -3 \\ 4 & 2 \end{vmatrix}$

## 기출문제

**01** 다음과 같은 회로에서 $a$, $b$ 양단의 전압은 몇 [V]인가?

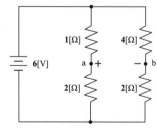

① 1

② 2

③ 2.5

④ 3.5

풀이 $V_{ab} = |V_a - V_b| = \left|\dfrac{1}{1+2} \times 6 - \dfrac{4}{4+2} \times 6\right| = 2[\text{V}]$

정답 ②

**02** 10[kVA], 2000/10[V] 변압기 1차 환산등가 임피던스가 $6.2 + j7[\Omega]$일 때 %임피던스 강하[%]는?

① 약 9.4

② 약 8.35

③ 약 6.75

④ 약 2.3

풀이 %임피던스 강하: $z = \dfrac{PZ}{10V^2} \times 100$

($V$:정격전압, $P$:전력, $Z$:임피던스)

$Z = 6.2 + j7$ 이므로

$|Z| = \sqrt{R^2 + X^2} = \sqrt{6.2^2 + 7^2} = 9.33[\Omega]$

$\therefore \%Z = \dfrac{ZP}{10V^2} = \dfrac{9.33 \times 10}{10 \times 2^2} = 2.33[\%]$

정답 ④

## 03 상태방정식 $\dot{X} = AX + BU$ 에서

$A = \begin{bmatrix} 0 & 1 \\ -2 & -3 \end{bmatrix}$, $B = \begin{bmatrix} 0 \\ 1 \end{bmatrix}$ 일 때 고유값은?

① $-1, -2$        ② $1, 2$

③ $-2, -3$        ④ $2, 3$

**풀이** $|sI - A|$의 행렬식은

$$|sI - A| = \begin{vmatrix} s & -1 \\ 2 & s+3 \end{vmatrix} = s(s+3) + 2 = s^2 + 3s + 2$$

$$s^2 + 3s + 2 = (s+1)(s+2) = 0$$

$$\therefore s = -1, -2$$

**정답** ①

## 05 다음과 같은 상태 방정식의 고유값 $\lambda_1$ 과 $\lambda_2$ 는?

$$\begin{bmatrix} x_1 \\ x_1 \end{bmatrix} = \begin{bmatrix} 1 & -2 \\ -3 & 2 \end{bmatrix}\begin{bmatrix} x_1 \\ x_2 \end{bmatrix} + \begin{bmatrix} 2 & -3 \\ -4 & 3 \end{bmatrix}\begin{bmatrix} r_1 \\ r_2 \end{bmatrix}$$

① $4, -1$        ② $-4, 1$

③ $6, -1$        ④ $-6, 1$

**풀이** $|\lambda I - A| = \begin{bmatrix} \lambda & 0 \\ 0 & \lambda \end{bmatrix} - \begin{bmatrix} 1 & -2 \\ -3 & 2 \end{bmatrix} = \begin{vmatrix} \lambda - 1 & 2 \\ 3 & \lambda - 2 \end{vmatrix}$

$$= (\lambda - 1)(\lambda - 2) - 6 = \lambda^2 - 3\lambda - 4$$

$$= (\lambda - 4)(\lambda + 1) = 0$$

$$\therefore \lambda = 4, -1$$

**정답** ①

## 04 상태 방정식 $\dfrac{d}{dt}x(t) = Ax(t) + Bu(t)$ 에서

$A = \begin{bmatrix} -6 & 7 \\ 2 & -1 \end{bmatrix}$ 이라면 $A$의 고유값은?

① $1, -8$        ② $1, -5$

③ $2, -8$        ④ $2, -5$

**풀이** $A$의 고유값=특성 방정식의 해

**특성 방정식**

$$|sI - A| = \begin{bmatrix} s & 0 \\ 0 & s \end{bmatrix} - \begin{bmatrix} -6 & 7 \\ 2 & -1 \end{bmatrix} = \begin{vmatrix} s+6 & -7 \\ -2 & s+1 \end{vmatrix}$$

$$= (s+6)(s+1) - 14 = 0$$

$$= s^2 + 7s - 8 = 0$$

$$= (s-1)(s+8) = 0$$

$$\therefore s = 1, -8$$

**정답** ①

## 06 RLC직렬회로에 $e = 170\cos\left(120\pi + \dfrac{\pi}{6}\right)$

[V]를 인가할 때 $i = 8.5\cos\left(120\pi - \dfrac{\pi}{6}\right)$[A]가

흐르는 경우 소비되는 전력은 약 몇 [W]인가?

① 361        ② 623

③ 720        ④ 1,445

**풀이** 소비전력: $P = VI\cos\theta$[W]

· $e = 170\cos\left(120\pi + \dfrac{\pi}{6}\right)$[V] $\rightarrow V = \dfrac{170}{\sqrt{2}}$[V]

· $i = 8.5\cos\left(120\pi - \dfrac{\pi}{6}\right)$[A] $\rightarrow I = \dfrac{8.5}{\sqrt{2}}$[A]

$$P = \dfrac{170}{\sqrt{2}} \cdot \dfrac{8.5}{\sqrt{2}}\cos 60° = 361$$

**정답** ①

## 07

2개의 교류전압 $v_1 = 141\sin(120\pi t - 30°)$ [V]와 $v_2 = 150\cos(120\pi t - 30°)$[V]의 위상차를 시간으로 표시하면 몇 초인가?

① $\dfrac{1}{60}$  ② $\dfrac{1}{120}$

③ $\dfrac{1}{240}$  ④ $\dfrac{1}{360}$

**풀이** $v_2$ 를 정리하면 다음과 같다.

$v_2 = 150\cos(120\pi t - 30°) = 150\sin(120\pi t - 30° + 90°)$
$= 150\sin(120\pi t + 60°)$

∴ 위상차 $\theta = 60° - (-30°) = 90° = \dfrac{\pi}{2}$

$\theta = \omega t$ 의 식에서 $t = \dfrac{\theta}{\omega} = \dfrac{\frac{\pi}{2}}{120\pi} = \dfrac{1}{240}$

**정답** ③

## 08

$e = E_m\cos\left(100\pi t - \dfrac{\pi}{3}\right)$[V]와

$i = I_m\sin\left(100\pi t + \dfrac{\pi}{4}\right)$[A]의 위상차를 시간으로 나타내면 약 몇 초인가?

① $3.33 \times 10^{-4}$  ② $4.33 \times 10^{-4}$

③ $6.33 \times 10^{-4}$  ④ $8.33 \times 10^{-4}$

**풀이** $e = E_m\cos\left(100\pi t - \dfrac{\pi}{3}\right) = E_m\sin\left(100\pi t - \dfrac{\pi}{3} + \dfrac{\pi}{2}\right)$

$= E_m\sin\left(100\pi t + \dfrac{\pi}{6}\right)$

$i = I_m\sin\left(100\pi t + \dfrac{\pi}{4}\right)$ 이므로

위상차 $\theta = \dfrac{\pi}{4} - \dfrac{\pi}{6} = \dfrac{\pi}{12}$    $\theta = \omega t$ 식에서

$t = \dfrac{\theta}{\omega} = \dfrac{\frac{\pi}{12}}{100\pi} = \dfrac{1}{1200} = 8.33 \times 10^{-4}$[s]

**정답** ④

## 기본문제 정답 해설

CHAPTER 15 **절댓값**                                                    **106p**

(1) $|3| = 3$ **정답** **3**

(2) $|-5| = 5$ **정답** **5**

(3) $|4| = 4$ **정답** **4**

(4) $\left|\dfrac{\pi}{6} - \dfrac{\pi}{4}\right| = \left|\dfrac{2\pi}{12} - \dfrac{3\pi}{12}\right| = \left|-\dfrac{\pi}{12}\right| = \dfrac{\pi}{12}$

**정답** $\dfrac{\pi}{12}$

(5) $|-3 + j4|$

$|Z| = \sqrt{X^2 + Y^2} = \sqrt{(-3)^2 + 4^2} = \sqrt{25} = 5$

**정답** **5**

여기서 $|Z|$는 절댓값이 아니고 크기다.

(6) $\begin{vmatrix} 2 & -3 \\ 4 & 2 \end{vmatrix} = 2 \times 2 - (-3 \times 4) = 16$

**정답** **16**

여기서 $\begin{vmatrix} 2 & -3 \\ 4 & 2 \end{vmatrix}$ 는 절댓값이 아니고 행렬 판별식 이다.

# 16 이차방정식과 근의 공식

## 1. 이차방정식

$ax^2 + bx + c = 0$ $(a \neq 0, a, b, c$는 상수$)$의 꼴로 변형할 수 있는 방정식을 $x$에 대한 이차방정식이라 한다.

✓ 이차방정식 $ax^2 + bx + c = 0$ 에서는 $a \neq 0$이라는 뜻을 포함한다.

## 2. 2차 방정식의 실근과 허근

지금까지는 이차방정식의 근을 실수의 범위에서 구하였으나 이제부터는 이차방정식의 근을 복소수의

범위에서 구한다. 이를테면 $x^2 = 9$의 근은 $x = \pm 3$이지만 $x^2 = -9$의 근은 $x = \pm 3i$ 가 된다.

이때 $x = \pm 3$과 같이 실수인 근을 실근이라고 하고, $x = \pm 3i$ 와 같이 허수인 근을 허근이라 한다.

✓ 계수가 실수인 이차방정식은 복소수의 범위에서 항상 두 개의 근을 갖는다. 특히 두 개의 실근이 같을 때,
  이 근을 중근이라 한다.

## 3. 2차 방정식의 풀이

### (1) 인수분해를 이용한 풀이

$x$에 대한 이차방정식이 $(ax - b)(cx - d)$의 꼴로 변형되면 $ax - b = 0$ 또는 $cx - d = 0$ 이다.

$$\therefore x = \frac{b}{a} \text{ 또는 } x = \frac{d}{c}$$

### (2) 근의 공식을 이용한 풀이

계수가 실수인 이차방정식 $ax^2 + bx + c = 0$인 근은 $x = \dfrac{-b \pm \sqrt{b^2 - 4ac}}{2a}$ 이다.

(인수분해가 안되면 근의 공식을 이용해서 푼다)

✓ **이차방정식** $ax^2 + bx + c = 0$ **에서** $a \neq 0$**이므로**

$x^2 + \dfrac{b}{a}x = -\dfrac{c}{a}$  ←양변을 $a$ 로 나눈 후 상수항을 이항한다.

$x^2 + \dfrac{b}{a}x + \left(\dfrac{b}{2a}\right)^2 = -\dfrac{c}{a} + \left(\dfrac{b}{2a}\right)^2$  ←좌변을 완전제곱식으로 만들기 위해 양변에 $\left(\dfrac{x의 계수}{2}\right)^2$ 을 더한다.

$\left(x + \dfrac{b}{2a}\right)^2 = \dfrac{b^2 - 4ac}{4a^2}$

$x + \dfrac{b}{2a} = \pm\dfrac{\sqrt{b^2 - 4ac}}{2a}$  ← $x^2 = k$ 이면 $x = \pm\sqrt{k}$ 임을 이용한다.

$\therefore x = -\dfrac{-b \pm \sqrt{b^2 - 4ac}}{2a}$

✓ $x$에 대한 이차방정식이 $(ax - b)(cx - d) = 0$ 의 꼴로 변형되면 ⇒ $x = \dfrac{b}{a}$ 또는 $x = \dfrac{d}{c}$

## 기본문제

**01** 인수분해를 이용하여 다음 이차방정식을 푸시오.

(1) $2x^2 - 6x = 0$      (2) $x^2 - 5x + 6 = 0$

**02** 근의 공식을 이용하여 다음 이차방정식을 푸시오.

(1) $2x^2 - 7x + 4 = 0$      (2) $x^2 - 3x + 4 = 0$

(3) $2x^2 + x + 1 = 0$      (4) $3x^2 + 4x - 2 = 0$

## *01*

그림과 같이 $R = 1[\Omega]$인 저항을 무한히 연결할 때, $a-b$에서의 합성저항은?

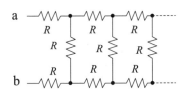

① $1 + \sqrt{3}$
② $\sqrt{3}$
③ $1 + \sqrt{2}$
④ $\infty$

**풀이** 등가 회로: $R_{ab} = 2R + \dfrac{R \cdot R_{cd}}{R + R_{cd}}$

$R_{ab} \fallingdotseq R_{cd}$ 이므로

$R \cdot R_{ab} + R_{ab}^2 = 2R^2 + 2R \cdot R_{ab} + R \cdot R_{ab}$

$R = 1[\Omega]$ 대입, $R_{ab}^2 - 2R_{ab} - 2 = 0$

$R_{ab} = \dfrac{-b \pm \sqrt{b^2 - 4ac}}{2a} = \dfrac{2 \pm \sqrt{4 + 4 \times 2}}{2}$
$= 1 \pm \sqrt{3}$

저항값은 음($-$)의 값이 될 수 없으므로

$\therefore R_{ab} = 1 + \sqrt{3}$

**정답** ①

## *02*

한 변의 저항이 $R_0$인 그림과 같은 무한히 긴 회로에서 $AB$간의 합성저항은 어떻게 되는가?

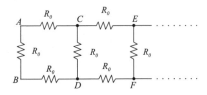

① $(\sqrt{2} - 1)R_0$
② $(\sqrt{3} - 1)R_0$
③ $\dfrac{2}{3}R_0$
④ $\dfrac{3}{4}R_0$

**풀이** $CD$에서 우측으로 합성저항을 $R$이라 하면 회로는 그림과 같다.

$$R_{AB} = \frac{R_0 \cdot (2R_0 + R)}{R_0 (2R_0 + R)}$$

그런데, 무한히 긴 회로이므로 A, B에서 본 합성저항은 $R$이라 해도 무방하다 $(R_{AB} = R)$.

$\therefore R_{AB} = \dfrac{2R_0^2 + R_0 R}{3R_0 + R} = R \to 2R_0^2 + R_0 R = 3R_0 R + R^2$

$R^2 + 2R_0 R - 2R_0^2 = 0$

근의 방정식에서

$$R = \frac{-2R_0 \pm \sqrt{(2R_0)^2 + 8R_0^2}}{2}$$

$R = (-1 \pm \sqrt{3})R_0,\ R > 0$ 이므로

$\therefore R = (\sqrt{3} - 1)R_0$

**정답** ②

## 01

(1) $2x^2 - 6x = 0$ 에서 $2x(x-3) = 0$ 　정답　 $x = 0$ 또는 $x = 3$

(2) $x^2 - 5x + 6 = 0$ 에서 $(x-2)(x-3) = 0$ 　정답　 $x = 2$ 또는 $x = 3$

## 02

(1) $2x^2 - 7x + 4 = 0$ 에서 $x = \dfrac{-(-7) \pm \sqrt{(-7)^2 - 4 \times 2 \times 4}}{2 \times 2} = \dfrac{7 \pm \sqrt{17}}{4}$ 　정답　 $\dfrac{7 \pm \sqrt{17}}{4}$

(2) $x^2 - 3x + 4 = 0$ 에서 $x = \dfrac{-(-3) \pm \sqrt{(-3)^2 - 4 \times 1 \times 4}}{2 \times 1} = \dfrac{3 \pm \sqrt{-7}}{2} = \dfrac{3 \pm \sqrt{7}i}{2}$

　정답　 $\dfrac{3 \pm \sqrt{7}i}{2}$

(3) $2x^2 + x + 1 = 0$ 에서 $x = \dfrac{-1 \pm \sqrt{1^2 - 4 \times 2 \times 1}}{2 \times 2} = \dfrac{-1 \pm \sqrt{-7}}{4} = \dfrac{-1 \pm \sqrt{7}i}{4}$ 　정답　 $\dfrac{-1 \pm \sqrt{7}i}{4}$

(4) $3x^2 + 4x - 2 = 0$ 에서 $x = \dfrac{-4 \pm \sqrt{4^2 - 4 \cdot (3) \cdot (-2)}}{3 \times 2} = \dfrac{-2 \pm \sqrt{10}}{3}$ 　정답　 $\dfrac{-2 \pm \sqrt{10}}{3}$

# 17

# 부등식

## 1. 부등식

### (1) 부등식

부등호( < , > , ≤, ≥)를 사용하여 수 또는 식의 대소 관계를 나타낸 식이다.

✓ $5 > 3$, $x < 6$, $x + 1 \geq 2$

---
✓ **좌변, 우변, 양변**

부등식에서 부등호의 왼쪽 부분을 좌변, 오른쪽 부분을 우변이라 하며 좌변과
우변을 통틀어 양변이라 한다.

$$2x - 3 > 5$$
좌변  우변
양변

---

### (2) 부등식의 표현

---
✓ **실수 a, b, c에 대하여**

① $a > b$, $b > c$이면 $a > c$

② $a > b$이면 $a + c > b + c$, $a - c > b - c$

③ $a > b$, $c > 0$이면 $ac > bc$, $\dfrac{a}{c} > \dfrac{d}{c}$

④ $a > b$, $c < 0$이면 $ac < bc$, $\dfrac{a}{c} < \dfrac{b}{c}$  ←부등식의 양변에 음수를 곱하거나 나누면 부등호의 방향이 바뀐다

---

허수는 대소 관계를 생각할 수 없으므로 부등식에 포함된 모든 문자는 실수로 생각한다.

| $a > b$(또는 $b < a$) | $a < b$(또는 $b > a$) | $a \geq b$(또는 $b \leq a$) | $a \leq b$(또는 $b \geq a$) |
|---|---|---|---|
| $a$는 $b$보다 크다. | $a$는 $b$보다 작다. | $a$는 $b$보다 크거나 같다. | $a$는 $b$보다 작거나 같다. |
| $a$는 $b$ 초과이다. | $a$는 $b$ 미만이다. | $a$는 $b$ 이상이다. | $a$는 $b$ 이하이다. |

✓ $a \leq b$는 '$a < b$ 또는 $a = b$'의 뜻이다.

## 2. 부등식의 해

### (1) 부등식의 해

미지수를 포함한 부등식에서 그 부등식을 만족시키는 미지수의 값 또는 범위를 부등식의 해라 하고, 부등식의 해를 모두 구하는 것을 부등식을 푼다고 한다.

✓ $x+2<6$에 대하여

$x=3$일 때, $3+2<6$에서 부등식이 참이 되므로 $x=3$은 부등식의 해이고

$x=7$일 때, $7+2<6$에서 부등식이 거짓이 되므로 $x=7$은 부등식의 해가 아니다.

예제 $x$의 값이 0, 1, 2, 3일 때, 부등식 $2x+1<5$ 의 해를 구하시오.

풀이 $x=0, 1, 2, 3$을 부등식 $2x+1<5$에 차례로 대입하여 부등식을 참이 되게 하는 값을 찾는다.

$x=0$일 때, $1<5$     ∴참

$x=1$일 때, $2+1<5$     ∴참

$x=2$일 때, $4+1<5$     ∴거짓

$x=3$일 때, $6+1<5$     ∴거짓

따라서, 부등식 $2x+1<5$의 해는 0, 1이다.

## 3. 등식의 성질과 부등식의 성질의 비교

| | 등식 | 부등식 |
|---|---|---|
| 형태 | 등호(=)를 사용하여 나타낸 식 | 부등호($<$, $<$, $\geq$, $\leq$)를 사용하여 나타낸 식 |
| 같은 점 | 이항할 수 있다. | |
| 다른 점 | (양변에 같은 음수를 곱하거나 양변을 같은 음수로 나눌 때) | |
| | 등식이 성립한다. | 부등호의 방향이 바뀐다. |

## 4. 절댓값을 포함한 부등식

$a>0$일 때 다음의 성질을 이용한다.

(1) $|f(x)|<a \Leftrightarrow -a<f(x)<a$

(2) $|f(x)|>a \Leftrightarrow f(x)<-a$ 또는 $f(x)>a$

## 기본문제

*01* 다음 보기 중에서 부등식인 것을 모두 고르시오.

〈보기〉

ㄱ. $2x \geq 0$　　　ㄴ. $6 = 9 - 3$　　　ㄷ. $3x + y - 2$

ㄹ. $y = 2x + 8$　　　ㅁ. $3x - 1 > 4y$　　　ㅂ. $-2 < 1$

*02* 다음 문장을 부등식으로 나타내시오.

(1) $x$는 2보다 크다.

(2) $x$는 $-1$보다 작거나 같다.

(3) $x$는 $-\dfrac{1}{3}$ 이상이다.

(4) $x$는 4미만이다.

**01** 특성 방정식이 $s^4+s^3+3s^2+Ks+2=0$인 제어계가 안정하기 위한 $K$의 범위는?

① $0 < K < 3$      ② $2 < K < 3$

③ $1 < K < 2$      ④ $3 < K$

**풀이** 루드의 표는

$$
\begin{array}{c|ccc}
s^4 & 1 & 3 & 2 \\
s^3 & 1 & K & 0 \\
s^2 & 3-K & 2 & \\
s^1 & \dfrac{K(3-K)-2}{3-K} & 0 & \\
s^0 & 2 & &
\end{array}
$$

$s^2$행으로부터 안정 조건은 $3-K>0 \to 3>K$

$s^1$행으로부터 안정 조건은 $\dfrac{K(3-K)-2}{3-K} > 0$ 이므로

$-K^2+3K-2>0$ 되어 마이너스를 전체 곱해도

같으니 $K^2-3K+2<0$ 된다.

$(K-2)(K-1)<0$

부등호의 해는 $1<K<2$

$\therefore\ 1<K<2$

정답 ③

**02** 특성 방정식 $s^2+Ks+2K-1=0$인 제어계가 안정될 $K$의 범위는?

① $K > 0$      ② $K > \dfrac{1}{2}$

③ $K < \dfrac{1}{2}$      ④ $0 < K < \dfrac{1}{2}$

**풀이** 루드의 표는

$$
\begin{array}{c|cc}
s^2 & 1 & 2K-1 \\
s^1 & K & \\
s^0 & 2K-1 &
\end{array}
$$

제1열의 부호 변화가 없어야 계가 안정하므로

$2K-1>0 \to K>0$

$\therefore\ K>\dfrac{1}{2}$

정답 ②

**03** 특성 방정식이 $s^5+s^4+4s^3+3s^2+Ks+1=0$인 제어계가 안정하기 위한 $K$의 범위는?

① $0 < K < 4$

② $\dfrac{5-\sqrt{5}}{2} < K < \dfrac{5+\sqrt{5}}{2}$

③ $0 < K < \dfrac{5+\sqrt{5}}{2}$

④ $\dfrac{5-\sqrt{5}}{2} < K < 4$

**풀이** 루드 표에 의하여

$$
\begin{array}{c|ccc}
s^5 & 1 & 4 & K \\
s^4 & 1 & 3 & 1 \\
s^3 & 1 & K-1 & 0 \\
s^2 & -K+4 & 1 & \\
s^1 & \dfrac{-K^2+5K-5}{-K+4} & 0 & \\
s^0 & 1 & &
\end{array}
$$

제1열에 부호의 변화가 없어야 하므로

$-K+4>0,\ -K^2+5K-5>0$

마이너스를 곱해도 부등호는 성립하므로

$K-4<0,\ K^2-5K+5<0$

$K^2-5K+5<0$ 를 인수분해하여 해를 부등식으로 정리하면

$\dfrac{5-\sqrt{5}}{2} < K < \dfrac{5+\sqrt{5}}{2}$,

$K<4$ 의 공통부분은

$\therefore\ \dfrac{5-\sqrt{5}}{2} < K < \dfrac{5+\sqrt{5}}{2}$

$\left(\dfrac{5+\sqrt{5}}{2} = 약 3.6\right)$

정답 ②

## 04 루드 후르비쯔 판별법에서

$F(s) = s^3 + 4s^2 + 2s + K = 0$ 에서 시스템이

안정하기 위한 $K$의 범위를 구하면?

① $0 < K < 8$          ② $-8 < K < 0$

③ $1 < K < 8$          ④ $-1 < K < 8$

**풀이** 특성 방정식 $F(s) = s^3 + 4s^2 + 2s + K = 0$이므로 루드 표는

$$
\begin{array}{c|cc}
s^3 & 1 & 2 \\
s^2 & 4 & K \\
s^1 & \dfrac{8-K}{4} & 0 \\
s^0 & K &
\end{array}
$$

제1열의 부호 변화가 없어야 안정하므로

$8 - K > 0, 8 > K, K > 0$

$\therefore 0 < K < 8$

**정답** ①

---

## 기본문제 정답 해설

| CHAPTER 17 **부등식** | 115p |
|---|---|

### 01

부등식은 부등호($>$, $<$, $\geq$, $\leq$)를 사용하여 수 또는 식
의 대소 관계를 나타낸 식이다.

ㄴ, ㄹ, 등식

ㄷ, 다항식

따라서, 부등식인 것은 ㄱ, ㅁ, ㅂ이다.

**정답** ㄱ, ㅁ, ㅂ

### 02

(1) **정답** $x > 2$

(2) **정답** $x \leq -1$

(3) **정답** $x \geq -\dfrac{1}{3}$

(4) **정답** $x < 4$

# 18 부등식2

## 1. 이차부등식의 해

이차방정식 $x^2+bx+c=0$의 판별식 $D>0$이면 이 이차방정식은 서로 다른 두 실근을 갖는다. 이때의 서로 다른 두 실근을 $\alpha,\ \beta(\alpha<\beta)$라 하면 $x^2+bx+c=(x-\alpha)(x-\beta)$와 같이 인수분해되므로 이차부등식의 해는 다음과 같다.

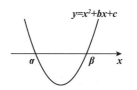

(1) $x^2+bx+c>0 \Rightarrow (x-\alpha)(x-\beta)>0 \Rightarrow x<\alpha$ 또는 $x>\beta$

(2) $x^2+bx+c\geq 0 \Rightarrow (x-\alpha)(x-\beta)\geq 0 \Rightarrow x\leq\alpha$ 또는 $x\geq\beta$

(3) $x^2+bx+c<0 \Rightarrow (x-\alpha)(x-\beta)<0 \Rightarrow \alpha<x<\beta$

(4) $x^2+bx+c\leq 0 \Rightarrow (x-\alpha)(x-\beta)\leq 0 \Rightarrow \alpha\leq x\leq\beta$

✓ 이차방정식 근은 인수분해 또는 근의 공식을 이용하여 두 근을 구한다.

### 기본문제

**01** 부등식을 푸시오

(1) $x^2+5x-6>0$

(2) $x^2+5x-6<0$

## 2. 연립부등식

### 1) 연립 부등식

#### (1) 연립부등식

두 개 이상의 부등식을 한 쌍으로 묶어서 나타낸 것을 연립부등식이라 하고, 각각의 부등식이 일차부등식인 연립부등식을 연립일차부등식이라 한다.

#### (2) 연립부등식의 해

연립부등식에서 각 부등식의 공통인 해를 그 연립부등식의 해라 하고, 연립부등식의 해를 구하는 것을 연립부등식을 푼다고 한다.

### 2) 연립일차부등식의 풀이

( i ) 각각의 부등식을 푼다.
( ii ) 각 부등식의 해를 하나의 수직선 위에 나타낸다.
( iii ) 공통부분을 찾아 연립부등식의 해를 구한다.

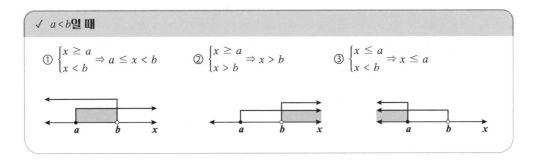

$\checkmark$ $a < b$일 때

① $\begin{cases} x \geq a \\ x < b \end{cases} \Rightarrow a \leq x < b$　　② $\begin{cases} x \geq a \\ x > b \end{cases} \Rightarrow x > b$　　③ $\begin{cases} x \leq a \\ x < b \end{cases} \Rightarrow x \leq a$

**예제** 연립부등식 $\begin{cases} 4x > 3x - 3 & \cdots\cdots \ \text{㉠} \\ x - 2 \leq -3 & \cdots\cdots \ \text{㉡} \end{cases}$ 을 푸시오.

**풀이** ㉠을 풀면 $x > -3$, ㉡을 풀면 $x \leq -1$
㉠, ㉡의 해를 수직선 위에 나타내면 오른쪽 그림과 같다.
따라서, 연립부등식의 해는 $-3 < x \leq -1$ 이다.

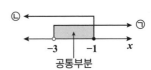

*02* 다음 연립부등식을 푸시오.

(1) $\begin{cases} 2x - 5 > 3 \\ -x + 6 \le 2x + 3 \end{cases}$

(2) $\begin{cases} 4x - (3x - 3) < 2x \\ 5x - 11 \le 2(x + 1) \end{cases}$

(3) $\begin{cases} 4x + 2 \ge x - 7 \\ 9x - 1 \le 2(4 + 5x) \end{cases}$

(4) $\begin{cases} 3x + 2 < 2(x - 1) \\ -x - 1 \le -3(x - 3) \end{cases}$

## 3. 절댓값 기호를 포함한 일차부등식

절댓값 기호를 포함한 일차부등식은 절댓값의 성질을 이용하거나 구간을 나누어 풀 수 있다.

✓ **절댓값의 성질을 이용하여 풀기**

$a > 0, b > 0$일 때,

① $|x| < a \Rightarrow -a < x < a$

② $|x| > a \Rightarrow x < -a$ 또는 $x > a$

✓ $|x| < a(a > 0)$는 원점으로부터의 거리가 $a$보다 작은 $x$의 값의 범위이므로

$-a < x < a$

✓ $|x| > a(a > 0)$는 원점으로부터의 거리가 $a$보다 큰 $x$의 값의 범위이므로

$x < -a$ 또는 $x > a$

*03* 부등식을 푸시오.

(1) $|x - 1| < 2$

(2) $|2x - 1| < 3$

(3) $|2x - 1| > 4$

*04* 부등식 $|3x - a| < 2$의 해가 $b < x < 4$일 때, 실수 $a, b$에 대하여 $a + b$의 값을 구하시오.

**01** 특성 방정식이 $s^4 + s^3 + 3s^2 + Ks + 2 = 0$인 제어계가 안정하기 위한 $K$의 범위는?

① $0 < K < 3$  　　② $2 < K < 3$

③ $1 < K < 2$  　　④ $3 < K$

**풀이** 루드의 표는

$$
\begin{array}{c|ccc}
S^4 & 1 & 3 & 2 \\
S^3 & 1 & K & 0 \\
S^2 & 3-K & 2 & \\
S^1 & \dfrac{K(3-K)-2}{3-K} & 0 & \\
S^0 & 2 & &
\end{array}
$$

$s^2$행으로부터 안정 조건은 $3-K>0 \rightarrow 3 > K$

$s^1$행으로부터 안정 조건은 $\dfrac{K(3-K)-2}{3-K} > 0$ 이므로

$-K^2 + 3K - 2 > 0$ 되어 마이너스를 전체 곱해도

같으니 $K^2 - 3K + 2 < 0$ 된다.

$(K-2)(K-1) < 0$

부등호의 해는 $1 < K < 2$

$\therefore 1 < K < 2$

정답 ③

**02** 특성 방정식 $s^2 + Ks + 2K - 1 = 0$인 제어계가 안정될 $K$의 범위는?

① $K > 0$  　　② $K > \dfrac{1}{2}$

③ $K < \dfrac{1}{2}$  　　④ $0 < K < \dfrac{1}{2}$

**풀이** 루드의 표는

$$
\begin{array}{c|cc}
S^2 & 1 & 2K-1 \\
S^1 & K & \\
S^0 & 2K-1 &
\end{array}
$$

제1열의 부호 변화가 없어야 계가 안정하므로

$2K - 1 > 0 \rightarrow K > 0$  　$\therefore K > \dfrac{1}{2}$

정답 ②

**03** 특성 방정식이 $s^5 + s^4 + 4s^3 + 3s^2 + Ks + 1 = 0$인 제어계가 안정하기 위한 K의 범위는?

① $0 < K < 4$

② $\dfrac{5-\sqrt{5}}{2} < K < \dfrac{5+\sqrt{5}}{2}$

③ $0 < K < \dfrac{5+\sqrt{5}}{2}$

④ $\dfrac{5-\sqrt{5}}{2} < K < 4$

**풀이** 루드 표에 의하여

$$
\begin{array}{c|ccc}
S^5 & 1 & 4 & K \\
S^4 & 1 & 3 & 1 \\
S^3 & 1 & K-1 & 0 \\
S^2 & -K+4 & 1 & \\
S^1 & \dfrac{-K^2+5K-5}{-K+4} & 0 & \\
S^0 & 1 & &
\end{array}
$$

제1열에 부호의 변화가 없어야 하므로

$-K + 4 > 0, \ -K^2 + 5K - 5 > 0$

마이너스를 곱해도 부등호는 성립하므로

$K - 4 < 0, \ K^2 - 5K + 5 < 0$

$K^2 - 5K + 5 < 0$ 를 인수분해하여 해를 부등식으로 정리하면

$\dfrac{5-\sqrt{5}}{2} < K < \dfrac{5+\sqrt{5}}{2}$,

$K < 4$ 의 공통부분은

$\therefore \dfrac{5-\sqrt{5}}{2} < K < \dfrac{5+\sqrt{5}}{2}$

$\left( \dfrac{5+\sqrt{5}}{2} = \text{약} 3.6 \right)$

정답 ②

**04** 루드 후르비쯔 판별법에서 $F(s) = s^3 + 4s^2 + 2s + K = 0$에서 시스템이 안정하기 위한 $K$의 범위를 구하면?

① $0 < K < 8$    ② $-8 < K < 0$

③ $1 < K < 8$    ④ $-1 < K < 8$

**풀이** 특성 방정식 $F(s) = s^3 + 4s^2 + 2s + K = 0$이므로 루드 표는

$$
\begin{array}{c|cc}
S^3 & 1 & 2 \\
S^2 & 4 & K \\
S^1 & \dfrac{8-K}{4} & 0 \\
S^0 & K &
\end{array}
$$

제1열의 부호 변화가 없어야 안정하므로

$8 - K > 0$, $8 > K$, $K > 0$

$\therefore 0 < K < 8$

**정답** ①

## 기본문제 정답 해설

### 1. 이차부등식의 해
118p

**01** $x^2 + 5x - 6 = 0$에서 $(x+6)(x-1) = 0$ **정답** $\therefore x = -6$ 또는 $x = 1$

(1) $x^2 + 5x - 6 > 0$의 해는 **정답** $x < -6$ 또는 $x > 1$

(2) $x^2 + 5x - 6 < 0$의 해는 **정답** $-6 < x < 1$

### 2. 연립부등식
120p

**02**

(1) $2x - 5 > 3$에서 $2x > 8$    $\therefore x > 4$ ················ ㉠

$-x + 6 \le 2x + 3$에서 $3 \le 3x$    $\therefore x \ge 1$ ················ ㉡

㉠, ㉡의 해를 수직선 위에 나타내면 오른쪽 그림과 같다.

**정답** $x > 4$

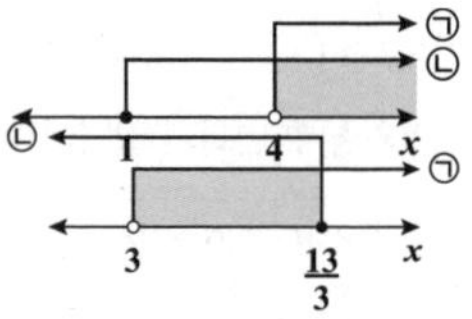

(2) $4x - (3x - 3) < 2x$ 에서 $4x - 3x + 3 < 2x$ ∴ $x > 3$ ······················ ㉠

$5x - 11 \leq 2(x + 1)$ 에서 $5x - 11 \leq 2x + 2, 3x \leq 13$ ∴ $x \leq \dfrac{13}{3}$ ···㉡

㉠, ㉡의 해를 수직선 위에 나타내면 오른쪽 그림과 같다.

**정답** $3 < x \leq \dfrac{13}{3}$

(3) $\begin{cases} 4x + 2 \geq x - 7 & \cdots\cdots\cdots ㉠ \\ 9x - 1 \leq 2(4 + 5x) & \cdots\cdots\cdots ㉡ \end{cases}$

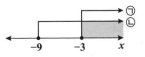

㉠을 풀면 $3x \geq -9$ ∴ $x \geq -3$

㉡을 풀면 $9x - 1 \leq 8 + 10x$ ∴ $x \geq -9$

㉠, ㉡의 해를 수직선 위에 나타내면 오른쪽 그림과 같다.

**정답** $x \geq -3$

(4) $\begin{cases} 3x + 2 < 2(x - 1) & \cdots\cdots\cdots ㉠ \\ -x - 1 \leq -3(x - 3) & \cdots\cdots\cdots ㉡ \end{cases}$

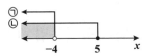

㉠을 풀면 $3x + 2 < 2x - 2$ ∴ $x < -4$

㉡을 풀면 $-x - 1 \leq -3x + 9$

$2x \leq 10$ ∴ $x \leq 5$

㉠, ㉡의 해를 수직선 위에 나타내면 오른쪽 그림과 같다.

**정답** $x < -4$

## 3. 절댓값 기호를 포함한 일차부등식        120p

### 03 절댓값의 성질을 이용하여 풀기

(1) $|x - 1| < 2$ 에서 $-2 < x - 1 < 2$   **정답** $-1 < x < 3$

(2) $|2x - 1| < 3$ 에서 $-3 < 2x - 1 < 3, -2 < 2x < 4$   **정답** $-1 < x < 2$

(3) $|2x - 1| > 4$ 에서 $2x - 1 < -4$ 또는 $2x - 1 > 4$   **정답** $x < -\dfrac{3}{2}$ 또는 $x > \dfrac{5}{2}$

### 04 $|3x - a| < 2$ 에서 $-2 < 3x - a < 2$

$-2 + a < 3x < 2 + a$ ∴ $\dfrac{-2 + a}{3} < x < \dfrac{2 + a}{3}$

주어진 부등식의 해가 $b < x < 4$ 이므로 $\dfrac{-2 + a}{3} = b, \dfrac{2 + a}{3} = 4$

∴ $a = 10, b = \dfrac{8}{3}$      ∴ $a + b = \dfrac{38}{3}$

**정답** $\dfrac{38}{3}$

# 19 호도법과 육십분법

## 1. 호도법

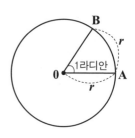

반지름의 길이가 r인 원에서 길이가 r인 호 *AB*를 정할 때, ∠*AOB*의 크기 (중심각의 크기)를 1라디안(radian)이라 하고, 이것을 단위로 하여 각 도를 나타내는 방법을 호도법이라 한다.

## 2. 호도법과 육십분법 관계(한 바퀴 : 육십분법은 360°, 호도법은 $2\pi$)

지금까지는 각의 크기를 나타낼 때, $30°, 45°, 60°, \cdots$와 같이 도(°)를 단위로 하는 육십분법을 사용하였다. 이제 각의 크기를 나타내는 새로운 단위에 대하여 알아보자. 오른쪽 그림과 같이 반지름의 길이가 r인 원 O에서 길이가 r인 호 *AB*에 대한 중심각의 크기를 $a°$라 하면 호의 길이는 중심각의 크기에 정비례하므로

$$360° : a° = 2\pi r : r$$
$$\therefore a° = \frac{180°}{\pi}$$

따라서, 중심각의 크기 $a°$는 반지름의 길이 r에 관계없이 $\frac{180°}{\pi}$로 일정하다. 이 일정한 각의 크기 $\frac{180°}{\pi}$를 1라디안이라 하고, 이것을 단위로 하여 각의 크기를 나타내는 방법을 호도법이라 한다.

$$1라디안 = \frac{180°}{\pi}, \quad 1° = \frac{\pi}{180} 라디안$$

✓ 각의 크기를 호도법으로 나타낼 때는 단위인 '라디안'은 생략하고, $\frac{\pi}{2}$, 3, $\pi$와 같이 실수로 나타낸다.
✓ 문제에서 사용된 단위가 육십분법이면 답안도 육십분법으로, 호도법이면 답안도 호도법으로 나타내야 한다.

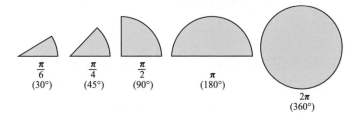

$\frac{\pi}{6}$
(30°)  $\quad$  $\frac{\pi}{4}$
(45°)  $\quad$  $\frac{\pi}{2}$
(90°)  $\quad$  $\pi$
(180°)  $\quad$  $2\pi$
(360°)

✓ $\pi$ 의 구분

1. $\pi$ 가 sin, cos, tan, ∠ 안에 들어가 있다면 $\pi = 180°$

2. 그 외의 경우에는 3.141592⋯ 생략해서 $\pi = 3.14$

## 기본문제

**01** 다음 각을 호도법으로 나타내시오.

(1) 30°  $\qquad\qquad\qquad$  (2) 60°

(3) 135°

**02** 다음 각을 육십분법으로 나타내시오.

(1) $\frac{\pi}{3}$  $\qquad\qquad\qquad$  (2) $\frac{\pi}{6}$

(3) $\frac{5}{6}\pi$

**03** 크기가 다음과 같은 각의 동경이 나타내는 일반각을 $2n\pi + \theta$ 의 꼴로 나타내시오(단, $n$은 정수, $0 \leq \theta < 2\pi$ ).

(1) $\frac{17}{6}\pi$  $\qquad\qquad\qquad$  (2) $\frac{8}{3}\pi$

## 01

어떤 회로의 단자 전압 및 전류의 순시값이

$v = 220\sqrt{2}\sin\left(377t + \dfrac{\pi}{4}\right)[\text{V}]$,

$i = 5\sqrt{2}\sin\left(377t + \dfrac{\pi}{3}\right)[\text{A}]$일 때 복소 임피던스는

약 몇 $[\Omega]$인가?

① $42.5 - j11.4$          ② $42.5 - j9$

③ $50 + j11.4$          ④ $50 - j11.4$

**풀이** 전압 및 전류를 극형식으로 나타내면 다음과 같다.

$$\dot{V} = \frac{220\sqrt{2}}{\sqrt{2}} \angle \frac{\pi}{4}, \ \dot{I} = \frac{5\sqrt{2}}{\sqrt{2}} \angle \frac{\pi}{3}$$

교류에서의 옴의 법칙은 $\dot{V} = \dot{I}\dot{Z}$ 이므로

$$\dot{Z} = \frac{\dot{V}}{\dot{I}} = \frac{220\angle 45°}{5\angle 60°} = 44\angle -15°$$
$$= 42.5 - j11.4[\Omega]$$

**정답** ①

## 02

어떤 회로에 $E = 200 \angle \dfrac{\pi}{3}[\text{V}]$의 전압을

가하니 $I = 10\sqrt{3} + j10[\text{A}]$의 전류가 흘렀다.

이 회로의 무효전력$[\text{Var}]$은?

① 707          ② 1,000

③ 1,732          ④ 2,000

**풀이** 복소전력

$$P_a = E \cdot \bar{I} = 200 \angle \frac{\pi}{3} \times (10\sqrt{3} - j10)$$
$$= 3464.10 + j2,000[\text{VA}]$$
$$\therefore P_r = 2,000[\text{Var}]$$

**정답** ④

## 03

공기 중에 있는 지름 6[cm]인 단일 도체구의

정전용량은 약 몇 [pF]인가?

① 0.34          ② 0.67

③ 3.34          ④ 6.71

**풀이** 도체구의 정전용량: $C = 4\pi\varepsilon_0 a[\text{F}]$

($C$: 정전용량, $\varepsilon_0$: 진공 중의 유전율, $a$: 반지름)

지름 6[cm](=0.06[m])인 단일 도체구

$$C = 4\pi\varepsilon_0 a = \frac{1}{9 \times 10^9} \times (3 \times 10^{-2}) = \frac{1}{3} \times 10^{-11}$$

$$4\pi\varepsilon_0 = 4 \times 3.14 \times 8.855 \times 10^{-12} = \frac{1}{9 \times 10^9}$$

$C = 3.3 \times 10^{-12}[\text{F}] = 3.3[pF]$

$$p(\text{피코}) = 10^{-12}$$

**정답** ③

**04** 중심은 원점에 있고 반지름 $a$[m]인 원형선도체가 $z=0$인 평면에 있다. 도체에 선전하밀도 $\rho_L$[C/m]가 분포되어 있을 때 $z=b$[m]인 점에서의 전계 $E$[V/m]는?(단, $a_r, a_z$는 원통좌표계에서 $r$ 및 $z$ 방향의 단위벡터이다)

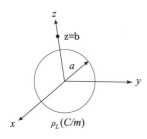

① $\dfrac{ab\rho_L}{2\pi\varepsilon_0(a^2+b^2)}a_z$    ② $\dfrac{ab\rho_L}{4\pi\varepsilon_0(a^2+b^2)}a_z$

③ $\dfrac{ab\rho_L}{2\varepsilon_0(a^2+b^2)^{\frac{3}{2}}}a_z$    ④ $\dfrac{ab\rho_L}{4\varepsilon_0(a^2+b^2)^{\frac{3}{2}}}a_z$

**풀이** 전위: $V=\dfrac{Q}{4\pi\varepsilon_0 r}$[V]

($Q$:전하, $r$:전하($Q$)로 부터의 거리, $\varepsilon_0$:유전율)

$r=\sqrt{a^2+z^2}$, $Q=\rho_L \cdot l = \rho_L \cdot 2\pi a$

$V=\dfrac{Q}{4\pi\varepsilon_0 r}=\dfrac{\rho_L \cdot 2\pi a}{4\pi\varepsilon_0\sqrt{a^2+z^2}}=\dfrac{\rho_L a}{2\varepsilon_0\sqrt{a^2+z^2}}$[V]

$E=-grad V = \dfrac{\partial V}{\partial z}a_z = -\dfrac{\partial}{\partial z}\left[\dfrac{\lambda a}{2\varepsilon_0\sqrt{a^2+z^2}}\right]$

$=\dfrac{\rho_L}{2\varepsilon_0}\dfrac{az}{(a^2+z^2)^{\frac{3}{2}}}az$

$z=b$를 대입하면

$E=\dfrac{ab\rho_L}{2\varepsilon_0(a^2+b^2)^{\frac{3}{2}}}a_z$[V/m]

**정답** ③

**05** 저항부하를 갖는 정류회로에서 직류분 전압이 200[V]일 때 다이오드에 가해지는 역첨두 전압(PIV)의 크기는 약 몇 [V]인가?

① 346    ② 628
③ 692    ④ 1,038

**풀이** 정류회로

|  | 반파 정류 | 전파 정류 |
|---|---|---|
| 다이오드 | $E_d=\dfrac{\sqrt{2}E}{\pi}=0.45E$ | $E_d=\dfrac{\sqrt{2}E}{\pi}=0.9E$ |
| SCR | $E_d=\dfrac{\sqrt{2}E}{\pi}(1+\cos\alpha)$ | $E_d=\dfrac{\sqrt{2}E}{\pi}(1+\cos\alpha)$ |
| 효율 | 40.6[%] | 81.2[%] |
| PIV | $PIV=E_d\times\pi$ | |

($E_d$:직류 전압, $E$:교류 전압)

$PIV=E_d\times\pi=200\times3.14=628$[V]

**정답** ②

**06** 전기자 총 도체수 500, 6극, 중권의 직류전동기가 있다. 전기자 전 전류가 100[A]일 때의 발생토크는 약 몇 [kg·m]인가?(단, 1극당 자속수는 0.01[Wb]이다)

① 8.12    ② 9.54
③ 10.25    ④ 11.58

**풀이** 토크

$T=\dfrac{PZ\phi I_a}{2\pi a}\times\dfrac{1}{9.8}$

$=\dfrac{6\times500\times0.01\times100}{2\pi\times6}\times\dfrac{1}{9.8}$

$=8.12$[kg·m]

**정답** ①

## 01

(1) $30° = 30 \times \dfrac{\pi}{180} = \dfrac{\pi}{6}$ 정답 $\dfrac{\pi}{6}$

(2) $60° = 60 \times \dfrac{\pi}{180} = \dfrac{\pi}{3}$ 정답 $\dfrac{\pi}{3}$

(3) $135° = 135 \times \dfrac{\pi}{180} = \dfrac{3}{4}\pi$ 정답 $\dfrac{3}{4}\pi$

## 02

(1) $\dfrac{\pi}{3} = \dfrac{\pi}{3} \times \dfrac{180°}{\pi} = 60°$ 정답 $60°$

(2) $\dfrac{\pi}{6} = \dfrac{\pi}{6} \times \dfrac{180°}{\pi} = 30°$ 정답 $30°$

(3) $\dfrac{5}{6}\pi = \dfrac{5}{6}\pi \times \dfrac{180°}{\pi} = 150°$ 정답 $150°$

## 03

(1) $\dfrac{17}{6}\pi = 2\pi \times 1 + \dfrac{5}{6}\pi$ 이므로 정답 $2n\pi + \dfrac{5}{6}\pi$ (단, $n$은 정수)

(2) $\dfrac{8}{3}\pi = 2\pi \times 1 + \dfrac{2}{3}\pi$ 이므로 정답 $2n\pi + \dfrac{2}{3}\pi$ (단, $n$은 정수)

# 20 삼각비

## 1. 삼각비와 삼각함수의 정의

> ✓ **삼각비**
>
> 직각삼각형의 세 변 중 두 변의 비를 의미한다.

가장 긴 변을 '빗변', $\theta$와 마주보고 있는 변을 '높이',

$\theta$를 끼고 있는 변 중 빗변이 아닌 변을 '밑변'이라고 한다.

삼각형의 세 변 중 두 개를 골라 비를 구하면,

다음과 같이 여섯 가지 비를 생각할 수 있다.

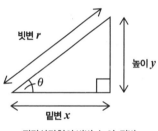

직각삼각형의 빗변, 높이, 밑변

$$\frac{\text{높이}}{\text{빗변}} \quad \frac{\text{밑변}}{\text{빗변}} \quad \frac{\text{높이}}{\text{밑변}} \quad \frac{\text{빗변}}{\text{높이}} \quad \frac{\text{빗변}}{\text{밑변}} \quad \frac{\text{밑변}}{\text{높이}}$$

높이를 $y$, 밑변을 $x$, 빗변을 $r$이라고 하여 각 비를 식으로 나타내면 다음과 같다.

$$\frac{y}{r} \quad \frac{x}{r} \quad \frac{y}{x} \quad \frac{r}{y} \quad \frac{r}{x} \quad \frac{x}{y}$$

이 여섯 가지 비가 바로 삼각비다. 각 삼각비를 구분하기 위해 다음과 같이 세 개의 알파벳과 $\theta$로 삼각

비를 표기하면, 삼각함수로 나타낼 수 있다.

$$\sin\theta = \frac{y}{r}(\text{사인}), \ \cos\theta = \frac{x}{r}(\text{코사인}), \ \tan\theta = \frac{y}{x}(\text{탄젠트})$$

$$\csc\theta = \frac{r}{y}(\text{코시컨트}), \ \sec\theta = \frac{r}{x}(\text{시컨트}), \ \cot\theta = \frac{x}{y}(\text{코탄젠트})$$

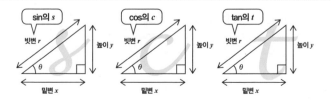

## 2. 삼각비의 값

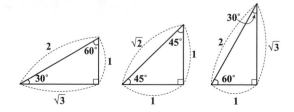

|     | 0° | 30° | 45° | 60° | 90° |
|-----|------|------|------|------|------|
| sin | $\dfrac{\sqrt{0}}{2}$ | $\dfrac{\sqrt{1}}{2}$ | $\dfrac{\sqrt{2}}{2}$ | $\dfrac{\sqrt{3}}{2}$ | $\dfrac{\sqrt{4}}{2}$ |
| cos | $\dfrac{\sqrt{4}}{2}$ | $\dfrac{\sqrt{3}}{2}$ | $\dfrac{\sqrt{2}}{2}$ | $\dfrac{\sqrt{1}}{2}$ | $\dfrac{\sqrt{0}}{2}$ |
| tanA | $-$ | $\dfrac{1}{\sqrt{3}}$ | 1 | $\sqrt{3}$ | $-$ |

## 기본문제

**01** 다음 그림은 정사각형과 정삼각형을 각각 이등분한 것이다. ☐ 안에 알맞은 것을 써넣어라.

(1)

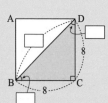

① $\sin 45° = \dfrac{\overline{DC}}{\boxed{\phantom{0}}} = \dfrac{8}{\boxed{\phantom{0}}} = \boxed{\phantom{000}}$

② $\sin 45° = \dfrac{\overline{BC}}{\boxed{\phantom{0}}} = \dfrac{8}{\boxed{\phantom{0}}} = \boxed{\phantom{000}}$

(2)

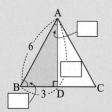

① $\sin 30° = \dfrac{\boxed{\phantom{0}}}{\overline{AB}} = \dfrac{\boxed{\phantom{0}}}{6} = \boxed{\phantom{000}}$

② $\cos 60° = \dfrac{\boxed{\phantom{0}}}{\overline{AB}} = \dfrac{\boxed{\phantom{0}}}{6} = \boxed{\phantom{000}}$

③ $\tan 30° = \dfrac{\overline{BD}}{\boxed{\phantom{0}}} = \dfrac{3}{\boxed{\phantom{0}}} = \boxed{\phantom{000}}$

**02** 다음은 $30°$, $45°$, $60°$의 삼각비의 값을 나타낸 표이다. 빈칸에 알맞은 수를 써넣어라.

| 삼각비 / A | 30° | 45° | 60° |
|---|---|---|---|
| sinA | | | |
| cosA | | | |
| tanA | | | |

**03** 다음을 계산하여라.

(1) $\sin 60° + \cos 30° - \tan 45°$

(2) $\sin 30° \times \tan 30°$

**04** 다음 그림과 같은 직각삼각형 $ABC$에서 $x$, $y$의 값을 각각 구하여라.

(1)

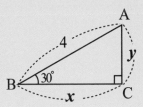

(2)

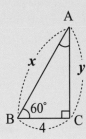

## 01

다음 왜형파 전압과 전류에 의한 전력은 몇 [W]인가?(단, 전압의 단위는 [V], 전류의 단위는 [A]이다)

$$e = 100\cos(\omega t + 30°) - 50\sin(3\omega t + 60°) + 25\sin 5\omega t$$
$$i = 20\cos(\omega t - 30°) + 15\sin(3\omega t + 30°) + 10\cos(5\omega t - 60°)$$

① 933.0          ② 566.9

③ 420.0          ④ 283.5

**풀이** $\cos\theta = \sin(\omega t + 90°)$ 이므로

$$i = 20\cos(\omega t - 30°) + 15\sin(3\omega t + 30°) + 10\sin(5\omega t - 60° + 90°)$$
$$= 20\cos(\omega t - 30°) + 15\sin(3\omega t + 30°) + 10\sin(5\omega t + 30°)[A]$$
$$P = V_1 I_1 \cos\theta_1 + V_3 I_3 \cos\theta_3 + V_5 I_5 \cos\theta_5$$
$$= \frac{100}{\sqrt{2}} \cdot \frac{20}{\sqrt{2}}\cos 60° - \frac{50}{\sqrt{2}} \cdot \frac{15}{\sqrt{2}}\cos 30°$$
$$+ \frac{25}{\sqrt{2}} \cdot \frac{10}{\sqrt{2}}\cos 30°$$
$$\fallingdotseq 283.5[W]$$

**정답** ④

## 02

어떤 소자에 걸리는 전압이 $100\sqrt{2}\cos\left(314t - \dfrac{\pi}{6}\right)[V]$이고, 흐르는 전류가 $3\sqrt{2}\cos\left(314t + \dfrac{\pi}{6}\right)[A]$일 때 소비되는 전력[W]은?

① 100          ② 150

③ 250          ④ 300

**풀이** 소비전력 : $P = VI\cos\theta$

$$\text{실효값} = \frac{\text{최대값}}{\sqrt{2}}$$

전압(V) : 100[V], 전류($I$) : 3[A]

전류와 전압의 위상차
$$30 - (-30) = 60$$

$$P = VI\cos\theta = 100 \times 30 \times \cos 60° = 150[W]$$

**정답** ②

## 03

RLC직렬회로에 $e = 170\cos\left(120\pi + \dfrac{\pi}{6}\right)$ [V]를 인가할 때 $i = 8.5\cos\left(120\pi - \dfrac{\pi}{6}\right)[A]$가 흐르는 경우 소비되는 전력은 약 몇 [W]인가?

① 361          ② 623

③ 720          ④ 1,445

**풀이** 소비전력 : $P = VI\cos\theta[W]$

$$\cdot\, e = 170\cos\left(120\pi + \frac{\pi}{6}\right)[V] \rightarrow V = \frac{170}{\sqrt{2}}[V]$$
$$\cdot\, i = 8.5\cos\left(120\pi - \frac{\pi}{6}\right)[A] \rightarrow I = \frac{8.5}{\sqrt{2}}[A]$$
$$P = \frac{170}{\sqrt{2}} \cdot \frac{8.5}{\sqrt{2}}\cos 60° = 361$$

**정답** ①

## 04

$v_1 = 20\sqrt{2}\sin\omega t[\text{V}]$,

$v_2 = 50\sqrt{2}\cos\left(\omega t - \dfrac{\pi}{6}\right)[\text{V}]$일 때 $v_1 + v_2$ 의

실효값은?

① $\sqrt{1,400}$  　　　② $\sqrt{2,400}$

③ $\sqrt{2,900}$  　　　④ $\sqrt{3,900}$

**풀이** $v_2$ 을 sin 함수로 변환하면

$$v_2 = 50\sqrt{2}\cdot\sin\left(\omega t - \frac{\pi}{6} + \frac{\pi}{2}\right)$$
$$= 50\sqrt{2}\cdot\sin\left(\omega t + \frac{\pi}{3}\right)$$

$v_1$ 과 $v_2$ 의 실효값

$$v_1 = 20\angle 0° = 20(\cos 0° + j\sin 0°) = 20$$
$$v_2 = 50\angle 60° = 50(\cos 60° + j\sin 60°)$$
$$= 25 + j25\sqrt{3}$$
$$v = v_1 + v_2 = 45 + j25\sqrt{3} = \sqrt{45^2 + (25\sqrt{3})^2}$$
$$= \sqrt{3,900}[V]$$

**정답** ④

## 05

단상 2선식 배전선로의 선로 임피던스가

$2 + j5[\Omega]$ 무유도성 부하전류 10[A]일 때 송전단

역률은?(단, 수전단 전압의 크기는 100[V]이고, 위상각은

0°이다)

① $\dfrac{5}{12}$  　　　② $\dfrac{5}{13}$

③ $\dfrac{11}{12}$  　　　④ $\dfrac{12}{13}$

**풀이** 부하단(수전단)은 무유도성이므로 저항부하이며

$$R = \frac{V}{I} = \frac{100}{10} = 10[\Omega]$$

전체 선로와 부하의 임피던스는 $Z = 2 + j5 + 10 = 12 + j5$

이므로 역률 $\cos\theta = \dfrac{R}{Z} = \dfrac{12}{\sqrt{12^2 + 5^2}} = \dfrac{12}{13}$

$$|Z| = \sqrt{R^2 + X^2}$$

**정답** ④

## 06

판자석의 세기 $\phi_m = 0.01[\text{Wb/m}]$, 반지름

$a = 5[\text{cm}]$인 원형 자석판이 있다. 자석의 중심에서

축상 10[cm]인 점에서의 자위의 세기[AT]는?

① 100  　　　② 175

③ 400  　　　④ 420

**풀이** 전기이중층의 관계식과 판자석의 관계식이 유사하므로

비교해보면 전위 $V = \dfrac{M}{4\pi\varepsilon_0}\omega[\text{V}]$,

자위 $U = \dfrac{M}{4\pi\mu_0}\omega[\text{A}]$에서

입체각 $\omega = 2\pi(1 - \cos\theta) = 2\pi\left(1 - \dfrac{x}{\sqrt{a^2 + x^2}}\right)$

이므로 판자석의 세기 $M$을 $\phi_m$로 하면

$$U = \frac{\phi_m\omega}{4\pi\mu_0} = \frac{\phi_m 2\pi(1 - \cos\theta)}{4\pi\mu_0} = \frac{\phi_m(1 - \cos\theta)}{2\mu_0}$$
$$= \frac{\phi_m\left(1 - \dfrac{x}{\sqrt{x^2 + a^2}}\right)}{2\mu_0} = \frac{0.01\left(1 - \dfrac{0.1}{\sqrt{0.05^2 + 0.1^2}}\right)}{2 \times 4\pi \times 10^{-7}}$$
$$= 420[\text{AT}]$$

**정답** ④

**07** 반지름 $a$[m]의 원판형 전기 2중층의 중심축상 $x$[m]의 거리에 있는 점 $P$(+전하측)의 전위는? (단, 2중층의 세기는 $M$[C/m]이다)

① $\dfrac{M}{\epsilon_0}\left(1 - \dfrac{x}{\sqrt{x^2 + a^2}}\right)$[V]

② $\dfrac{M}{2\epsilon_0}\left(1 - \dfrac{x}{\sqrt{x^2 + a^2}}\right)$[V]

③ $\dfrac{M}{\epsilon_0}\left(1 - \dfrac{a}{\sqrt{x^2 + a^2}}\right)$[V]

④ $\dfrac{M}{2\epsilon_0}\left(1 - \dfrac{a}{\sqrt{x^2 + a^2}}\right)$[V]

**풀이** 점 $P$의 전위는 $V_p = \dfrac{M}{4\pi\varepsilon_0 r^2}\cos\theta = \dfrac{M}{4\pi\varepsilon_0}\omega$[V]

$$\frac{\cos\theta}{r^2} = \omega$$

점 $P$에서 원판 도체를 본 입체각 $\omega$ 는

$\omega = 2\pi(1 - \cos\theta) = 2\pi\left(1 - \dfrac{x}{\sqrt{a^2 + x^2}}\right)$ 가 되므로

$\therefore V_p = \dfrac{M}{4\pi\epsilon_0} + 2\pi\left(1 - \dfrac{x}{\sqrt{a^2 + x^2}}\right)$

$\quad = \dfrac{M}{2\epsilon_0}\left(1 - \dfrac{x}{\sqrt{a^2 + x^2}}\right)$[V]

**정답** ②

**08** 전기자 저항 $r_a = 0.2$[Ω], 동기 리액턴스 $x_s = 20$[Ω]인 $Y$결선 3상 동기발전기가 있다. 3상 중 1상의 단자전압은 $V = 4,400$[V], 유도기전력 $E = 6,600$[V]이다. 부하각 $\delta = 30°$라고 하면 발전기의 3상 출력[kW]은 약 얼마인가?

① 2,178      ② 3,960
③ 4,356      ④ 5,532

**풀이** 3상 동기발전기의 출력(원통형 회전자 비철극기)

$$E = 3\frac{EV}{x_s}\sin\delta[\text{W}] \ (E:\text{유기기전력}, V:\text{단자전압},$$
$$x_s:\text{동기 리액턴스}, \ \delta:\text{부하각})$$

동기 리액턴스 $x_s = 20$[Ω], 단자전압 $V = 4,400$[V]

유도기전력 $E = 6,600$[V], 부하각 $\delta = 30°$

$P = 3\dfrac{EV}{x_s}\sin\delta$

$\quad = 3 \times \dfrac{6,600 \times 4,400}{20} \times \sin 30° \times 10^{-3}$

$\quad = 2,178$[kW]

$$\sin 30 = \frac{1}{2}$$

**정답** ①

**09** 비돌극형 동기 발전기의 한 상의 단자전압을 $V$, 유기 기전력을 $E$, 동기 리액턴스를 $X_s$, 부하각을 $\delta$이고 전기자저항을 무시할 때 최대 출력[W]은 얼마인가?

① $\dfrac{EV}{X_s}$      ② $\dfrac{3EV}{X_s}$

③ $\dfrac{E^2 V}{X_s}\sin\delta$      ④ $\dfrac{EV^2}{X_s}\sin\delta$

**풀이** 비돌극형 발전기의 출력: $P \fallingdotseq \dfrac{EV}{X_s}\sin\delta$[W]

부하각 ($\delta$) 이 90°에서 최대값 $\left(P = \dfrac{EV}{X_s}\right)$을 갖는다.

비돌극기는 원통형으로 고속기로 사용된다.

**정답** ①

**10** 자속밀도 $10[\text{Wb/m}^2]$ 자계 중에 10[cm] 도체를 30°의 각도로 30[m/s]로 움직일 때, 도체에 유기되는 기전력은 몇 [V]인가?

① 15

② $15\sqrt{3}$

③ 1500

④ $1500\sqrt{3}$

**풀이** 유기 기전력 : $e = Blv\sin\theta[\text{V}]$

($B$ : 자속밀도, $l$ : 길이, $v$ : 속도, $\theta$ : 도체의 각도)

$e = Blv\sin\theta = 10 \times 0.1 \times 30 \times \sin 30 = 15[\text{V}]$

**정답** ①

**11** 매질 1의 $\mu_{s1} = 500$, 매질 2의 $\mu_{s2} = 1,000$ 이다. 매질 2에서 경계면에 대하여 45°의 각도로 자계가 입사한 경우 매질 1에서 경계면과 자계의 각도에 가장 가까운 것은?

① 20°

② 30°

③ 60°

④ 80°

**풀이** 자정체의 굴절의 법칙 : 굴절각과 투자율은 비례한다.

$$\frac{\tan\theta_1}{\tan\theta_2} = \frac{\epsilon_1}{\epsilon_2} = \frac{\mu_1}{\mu_2}$$

($\theta$ : 경계면과의 각, $\mu$ : 투자율, $\epsilon$ : 유전율)

$\mu_{s1} = 500$, $\mu_{s2} = 1,000$, 경계면과의 각 = 45°

$\dfrac{\tan\theta_1}{\tan\theta_2} = \dfrac{\mu_1}{\mu_2}$ 에서 $\dfrac{\tan\theta_1}{\tan 45°} = \dfrac{500}{1,000} = \dfrac{1}{2}$

$$\tan 45 = 1$$

$\tan\theta_1 = \dfrac{1}{2}$ 이므로, $\theta_1 = \tan^{-1}\left(\dfrac{1}{2}\right) = 26.57°$

**정답** ②

## 01

(1)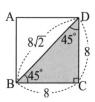

① 정답 $\sin 45° = \dfrac{\overline{DC}}{\overline{BD}} = \dfrac{8}{8\sqrt{2}} = \dfrac{1}{\sqrt{2}}$

② 정답 $\sin 45° = \dfrac{\overline{BC}}{\overline{BD}} = \dfrac{8}{8\sqrt{2}} = \dfrac{\sqrt{2}}{2}$

(2)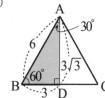

① 정답 $\sin 30° = \dfrac{\overline{BD}}{\overline{AB}} = \dfrac{3}{6} = \dfrac{1}{2}$

② 정답 $\cos 60° = \dfrac{\overline{BD}}{\overline{AB}} = \dfrac{3}{6} = \dfrac{1}{2}$

③ 정답 $\tan 30° = \dfrac{\overline{BD}}{\overline{AD}} = \dfrac{3}{3\sqrt{3}} = \dfrac{\sqrt{3}}{3}$

## 02

| 삼각비 ＼ $A$ | 30° | 45° | 60° |
|---|---|---|---|
| $\sin A$ | $\dfrac{1}{2}$ | $\dfrac{\sqrt{2}}{2}$ | $\dfrac{\sqrt{3}}{2}$ |
| $\cos A$ | $\dfrac{\sqrt{3}}{2}$ | $\dfrac{\sqrt{2}}{2}$ | $\dfrac{1}{2}$ |
| $\tan A$ | $\dfrac{1}{\sqrt{3}}$ | 1 | $\sqrt{3}$ |

## 03

(1) $\sin 60° + \cos 30° - \tan 45° = \dfrac{\sqrt{3}}{2} + \dfrac{\sqrt{3}}{2} - 1 = \sqrt{3} - 1$ 정답 $\sqrt{3}-1$

(2) $\sin 30° \times \tan 30° = \dfrac{1}{2} \times \dfrac{\sqrt{3}}{3} = \dfrac{\sqrt{3}}{6}$ 정답 $\dfrac{\sqrt{3}}{6}$

## 04

(1) $\cos 30° = \dfrac{x}{4} = \dfrac{\sqrt{3}}{2}, 2x = 4\sqrt{3}$ 정답 $x = 2\sqrt{3}$ $\sin 30° = \dfrac{y}{4} = \dfrac{1}{2}, 2y = 4$ 정답 $y = 2$

(2) $\cos 60° = \dfrac{4}{x} = \dfrac{1}{2}$ 정답 $x = 8$ $\tan 60° = \dfrac{y}{4} = \sqrt{3}$ 정답 $y = 4\sqrt{3}$

# 21 삼각함수의 그래프

## 1. 주기함수

일반적으로 함수 $y=f(x)$의 정의역에 속하는 모든 $x$에 대하여 $f(x+p)=f(x)$를 만족시키는 0이 아닌 상수 $p$가 존재할 때, 함수 $y=f(x)$를 주기함수라 하고, 상수 $p$ 중에서 최소인 양수를 그 함수의 주기라 한다.

## 2. 삼각함수의 그래프

### (1) 함수 $y = \sin x$의 그래프와 성질

① **정의역** : 실수 전체의 집합

② **치역** : $\{y \,|\, -1 \leq y \leq 1\}$

③ 그래프는 원점에 대하여 대칭이다(기함수).

④ 주기가 $2\pi$인 주기함수이다.

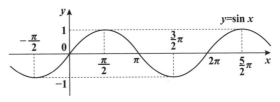

---

**정의역** : $x$값의 범위

**치역** : $y$값의 범위

- $y = \sin\theta$의 그래프는 원점에 대하여 대칭이므로 $\sin(\theta) = -\sin(-\theta)$이다.
- 원점에 대하여 대칭은 기함수라 한다.
- $y = \sin\theta$의 그래프를 그리면 다음과 같다.

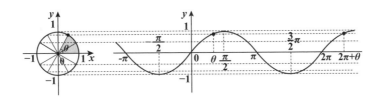

## (2) 함수 $y = \cos x$ 의 그래프와 성질

① **정의역** : 실수 전체의 집합

② **치역** : $\{y \,|\, -1 \leq y \leq 1\}$

③ 그래프는 $y$축에 대하여 대칭이다(우함수).

④ 주기가 $2\pi$ 인 주기함수이다.

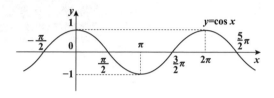

---

$y = \cos\theta$ 의 그래프는 $y$축에 대하여 대칭이므로 $\cos\theta = \cos(-\theta)$ 이다.

$y$축에 대하여 대칭은 우함수라 한다.

$y = \cos\theta$ 의 그래프는 $y = \sin\theta$ 의 그래프를 $x$축의 방향으로 $-\dfrac{\pi}{2}$ 만큼 평행이동한 것과 같다.

$y = \cos\theta$ 의 그래프를 그리면 다음과 같다.

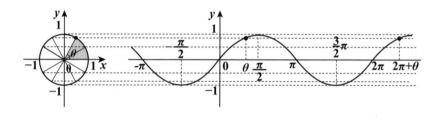

---

## 01

쌍극자모멘트가 $M[C \cdot m]$인 전기쌍극자에서 점 $P$의 전계는 $\theta = \frac{\pi}{2}$에서 어떻게 되는가?(단, $\theta$는 전기쌍극자의 중심에서 축 방향과 점 $P$를 잇는 선분의 사이각이다)

① 0          ② 최소

③ 최대        ④ $-\infty$

**풀이** 전기 쌍극자에 의한 전계 : $E = \dfrac{M\sqrt{1 + 3\cos^2\theta}}{4\pi\epsilon_0 r^3}[V/m]$

점 $P$의 전계는 $\theta = 0°$일 때 최대

$\theta = 90°$일 때 최소

**정답** ②

## 02

전계 $E[V/m]$, 자계 $H[AT/m]$의 전자계가 평면파를 이루고, 자유 공간으로 전파될 때 진행 방향에 수직되는 단위 면적을 단위 시간에 통과하는 에너지는 몇$[W/m^2]$인가?

① $EH^2$          ② $EH$

③ $\frac{1}{2}EH^2$       ④ $\frac{1}{2}EH$

**풀이** 전자파가 공간에서 전달하는 에너지는 포인팅벡터로 표현되며 전계와 자계의 벡터외적으로 계산된다.

$P = E \times H = EH\sin\theta[W/m^2]$

$E$와 $H$가 수직이므로 $\sin 90° = 1$, $P = EH[W/m^2]$

**정답** ②

## 03

쌍극자 모멘트가 $M[C \cdot m]$인 전기쌍극자에 의한 임의의 점 $P$에서의 전계의 크기는 전기쌍극자의 중심에서 축방향과 점 $P$를 잇는 선분 사이의 각이 얼마일 때 최대가 되는가?

① 0          ② $\frac{\pi}{2}$

③ $\frac{\pi}{3}$         ④ $\frac{\pi}{4}$

**풀이** 전기 쌍극자에 의한 전계 : $E = \dfrac{M\sqrt{1 + 3\cos^2\theta}}{4\pi\epsilon_0 r^3}[V/m]$

점 $P$의 전계는 $\theta = 0°$일 때 최대이고

$\theta = 90°$일 때 최소가 된다.

**정답** ①

# 22 삼각함수 특수공식

## 1. 삼각함수 사이의 관계

> ① $\tan\theta = \dfrac{\sin\theta}{\cos\theta}$
>
> ② $\sin^2\theta + \cos^2\theta = 1$

$(\sin\theta)^2, (\cos\theta)^2, (\tan\theta)^2$ 을 각각 $\sin^2\theta, \cos^2\theta, \tan^2\theta$ 로 나타낸다.

이때 $(\sin\theta)^2 \neq \sin\theta^2$ 임에 주의한다.

$\sin^2\theta + \cos^2\theta = 1$ 의 양변을 $\cos^2\theta$ 로 나누면,

> $$\dfrac{\sin^2\theta}{\cos^2\theta} + 1 = \dfrac{1}{\cos^2\theta}$$
>
> $$\therefore \ \tan^2\theta + 1 = \dfrac{1}{\cos^2\theta}$$

## 2. $x + \dfrac{\pi}{2}$ 의 삼각함수

> ① $\cos x = \sin\left(x + \dfrac{\pi}{2}\right)$
> ② $-\sin x = \cos\left(x + \dfrac{\pi}{2}\right)$

# 3. 각 함수의 다양한 공식

(1) $\sin\alpha\cos\beta = \dfrac{1}{2}\{\sin(\alpha+\beta) + \sin(\alpha-\beta)\}$

(2) $\sin t \cos t = \dfrac{1}{2}\sin 2t$

(3) $\sin(\alpha+\beta) = \sin\alpha\cos\beta + \cos\alpha\sin\beta$

(4) $\sin(\alpha-\beta) = \sin\alpha\cos\beta - \cos\alpha\sin\beta$

## 기본문제

**01** 각 문제의 $\cos\theta$ 값을 참고하여 $\sin\theta$ 와 $\tan\theta$ 를 구하시오.

(1) $\cos\theta = 0.8$

(2) $\cos\theta = 0.85$

**02** 각 문제의 값을 $\sin$ 값으로 변환하시오.

(1) $\cos\left(100\pi t - \dfrac{\pi}{3}\right)$

(2) $50\cos(120\pi t - 30°)$

(3) $10\cos(5\omega t - 60°)$

**03** $\sin$, $\cos$으로 이루어진 값을 $\sin$으로 정리하시오.

(1) $2\sin t \cos t$

(2) $\sin\omega t \cos\omega t$

(3) $\sin\theta\cos\omega t + \cos\theta\sin\omega t$

(4) $\sin x\cos y + \cos x\sin y$

# 기출문제

## 01
어떤 변압기의 단락시험에서 %저항강하 1.5[%]와 %리액턴스 강하 3[%]를 얻었다. 부하 역률이 80[%] 앞선 경우의 전압 변동률[%]은?

① $-0.6$  ② $0.6$
③ $-3.0$  ④ $3.0$

**풀이** $\varepsilon = p\cos\theta - q\sin\theta = 1.5 \times 0.8 - 3 \times 0.6$
$= -0.6[\%]$

**정답** ①

## 02
역률 0.8(지상)의 2800[kW] 부하에 전력용 콘덴서를 병렬로 접속하여 합성 역률을 0.9로 개선하고자 할 경우, 필요한 전력용 콘덴서의 용량은 약 몇 [kVA]인가?

① 372[kVA]  ② 558[kVA]
③ 744[kVA]  ④ 1116[kVA]

**풀이** $Q_c = p(\tan\theta_1 - \tan\theta_2)$
$= P\left(\dfrac{\sqrt{1-\cos^2_1}}{\cos\theta_1} - \dfrac{\sqrt{1-\cos^2_2}}{\cos\theta_2}\right)$
$= 2800\left(\dfrac{0.6}{0.8} - \dfrac{\sqrt{1-0.9^2}}{0.9}\right) = 744[kVA]$

**정답** ③

## 03
3상 3선식 가공송전선로에서 한 선의 저항은 15[Ω], 리액턴스는 20[Ω]이고, 수전단 선간전압은 30[kV], 부하역률은 0.8(뒤짐)이다. 전압강하율은 10[%]라 하면, 이 송전선로는 몇 [kW]까지 수전할 수 있는가?

① 2,500  ② 3,000
③ 3,500  ④ 4,000

**풀이** 전압강하율 $(\delta)$ : $\delta = \dfrac{V_s - V_r}{V_r} \times 100 = \dfrac{e}{V_r} \times 100$
$= \dfrac{\dfrac{P}{V_r}(R + X\tan\theta)}{V_r} \times 100$
$= \dfrac{P}{V^2_r}(R + X\tan\theta) \times 100$

($V_s$ : 송전단 전압, $V_r$ : 수전단 전압, $P$ : 전력, $R$ : 저항, $X$ : 리액턴스)

송전전력$(P)$ : $P = \dfrac{\delta \times V_r^2}{(R + X\tan\theta) \times 100} \times 10^{-3}$
$= \dfrac{10 \times (30 \times 10^3)^2}{\left(15 + 20 \times \dfrac{0.6}{0.8}\right) \times 100} \times 10^{-3}$
$= 3,000[kW]$
$\left(\tan\theta = \dfrac{\sin\theta}{\cos\theta} = \dfrac{0.6}{0.8}\right)$

$\cos\theta = \sqrt{1-\sin\theta^2}$ 에서
$0.8^2 = 1 - \sin\theta^2 \to \sin\theta = 0.6$

**정답** ②

## 04

그림과 같은 수전단전압 3.3[kV], 역률 0.85(뒤짐)인 부하 300[kW]에 공급하는 선로가 있다. 이때 송전단전압[V]은?

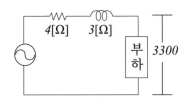

① 2,930     ② 3,230

③ 3,530     ④ 3,830

**풀이** 전력 : $P = VI\cos\theta$

송전단 전압 : $V_s = V_r + I(R\cos\theta + X\sin\theta)$

($V$ : 전압, $I$ : 전류, $\cos\theta$ : 역률, $V_s$ : 송전단 전압, $V_r$ : 수전단 전압)

$I = \dfrac{P}{V\cos\theta} = \dfrac{300 \times 10^3}{3300 \times 0.85} \fallingdotseq 107[\text{A}]$

$V_s = V_r + I(R\cos\theta + X\sin\theta)$

$\quad = 3300 + 107(4 \times 0.85 + 3 \times \sqrt{1-0.85})^2$

$\quad \fallingdotseq 3,830[\text{V}]$

$$\sin\theta = \sqrt{1 - \cos\theta^2}$$

**정답 ④**

## 05

성형(Y)결선의 부하가 있다. 선간전압 300[V]의 3상 교류를 인가했을 때 선전류가 40[A]이고 역률이 0.8이라면 리액턴스는 몇 [Ω]인가?

① 1.66     ② 2.60

③ 3.56     ④ 4.33

**풀이** 한 상의 임피던스 : $Z = \dfrac{V_p}{I}[\Omega]$

$$Y\text{ 결선시 } V_p(\text{상전압}) = \frac{1}{\sqrt{3}}V_l \ (\text{선간전압})$$

$Z = \dfrac{V_p}{I} = \dfrac{\frac{300}{\sqrt{3}}}{40} = \dfrac{30}{4\sqrt{3}} = 4.33[\Omega]$

$\sin\theta = \sqrt{1 - \cos^2\theta} = \sqrt{1 - 0.8^2} = 0.6$

$\therefore X_L = Z\sin\theta = 4.33 \times 0.6 = 2.598[\Omega]$

**정답 ②**

## 06

3상 배전선로의 말단에 지상 역률 80[%], 160[kW]인 평형 3상 부하가 있다. 부하점에 전력용 콘덴서를 접속하여 선로 손실을 최소가 되게 하려면 전력용 콘덴서의 용량은 몇 [kVA]가 필요한가?
(단, 부하단 전압은 변하지 않는 것으로 한다)

① 100[kVA]     ② 120[kVA]

③ 160[kVA]     ④ 200[kVA]

**풀이** 콘덴서 용량 : 선로 손실을 최소로 하기 위해서는 역률을 1.0으로 개선해야 하므로 문제에서의 전 무효 전력만큼의 콘덴서 용량이 필요하다.

$$\sin\theta = \sqrt{1 - \cos^2\theta}$$

$Q_c = P\tan\theta = P \times \dfrac{\sin\theta}{\cos\theta} = 160 \times \dfrac{0.6}{0.8}$

$\quad = 120[\text{kVA}]$

**정답 ②**

## 07

1선의 저항이 10[Ω], 리액턴스가 15[Ω]인 3상 송전선이 있다. 수전단 전압 60[kV], 부하역률 0.8[lag], 부하전류 100[A]라고 할 때 송전단 전압은?

① 약 61[kV]  ② 약 63[kV]
③ 약 81[kV]  ④ 약 83[kV]

**풀이** 송전단 전압 : $V_s = V_r + \sqrt{3} I(R\cos\theta + X\sin\theta)$

($I$ : 전류, $\cos\theta$ : 역률, $V_s$ : 송전단 전압, $V_r$ : 수전단 전압)

$$\sin\theta = \sqrt{1-\cos\theta^2}$$

$V_s = V_r + \sqrt{3} I(R\cos\theta + X\sin\theta)$
$\quad = 60000 + \sqrt{3} \times 100(10 \times 0.8 + 15 \times 0.6)$
$\quad = 62,944[V] \fallingdotseq 63[kV]$

**정답** ②

## 09

변압기 내부의 백분율저항강하와 백분율리액턴스강하는 각각 3[%], 4[%]이다. 부하의 역률이 지상 60[%]일 때 변압기의 전압 변동률은?

① 2.8[%]  ② 4[%]
③ 5[%]  ④ 7.4[%]

**풀이** 전압 변동률 : $\epsilon = p\cos\theta + q\sin\theta$

($p$ : %저항 강하, $q$ : %리액턴스 강하,
$\theta$ : 부하 $Z$의 위상각)

$\epsilon = p\cos\theta + q\sin\theta = 3 \times 0.6 + 4 \times 0.8 = 5[\%]$

$$\sin\theta = \sqrt{1-\cos\theta^2}$$

※ 진상은 $\epsilon = p\cos\theta - q\sin\theta$

**정답** ③

## 08

3000[KW], 역률 80[%](늦음)의 부하에 전력을 공급하고 있는 변전소의 역률을 90[%]로 향상시키는데 필요한 전력용 콘덴서의 용량은?

① 약 600[KVA]  ② 약 700[KVA]
③ 약 800[KVA]  ④ 약 900[KVA]

**풀이** 역률개선용 콘덴서 용량
$Q_c = P(\tan\theta_1 - \tan\theta_2)$
$\quad = P\left(\dfrac{\sin\theta_1}{\cos\theta_1} - \dfrac{\sin\theta_2}{\cos\theta_2}\right)$
$\quad = P\left(\dfrac{\sqrt{1-\cos^2\theta_1}}{\cos\theta_1} - \dfrac{\sqrt{1-\cos^2\theta_2}}{\cos\theta_2}\right)$
$W = 3000[kW]$

콘덴서 용량
$Q = 3000\left(\dfrac{\sqrt{1-0.8^2}}{0.8} - \dfrac{\sqrt{1-0.9^2}}{0.9}\right) = 797[kVA]$

**정답** ③

## 10

단상 2선식 교류 배전선이 있다. 전선 한줄의 저항은 0.15[Ω], 리액턴스 0.25[Ω]이다. 부하는 무유도성으로 100[V], 3[kW]일 때 급전점의 전압은 약 몇 [V]인가?

① 100  ② 110
③ 120  ④ 130

**풀이** 전압강하

$V_s = V_r + e = V_r + \dfrac{P}{V}(R + X\tan\theta)$ 2선식이므로 $2e$

$V_s = V_r + 2e = V_r + 2\dfrac{P}{V}(R + X\tan\theta)$

무유도성(순저항 부하)이므로 $X = 0$

$\quad = 100 + 2 \times \dfrac{3,000}{100} \times 0.15 = 109[V]$가 된다.

**정답** ②

**11** 3,000[kW], 역률 80[%](뒤짐) 부하에 전력을 공급하고 있는 변전소에 전력용 콘덴서를 설치하여 변전소에서의 역률을 90%로 향상시키는 데 필요한 전력용 콘덴서의 용량은 약 몇 [kVA]인가?

① 600　　　　　　② 700
③ 800　　　　　　④ 900

**풀이** 역률 개선 시 콘덴서 용량

$$Q_c = P(\tan\theta_1 - \tan\theta_2)$$
$$= P\left(\frac{\sqrt{1-\cos^2\theta_1}}{\cos\theta_1} - \frac{\sqrt{1-\cos^2\theta_2}}{\cos\theta_2}\right)$$
$$= 3,000 \times \left(\frac{\sqrt{1-0.8^2}}{0.8} - \frac{\sqrt{1-0.9^2}}{0.9}\right)$$
$$= 797[\text{kVA}]$$

**정답** ③

**12** 뒤진 역률 80[%], 1,000[kW]의 3상 부하가 있다. 이것에 콘덴서를 설치하여 역률을 95[%]로 개선하려면 콘덴서의 용량은 약 몇 [kVA]로 해야 하는가?

① 240　　　　　　② 420
③ 630　　　　　　④ 950

**풀이** 역률 개선용 콘덴서의 용량

$$Q_c = P(\tan\theta_1 - \tan\theta_2)$$
$$= P\left(\frac{\sqrt{1-\cos^2\theta_1}}{\cos\theta_1} - \frac{\sqrt{1-\cos^2\theta_2}}{\cos\theta_2}\right)$$
$$= 1,000 \times \left(\frac{0.6}{0.8} - \frac{\sqrt{1-0.95^2}}{0.95}\right) = 420[\text{kVA}]$$

**정답** ②

**13** 어느 소자에 전압 $e = 125\sin 377t[\text{V}]$를 가했을 때 전류 $I = 50\cos 377t[\text{A}]$가 흘렀다. 이 회로의 소자는 어떤 종류인가?

① 순저항　　　　　② 용량 리액턴스
③ 유도 리액턴스　　④ 저항과 유도 리액턴스

**풀이** 전류: $i = 50\cos 377t = 50\sin(377t + 90°)$이므로 전류가 전압보다 위상이 90° 앞서므로 $C$만의 회로이다.

**정답** ②

**14** $e = E_m\cos\left(100\pi t - \frac{\pi}{3}\right)[\text{V}]$와

$i = I_m\sin\left(100t + \frac{\pi}{4}\right)[\text{A}]$의 위상차를 시간으로 나타내면 약 몇 초인가?

① $3.33 \times 10^{-4}$　　② $4.33 \times 10^{-4}$
③ $6.33 \times 10^{-4}$　　④ $8.33 \times 10^{-4}$

**풀이** $e = E_m\cos\left(100\pi t - \frac{\pi}{3}\right) = E_m\sin\left(100\pi t - \frac{\pi}{3} + \frac{\pi}{2}\right)$

$= E_m\sin\left(100\pi t + \frac{\pi}{6}\right)$

$i = I_m\sin\left(100\pi t + \frac{\pi}{4}\right)$이므로

위상차 $\theta = \frac{\pi}{4} - \frac{\pi}{6} = \frac{\pi}{12}$　　$\theta = \omega t$ 식에서

$t = \frac{\theta}{\omega} = \frac{\frac{\pi}{12}}{100\pi} = \frac{1}{1200} = 8.33 \times 10^{-4}[\text{s}]$

**정답** ④

**15** 다음과 같은 회로에서 $i_1 = L_m \sin \omega t [A]$일 때 개방된 2차 단자에 나타나는 유기기전력 $e_2$는 몇 [V]인가?

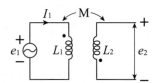

① $\omega M I_m \sin(\omega t - 90°)$   ② $\omega M I_m \cos(\omega t - 90°)$

③ $-\omega M \sin \omega t$   ④ $\omega M \cos \omega t$

**풀이** 상호유도회로 : $e_2 = -M\dfrac{di}{dt} = -M\dfrac{d}{dt}(I_m \sin \omega t)$

$= -\omega M I_m \cos \omega t$

$= -\omega M I_m \sin(\omega t + 90°)$

$= \omega M I_m \sin(\omega t - 90°)$

정답 ①

**16** $i_1 = I_m \sin \omega t [A]$와 $i_2 = I_m \cos \omega t [A]$인 두 교류전류의 위상차는 몇 도인가?

① $0°$   ② $30°$

③ $60°$   ④ $90°$

**풀이** 위상 및 위상차 : $i_1 = I_m \sin \omega t [A]$

$i_2 = I_m \cos \omega t = I_m \sin(\omega t + 90°)[A]$

정답 ④

**17** 어느 소자에 걸리는 전압은 $v = 3\cos 3t [V]$이고, 흐르는 전류 $i = -2\sin(3t + 10°)[A]$이다. 전압과 전류간의 위상차는?

① $10°$   ② $30°$

③ $70°$   ④ $100°$

**풀이** $v = 3\cos 3t = 3\sin(3t + 90°)$

$i = -2\sin(3t + 10°)$

전압($v$)과 전류($i$)의 위상차

$= 90° - (-10°) = 100°$

정답 ④

**18** 2개의 교류전압 $v_1 = 141\sin(120\pi t - 30°)$ [V]와 $v_2 = 150\cos(120\pi t - 30°)[V]$의 위상차를 시간으로 표시하면 몇 초인가?

① $\dfrac{1}{60}$   ② $\dfrac{1}{120}$

③ $\dfrac{1}{240}$   ④ $\dfrac{1}{360}$

**풀이** $v_2$를 정리하면 다음과 같다.

$v_2 = 150\cos(120\pi t - 30°)$

$= 150\sin(120\pi t - 30° + 90°)$

$= 150\sin(120\pi t + 60°)$

∴위상차 $\theta = 60° - (-30°) = 90° = \dfrac{\pi}{2}$

$\theta = \omega t$의 식에서 $t = \dfrac{\theta}{\omega} = \dfrac{\frac{\pi}{2}}{120\pi} = \dfrac{1}{240}$

정답 ③

## 19

다음 왜형파 전압과 전류에 의한 전력은 몇 [W]인가?(단, 전압의 단위는 [V], 전류의 단위는 [A]이다)

$$e = 100\cos(\omega t + 30°) - 50\sin(3\omega t + 60°)$$
$$\quad + 25\sin 5\omega t$$
$$i = 20\cos(\omega t - 30°) + 15\sin(3\omega t + 30°)$$
$$\quad + 10\cos(5\omega t - 60°)$$

① 933.0  ② 566.9

③ 420.0  ④ 283.5

**풀이** $\cos\theta = \sin(\omega t + 90°)$ 이므로

$i = 20\cos(\omega t - 30°) + 15\sin(3\omega t + 30°)$
$\quad + 10\sin(5\omega t - 60° + 90°)$
$= 20\cos(\omega t - 30°) + 15\sin(3\omega t + 30°)$
$\quad + 10\sin(5\omega t + 30°)[A]$

$P = V_1 I_1 \cos\theta_1 + V_3 I_3 \cos\theta_3 + V_5 I_5 \cos\theta_5$

$= \dfrac{100}{\sqrt{2}} \cdot \dfrac{20}{\sqrt{2}}\cos 60° - \dfrac{50}{\sqrt{2}} \cdot \dfrac{15}{\sqrt{2}}\cos 30°$

$\quad + \dfrac{25}{\sqrt{2}} \cdot \dfrac{10}{\sqrt{2}}\cos 30°$

$\fallingdotseq 283.5[W]$

**정답** ④

## 20

$f(t) = \sin t \cdot \cos t$ 를 라플라스 변환하면?

① $\dfrac{1}{s^2 + 1^2}$  ② $\dfrac{1}{s^2 + 2^2}$

③ $\dfrac{1}{(s + 2)^2}$  ④ $\dfrac{1}{(s + 4)^2}$

**풀이** 라플라스 변환

$\sin t \cos t = \dfrac{1}{2}\sin 2t$

$F(s) = \pounds[\sin t \cos t] = \pounds\left[\dfrac{1}{2}\sin 2t\right]$

$\quad = \dfrac{1}{2} \cdot \dfrac{2}{s^2 + 2^2} = \dfrac{1}{s^2 + 2^2}$

**정답** ②

## 21

$\cos t \cdot \sin t$ 의 라플라스 변환은?

① $\dfrac{1}{8s} - \dfrac{1}{8} \cdot \dfrac{4s}{s^2 + 16}$  ② $\dfrac{1}{2} \cdot \dfrac{2}{s^2 + 2^2}$

③ $\dfrac{1}{4s} - \dfrac{1}{4} \cdot \dfrac{s}{s^2 + 4}$  ④ $\dfrac{1}{4s} - \dfrac{1}{s} \cdot \dfrac{4s}{s^2 + 4}$

**풀이** $F(s) = \pounds[\sin t \cos t] = \pounds\left[\dfrac{1}{2}\sin 2t\right] = \dfrac{1}{2} \cdot \dfrac{2}{s^2 + 2^2}$

**정답** ②

## 22

$\dfrac{s\sin\theta + \omega\sin\theta}{s^2 + \omega^2}$ 의 역라플라스 변환을 구하면 어떻게 되는가?

① $\sin(\omega t - \theta)$  ② $\sin(\omega t + \theta)$

③ $\cos(\omega t - \theta)$  ④ $\cos(\omega t + \theta)$

**풀이** $\pounds^{-1}\left[\dfrac{s\sin\theta + \omega\cos\theta}{s^2 + \omega^2}\right] = \sin\theta\cos\omega t + \cos\theta\sin\omega t$

$\quad\quad\quad\quad\quad\quad\quad\quad = \sin(\omega t + \theta)$

$\quad (\sin(\alpha + \beta) = \sin\alpha\cos\beta + \cos\alpha\sin\beta)$

**정답** ②

**01** $\sin^2\theta + \cos^2\theta = 1$    $\tan\theta = \dfrac{\sin\theta}{\cos\theta}$

(1)  $\sin^2\theta + (0.8)^2 = 1$
  $\sin^2\theta = 1 - 0.64$
  $\sin\theta = \sqrt{0.36} = 0.6$
  $\tan\theta = \dfrac{\sin\theta}{\cos\theta} = \dfrac{0.6}{0.8} = \dfrac{3}{4}$

  정답 $\dfrac{3}{4}$

(2)  $\sin^2\theta + (0.85)^2 = 1$
  $\sin^2\theta = 0.2775$
  $\sin\theta = 0.5268$
  $\tan\theta = \dfrac{\sin\theta}{\cos\theta} = \dfrac{0.5268}{0.85}$

  정답 $\dfrac{0.5268}{0.85}$

**02**

(1)  $\cos\left(100\pi t - \dfrac{\pi}{3}\right) = \sin\left(100\pi t - \dfrac{\pi}{3} + \dfrac{\pi}{2}\right) = \sin\left(100\pi t + \dfrac{\pi}{6}\right)$  정답 $\sin\left(100\pi t + \dfrac{\pi}{6}\right)$

(2)  $50\cos(120\pi t - 30°) = 50\sin(120\pi t - 30° + 90°) = \mathbf{50\sin(120\pi t + 60°)}$

  정답 $\mathbf{50\sin(120\pi t + 60°)}$

(3)  $10\cos(5\omega t - 60°) = 10\sin(5\omega t - 60° + 90°) = \mathbf{10\sin(5\omega t + 30°)}$  정답 $\mathbf{10\sin(5\omega t + 30°)}$

**03**

(1)  $2\sin t\cos t = 2 \times \dfrac{1}{2}\sin 2t = \sin 2t$  정답 $\sin 2t$

(2)  $\sin\omega t\cos\omega t = \dfrac{1}{2}\sin 2\omega t$  정답 $\dfrac{1}{2}\sin 2\omega t$

(3)  $\sin\theta\cos\omega t + \cos\theta\sin\omega t = \sin(\theta + \omega t)$  정답 $\sin(\theta + \omega t)$

(4)  $\sin x\cos y + \cos x\sin y = \mathbf{\sin(x+y)}$  정답 $\sin(x+y)$

# 23 유리식

## 1. 유리식

다항식 $A, B(B \neq 0)$에 대하여 $\dfrac{A}{B}$ 의 꼴로 나타내어지는 식을 유리식이라 한다. 다시말해 분수꼴로 되는건 유리식이라 보면 된다. 특히, $B$가 아닌 0이 상수이면 $\dfrac{A}{B}$ 는 다항식이 되므로 다항식도 유리식이다.

다항식이 아닌 유리식을 분수식이라 한다.

```
┌─ 유리식 ─┬──────────┐
│          │          │
│  다항식  │  분수식  │
│          │          │
└──────────┴──────────┘
```

(1) $\dfrac{1}{x+2}$, $x^2 - 2$, $\dfrac{x^2+2}{2}$, $\dfrac{1+3}{x}$, $2x$ 는 모두 유리식이다.

(2) 이 중에서 $x^2 - 1$, $\dfrac{x^2+2}{2}$, $2x$ 는 다항식 $\dfrac{1}{x+2}$, $\dfrac{1+3}{x}$ 는 분수식이다.

## 2. 유리식의 성질

세 다항식 $A, B, C(B \neq 0, C \neq 0)$에 대하여

(1) $\dfrac{A}{B} = \dfrac{A \times C}{B \times C}$        (2) $\dfrac{A}{B} = \dfrac{A \div C}{B \div C}$

✓ (1)은 통분 (2)는 약분할 때 이용한다.

$$\checkmark \quad x - \frac{x-1}{3}$$

$$x - \frac{x-1}{3}$$

$$= \frac{3x}{3} - \frac{x-1}{3} \qquad \leftarrow \text{분모를 3으로 통분한다.}$$

$$= \frac{3x - (x-1)}{3} \qquad \leftarrow \text{부호에 주의한다.}$$

$$= \frac{3x - x + 1}{3} \qquad \leftarrow \text{분자의 괄호를 푼다.}$$

$$= \frac{2x + 1}{3} \qquad \leftarrow \text{분자를 계산한다.}$$

$\checkmark \ -\dfrac{x-1}{3}$ 의 첫 마이너스 부호는 분자 전체에 붙는 부호임에 주의

$\checkmark$ 즉, $-\dfrac{x-1}{3} = \dfrac{-(x-1)}{3} = \dfrac{-x+1}{3}$ 이다.

# 3. 유리식의 사칙연산

네 다항식 $A, B, C, D (C \neq 0, D \neq 0)$에 대하여

**(1) 덧셈:** $\dfrac{A}{C} + \dfrac{B}{C} = \dfrac{A+B}{C}$

**(2) 뺄셈:** $\dfrac{A}{C} - \dfrac{B}{C} = \dfrac{A-B}{C}$

**(3) 곱셈:** $\dfrac{A}{C} \times \dfrac{B}{D} = \dfrac{AB}{CD}$

**(4) 나눗셈:** $\dfrac{A}{C} \div \dfrac{B}{D} = \dfrac{A}{C} \times \dfrac{D}{B} = \dfrac{AD}{BC}$(단, $B \neq 0$)

**예제** $\dfrac{2}{x+1} - \dfrac{1}{x-2} = \dfrac{2(x-2)}{(x+1)(x-2)} - \dfrac{x+1}{(x+1)(x-2)} = \dfrac{2(x-2)-(x+1)}{(x+1)(x-2)} = \dfrac{x-5}{(x+1)(x-2)}$

# 4. 특수한 형태의 유리식 계산

복잡한 형태의 유리식의 계산은 유리식의 꼴에 따라 다음과 같이 간단히 변형한 후 계산한다.

---

**(1) (분자의 차수) ≥ (분모의 차수)인 경우**

분자의 차수가 분모의 차수보다 크거나 같으면 분자를 분모로 나누어

(분자의 차수) < (분모의 차수)가 되도록 변형한 후 계산한다. ⇒ 다항식과 유리식의 합 꼴로 변형한다.

**(2) 분모가 두 개 이상의 인수의 곱인 경우**

분모가 두 개 이상의 인수의 곱으로 된 것을 필요에 따라 두 값의 분수로 변경 가능하다.

⇒ 헤비사이드 부분분수를 이용하여 바꾼다.

**(3) 분모 또는 분자가 유리식인 경우**

분모 또는 분자가 유리식이면 주어진 식의 형태에 따라 다음과 같이 계산한다.

$$\Rightarrow \frac{A}{\frac{B}{C}} = \frac{AC}{B},\ \frac{\frac{A}{B}}{C} = \frac{A}{BC},\ \frac{\frac{A}{B}}{\frac{C}{D}} = \frac{A}{B} \div \frac{C}{D} = \frac{A}{B} \times \frac{D}{C} = \frac{AD}{BC}$$

---

분자 또는 분모에 또 다른 분수식을 포함한 유리식을 <mark>번분수식</mark>이라 한다.

**(1)** $\dfrac{x+1}{x-2} = \dfrac{(x-2)+3}{x-2} = 1 + \dfrac{3}{x-2}$

**(2)** $\dfrac{2}{x(x+1)} = \left(\dfrac{2}{x} - \dfrac{2}{x+1}\right)$ ← 헤비사이드 부분분수를 이용한다(나중에 배운다).

**(3)** $\dfrac{\frac{3}{x+1}}{\frac{1}{x}} = \dfrac{3}{x+1} \div \dfrac{1}{x} = \dfrac{3}{x+1} \times \dfrac{x}{1} = \dfrac{3x}{x+1}$

## 기본문제

**01** 다음 두 유리식을 통분하시오.

(1) $\dfrac{1}{x^2 - 2x}$, $\dfrac{1}{x - 2}$

(2) $\dfrac{2}{x^2 - 1}$, $\dfrac{3}{x^2 + 3x + 2}$

**02** 다음 유리식을 약분하시오.

(1) $\dfrac{(x + 1)(x + 2)}{(x + 3)(x + 1)}$

(2) $\dfrac{x^2 - 5x + 6}{x^2 - 7x + 12}$

**03** 다음 식을 간단히 하시오.

(1) $\dfrac{2}{x + 2} + \dfrac{3}{x + 3}$

(2) $1 - \dfrac{6}{2x + 1}$

(3) $\dfrac{x + 2}{x^2 + 3x} \times \dfrac{x + 3}{2x}$

(4) $\dfrac{x^2 - 1}{x + 2} \div \dfrac{x + 1}{x}$

## 01
진공 중에서 선전하 밀도 $\rho_l = 6 \times 10^{-8}$ $[C/m]$인 무한히 긴 직선상 선전하가 $x$축과 나란하고 $Z=2$[m]점을 지나고 있다. 이 선전하에 의하여 반지름 5[m]인 원점에 중심을 둔 구표면 $S_0$를 통과하는 전기력선수는 얼마인가?

① $3.1 \times 10^4$  ② $4.8 \times 10^4$

③ $5.5 \times 10^4$  ④ $6.2 \times 10^4$

**풀이** $Q$전하에서 나오는 전기력선수: $N = \dfrac{Q}{\epsilon_0} = \dfrac{\rho_l \cdot l}{\epsilon_0}$ 개

($Q$: 전하, $\epsilon_0$: 진공 중의 유전율(= $8.855 \times 10^{-12}$),

$\rho_l$: 선전하밀도, $l$: 길이)

$$l = 2 \times \sqrt{5^2 - 2^2} = 2\sqrt{21}$$

$N = \dfrac{\rho_l \cdot l}{\epsilon_0} = \dfrac{6 \times 10^{-8} \times 2\sqrt{21}}{8.855 \times 10^{-12}} = 6.2 \times 10^4$

**정답** ④

## 02
함수 $f(t) = 1 - e^{-at}$의 라플라스 변환은?

① $\dfrac{a}{s}$  ② $\dfrac{1}{s+a}$

③ $\dfrac{1}{s(s+a)}$  ④ $\dfrac{a}{s(s+a)}$

**풀이** $£[f(t)] = £[1 - e^{-at}] = \dfrac{1}{s} - \dfrac{1}{s+a} = \dfrac{a}{s(s+a)}$

**정답** ④

## 03
자극수 $p$, 파권, 전기자 도체수가 $z$인 직류발전기를 $N$[rpm]의 회전속도로 무부하 운전할 때 기전력이 $E$[V]이다. 1극당 주자속[Wb]은?

① $\dfrac{120E}{pzN}$  ② $\dfrac{120z}{pEN}$

③ $\dfrac{120zN}{pE}$  ④ $\dfrac{120pz}{EN}$

**풀이** 직류 발전기의 유기기전력: $E = p\phi n \dfrac{z}{a}$[V]

($p$: 극수, $\phi$: 자속, $n$: 속도[rps], $z$: 총도체수,

$a$: 병렬회로수)

파권에서 병렬회로수 $(a)$는 2, $N[rpm] = \dfrac{N}{60}[rps]$

**1극당 자속**: $\phi = \dfrac{Ea}{pz\dfrac{N}{60}} = \dfrac{2E}{pz\dfrac{N}{60}} = \dfrac{120E}{pzN}[Wb]$

**정답** ①

## 04
단면적 $S[m^2]$, 단위 길이당 권수가 $n_0$ [회/m]인 무한히 긴 솔레노이드의 자기인덕턴스[H/m]를 구하면?

① $\mu S n_0$  ② $\mu S n_0^2$

③ $\mu S^2 n_0$  ④ $\mu S^2 n_0^2$

**풀이** 무한히 긴 솔레노이드의 자기인덕턴스

$$L = \dfrac{n_0 \phi}{I} = \dfrac{n_0 \mu H S}{\dfrac{H}{n_0}} = \mu S n_0^2 [H/m]$$

($n_0$: 단위 길이당 권수가, $\phi$: 자속, $I$: 전류,

$\mu(= \mu_0 \mu_s)$: 투자율, $S$: 면적, $H$: 자계의 세기)

**정답** ②

## 05
액체 유전체를 포함한 콘덴서 용량이 C[F]인 것에 V[V]의 전압을 가했을 경우에 흐르는 누설전류는 몇 [A]인가?(단, 유전체의 유전율은 $\epsilon$, 고유저항은 $\rho[\Omega \cdot \text{m}]$이다)

① $\dfrac{CV}{\rho\varepsilon}$   ② $\dfrac{C}{\rho\varepsilon V}$

③ $\dfrac{\rho\varepsilon V}{C}$   ④ $\dfrac{\rho\varepsilon}{CV}$

**풀이** 전기저항과 정전용량: $RC = \rho\varepsilon$
($R$:저항, $C$:정전용량, $\epsilon$:유전율,
$\rho$:저항률 또는 고유저항)

$R = \dfrac{\rho\epsilon}{C}, I = \dfrac{V}{R} = \dfrac{V}{\frac{\rho\epsilon}{C}} = \dfrac{CV}{\rho\epsilon}$

**정답** ①

## 06
다음 그림과 같은 전기회로의 입력을 $e_i$, 출력을 $e_0$라고 할 때 전달함수는?

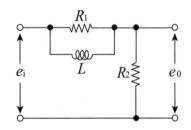

① $\dfrac{R_2(1+R_2Ls)}{R_1+R_2+R_1R_2Ls}$   ② $\dfrac{1+R_2Ls}{1+(R_1+R_2)Ls}$

③ $\dfrac{R_2(R_1+Ls)}{R_1R_2+R_1Ls+R_2Ls}$   ④ $\dfrac{R_2+\frac{1}{Ls}}{R_1+R_2+\frac{1}{Ls}}$

**풀이** 전달함수: $G(s) = \dfrac{\text{출력}\,Z(s)}{\text{입력}\,Z(s)} = \dfrac{R_2}{\frac{R_1Ls}{R_1+Ls}+R_2}$

$= \dfrac{R_2(R_1+Ls)}{R_1Ls+R_2(R_1+Ls)}$

$= \dfrac{R_2(R_1+Ls)}{R_1R_2+R_1Ls+R_2Ls}$

**정답** ③

## 07
그림과 같은 정전용량이 $C_0$[F]가 되는 평행판 공기콘덴서가 있다. 이 콘덴서의 판면적의 $\dfrac{2}{3}$가 되는 공간에 비유전율 $\epsilon_s$인 유전체를 채우면 공기콘덴서의 정전용량[F]는?

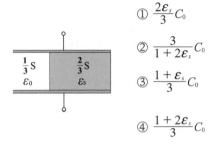

① $\dfrac{2\varepsilon_s}{3}C_0$

② $\dfrac{3}{1+2\varepsilon_s}C_0$

③ $\dfrac{1+\varepsilon_s}{3}C_0$

④ $\dfrac{1+2\varepsilon_s}{3}C_0$

**풀이** 주어진 그림은 콘덴서 병렬이므로

$C = C_1 + C_2 = \dfrac{\varepsilon_0\frac{1}{3}S}{d} + \dfrac{\varepsilon_0\varepsilon_s\frac{2}{3}S}{d}$

$= \dfrac{\varepsilon_0 S}{d}\left(\dfrac{1}{3}+\dfrac{2\varepsilon_s}{3}\right) = C_0\left(\dfrac{1+2\varepsilon_s}{3}\right)$

**정답** ④

## 08
$RLC$ 회로망에서 입력을 $e_i(t)$, 출력을 $i(t)$로 할 때 이 회로의 전달함수는?

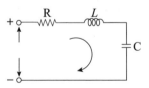

① $\dfrac{Rs}{LCs^2+RCs+1}$   ② $\dfrac{RLs}{LCs^2+RCs+1}$

③ $\dfrac{Ls}{LCs^2+RCs+1}$   ④ $\dfrac{Cs}{LCs^2+RCs+1}$

**풀이** $G(s) = \dfrac{I(s)}{E_i(s)} = Y(s) = \dfrac{1}{Z(s)}$

$= \dfrac{1}{R+Ls+\frac{1}{Cs}} = \dfrac{Cs}{LCs^2+RCs+1}$

**정답** ④

## 09 $\pounds^{-1}\left[\dfrac{\omega}{s(s^2+\omega^2)}\right]$은?

① $\dfrac{1}{\omega}(1-\sin\omega t)$  　　② $\dfrac{1}{\omega}(1-\cos\omega t)$

③ $\dfrac{1}{s}(1-\sin\omega t)$  　　④ $\dfrac{1}{s}(1-\cos\omega t)$

**풀이** ②번을 라플라스 변환하면

$$f(t)=\frac{1}{\omega}(1-\cos\omega t)$$

$$F(t)=\frac{1}{\omega}\cdot\left(\frac{1}{s}-\frac{s}{s^2+\omega^2}\right)$$

$$=\frac{1}{\omega}\times\left(\frac{1\times(s^2+\omega^2)-s\times s}{s(s^2+\omega^2)}\right)$$

$$=\frac{1}{\omega}\times\frac{\omega^2}{s(s^2+\omega^2)}=\frac{\omega}{s(s^2+\omega^2)}$$

**정답** ②

## 10 그림과 같은 회로의 전압비 전달함수 $H(j\omega)$는?(단, 입력 $V(t)$는 정현파 교류전압이며, $V_R$은 출력이다)

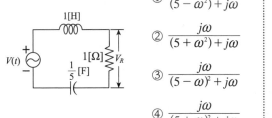

① $\dfrac{j\omega}{(5-\omega^2)+j\omega}$

② $\dfrac{j\omega}{(5+\omega^2)+j\omega}$

③ $\dfrac{j\omega}{(5-\omega)^2+j\omega}$

④ $\dfrac{j\omega}{(5+\omega)^2+j\omega}$

**풀이** $G(S)=\dfrac{출력\ Z(S)}{입력\ Z(S)}=\dfrac{R}{R+LS+\dfrac{1}{CS}}$

$$=\frac{RCS}{LCS^2+RCS+1}=\frac{\frac{1}{5}S}{\frac{1}{5}S^2+\frac{1}{5}S+1}$$

$$=\frac{S}{S^2+S+5}$$

$$G(j\omega)=\frac{j\omega}{(j\omega)^2+j\omega+5}=\frac{j\omega}{-\omega^2+j\omega+5}$$

**정답** ①

## 11 $f(t)=3u(t)+2e^{-t}$인 시간함수를 라플라스 변환한 것은?

① $\dfrac{3s}{s^2+1}$  　　② $\dfrac{s+3}{s(s+1)}$

③ $\dfrac{5s+3}{s(s+1)}$  　　④ $\dfrac{5s+1}{(s+1)s^2}$

**풀이** $\pounds[3u(t)+2e^{-t}]=\dfrac{3}{s}+2\dfrac{1}{s+1}=\dfrac{3(s+1)+2s}{s(s+1)}$

$$=\frac{5s+3}{s(s+1)}$$

**정답** ③

## 12 어느 회로망의 응답 $h(t)=(e^{-t}+2e^{-2t})u(t)$의 라플라스 변환은?

① $\dfrac{3s+4}{(s+1)(s+2)}$  　　② $\dfrac{3s}{(s-1)(s-2)}$

③ $\dfrac{3s+2}{(s+1)(s+2)}$  　　④ $\dfrac{-s-4}{(s-1)(s-2)}$

**풀이** $(e^{-t}+2e^{-2t})u(t)=e^{-t}+2e^{-2t}$ 이므로 이를 라플라스 변환하면

$$\pounds[e^{-t}+2e^{-2t}]=\frac{1}{s+1}+2\frac{1}{s+2}=\frac{s+2+2(s+1)}{(s+1)(s+2)}$$

$$=\frac{3s+4}{(s+1)(s+2)}$$

**정답** ①

## 13 $RL$병렬회로의 합성 임피던스$[\Omega]$는?
(단, $\omega[\text{rad/s}]$는 이 회로의 각 주파수이다)

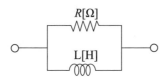

① $R\left(1+j\dfrac{\omega L}{R}\right)$  ② $R\left(1-j\dfrac{1}{\omega L}\right)$

③ $\dfrac{R}{\left(1-j\dfrac{R}{\omega L}\right)}$  ④ $\dfrac{R}{\left(1+j\dfrac{1}{\omega L}\right)}$

**풀이** $Z=\dfrac{R\cdot j\omega L}{R+j\omega L}=\dfrac{R}{1+\dfrac{R}{j\omega L}}=\dfrac{R}{1-j\dfrac{R}{\omega L}}[\Omega]$

**정답** ③

## 14 그림과 같이 접속된 회로에 평형 3상 전압 $E[\text{V}]$를 가할 때의 전류 $I_1[A]$은?

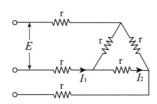

① $\dfrac{\sqrt{3}}{4E}$  ② $\dfrac{4E}{\sqrt{3}}$

③ $\dfrac{4r}{\sqrt{3}E}$  ④ $\dfrac{\sqrt{3}V}{4r}$

**풀이** $I_1=\dfrac{V_p}{Z}=\dfrac{\dfrac{V}{\sqrt{3}}}{\dfrac{4}{3}r}=\dfrac{3V}{4\sqrt{3}r}=\dfrac{\sqrt{3}V}{4r}$

$I_2=\dfrac{I_1}{\sqrt{3}}=\dfrac{V}{4r}[A]$

**정답** ④

## 15 동일한 전압에서 동일한 전력을 송전할 때 역률을 0.7에서 0.95로 개선하면 전력손실은 개선 전에 비해 약 몇 [%]인가?

① 80  ② 65
③ 54  ④ 40

**풀이** $P_\ell=\dfrac{1}{\cos^2\theta}$

$\dfrac{P_{\ell2}}{P_{\ell1}}=\dfrac{\dfrac{1}{\cos^2\theta_2}}{\dfrac{1}{\cos^2\theta_1}}=\dfrac{\cos^2\theta_1}{\cos^2\theta_2},\ P_{\ell2}=\dfrac{0.7^2}{0.95^2}\times P_{\ell1}$

**정답** ③

## 16 반지름 $a$, $b$인 두 개의 구 형상 도체 전극이 도전율 $k$인 매질 속에 중심거리 $r$만큼 떨어져 있다. 양전극 간의 저항은?(단, $r\gg a$, $b$이다.)

① $4\pi k\left(\dfrac{1}{a}+\dfrac{1}{b}\right)$  ② $4\pi k\left(\dfrac{1}{a}-\dfrac{1}{b}\right)$

③ $\dfrac{1}{4\pi k}\left(\dfrac{1}{a}+\dfrac{1}{b}\right)$  ④ $\dfrac{1}{4\pi k}\left(\dfrac{1}{a}-\dfrac{1}{b}\right)$

**풀이** 구도체 $a$, $b$ 사이의 정전 용량

$C=\dfrac{Q}{V_a-V_b}=\dfrac{4\pi\epsilon}{\dfrac{1}{a}+\dfrac{1}{b}}[\text{F}]$

$R=\dfrac{\rho\epsilon}{C}=\dfrac{\rho\epsilon}{4\pi\epsilon}\left(\dfrac{1}{a}+\dfrac{1}{b}\right)=\dfrac{\rho}{4\pi}\left(\dfrac{1}{a}+\dfrac{1}{b}\right)$

$=\dfrac{1}{4\pi k}\left(\dfrac{1}{a}+\dfrac{1}{b}\right)[\Omega]$

($\rho=\dfrac{1}{k}$, $\rho$ : 고유저항, $k$ : 도전율)

**정답** ③

## 17

지름 20[cm]의 구리로 만든 반구에 물을 채우고 그 중에 지름 10[cm]의 구를 띄운다. 이때에 두 개의 구가 동심구라면 두 구간의 저항[Ω]은 약 얼마인가?(단, 물의 도전율은 $10^{-3}[\mho/m]$ 이고 물은 충만되어 있다)

① 1590       ② 2590

③ 2800       ④ 3180

**풀이** 동심구의 정전용량: $C = \dfrac{4\pi\epsilon}{\dfrac{1}{a} - \dfrac{1}{b}}[\mathrm{F}] \to (a < b)$

전기저항과 정전용량

$R = \rho\dfrac{l}{S}, C = \dfrac{\epsilon \cdot S}{l} \to RC = \rho\epsilon$

($a, b$:구의 반지름, $\epsilon$ :유전율, $\rho$ :저항률 또는 고유저항 동심구의 정전용량에서 반구)

$C = \dfrac{4\pi\epsilon}{\dfrac{1}{a} - \dfrac{1}{b}} \times \dfrac{1}{2} = \dfrac{2\pi\epsilon}{\dfrac{1}{a} - \dfrac{1}{b}}[\mathrm{F}]$

$\rho = \dfrac{1}{\sigma}, \rho$ :저항률, $\sigma$ :도전율

$RC = \epsilon\rho = \dfrac{\epsilon}{\sigma}$

$R = \dfrac{\epsilon}{\sigma C} = \dfrac{1}{2\pi\sigma}\left(\dfrac{1}{a} - \dfrac{1}{b}\right)$

$\quad = \dfrac{1}{2\pi \times 10^{-3}}\left(\dfrac{1}{0.05} - \dfrac{1}{0.1}\right)$

$\quad = 1,590[\Omega]$

**정답** ①

## 18

그림과 같은 신호흐름 선도에서 전달함수 $\dfrac{Y(s)}{X(s)}$ 는 무엇인가?

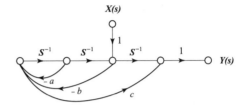

① $\dfrac{s + a}{s^2 + as - b^2}$       ② $\dfrac{-bcs^2 + s}{s^2 + as + b}$

③ $\dfrac{-bcs^2 + s + a}{s^2 + as}$       ④ $\dfrac{-bcs^2 + s + a}{s^2 + as + b}$

**풀이** 메이슨의 이득공식: $G = \dfrac{\sum G_i \triangle_i}{\triangle}$

$G = \dfrac{\sum G_i \triangle_i}{\triangle}$ 에서

$G_t : s^{-1} = \dfrac{1}{s} \quad \triangle_i : 1 - \left(-\dfrac{a}{s}\right) = 1 + \dfrac{a}{d}$

$\triangle = 1 - \left(-\dfrac{a}{s} - \dfrac{b}{s^2}\right) = 1 + \dfrac{a}{s} + \dfrac{b}{s^2}$

$\therefore \dfrac{X(s)}{Y(s)} = \dfrac{\dfrac{1}{s}\left(1 + \dfrac{a}{s}\right) - bc}{1 + \dfrac{a}{s} + \dfrac{b}{s^2}} = \dfrac{-bcs^2 + s + a}{s^2 + as + b}$

**정답** ④

**19** 그림과 같은 R − C병렬 회로에서 전원 전압이
$e(t) = 3e^{-5t}$인 경우 이 회로의 임피던스는?

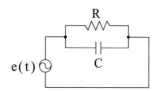

① $\dfrac{j\omega RC}{1 + j\omega RC}$  ② $\dfrac{R}{1 - 5RC}$

③ $\dfrac{R}{1 + RCs}$  ④ $\dfrac{1 + j\omega RC}{R}$

**풀이** 임피던스: $Z = \dfrac{\dfrac{R}{j\omega C}}{R + \dfrac{1}{j\omega C}} = \dfrac{R}{j\omega CR + 1}$

$e_s(t) = 3e^{-5t}$ 에서 $j\omega = -5$ 이므로

$Z = \dfrac{R}{1 + j\omega CR} = \dfrac{R}{1 - 5CR}$

**정답** ②

CHAPTER 23   **유리식**                                                                                    152p

## 01

(1) $\dfrac{1}{x^2 - 2x} = \dfrac{1}{x(x-2)}$ 이므로 두 식은 분모를 $(x-2)$ 를 공통으로 가지고 있다.

$\dfrac{1}{x^2-2x} = \dfrac{1}{x(x-2)}, \ \dfrac{1}{x-2} = \dfrac{x}{x(x-2)}$   정답   $\dfrac{1}{x(x-2)}, \ \dfrac{x}{x(x-2)}$

(2) $\dfrac{2}{x^2-1} = \dfrac{2}{(x-1)(x+1)}, \ \dfrac{3}{x^2+3x+2} = \dfrac{3}{(x+1)(x+2)}$ 이므로 두 식 $\dfrac{2}{x^2-1}, \dfrac{3}{x^2+3x+2}$ 을 통분하면

정답   $\dfrac{2(x+2)}{(x-1)(x+1)(x+2)}, \ \dfrac{3(x-1)}{(x-1)(x+1)(x+2)}$

## 02

(1) $\dfrac{(x+1)(x+2)}{(x+3)(x+1)} = \dfrac{x+2}{x+3}$   정답   $\dfrac{x+2}{x+3}$

(2) $\dfrac{x^2-5x+6}{x^2-7x+12} = \dfrac{(x-2)(x-3)}{(x-3)(x-4)} = \dfrac{x-2}{x-4}$   정답   $\dfrac{x-2}{x-4}$

## 03

(1) $\dfrac{2}{x+2} + \dfrac{3}{x+3} = \dfrac{2(x+3)+3(x+2)}{(x+2)(x+3)} = \dfrac{5x+12}{(x+2)(x+3)}$   정답   $\dfrac{5x+12}{(x+2)(x+3)}$

(2) $1 - \dfrac{6}{2x+1} = \dfrac{2x+1-6}{2x+1} = \dfrac{2x-5}{2x+1}$   정답   $\dfrac{2x-5}{2x+1}$

(3) $\dfrac{x+2}{x^2+3x} \times \dfrac{x+3}{2x} = \dfrac{x+2}{x(x+3)} \times \dfrac{x+3}{2x} = \dfrac{x+2}{2x^2}$   정답   $\dfrac{x+2}{2x^2}$

(4) $\dfrac{x^2-1}{x+2} \div \dfrac{x+1}{x} = \dfrac{(x-1)(x+1)}{x+2} \times \dfrac{x}{x+1} = \dfrac{x(x-1)}{x+2}$   정답   $\dfrac{x(x-1)}{x+2}$

# 24 헤비사이드 부분분수

## 1. 헤비사이드 부분분수

복잡한 형태의 분수항을 두 개 이상의 부분분수로 분리하는 법이다.

---

✓ $\dfrac{x-7}{(x-1)(x+2)} = \dfrac{A}{x-1} + \dfrac{B}{x+2}$

1) 인수분해를 한다. 위의 예제는 $(x-1)(x+2)$ 로 인수분해되어 있다.

2) 좌변의 $(x-1)$ 을 가려라. 그리고, 1을 대입하라.

$\dfrac{x-7}{(x+2)}\bigg|_{x=1} = \dfrac{1-7}{1+2} = -2 = A$

3) 좌변의 $(x+2)$ 을 가려라. 그리고, $-2$ 를 대입하라.

$\dfrac{x-7}{(x-1)}\bigg|_{x=-2} = \dfrac{-2-7}{-2-1} = 3 = B$

4) 위에서 구한 $A$, $B$의 값을 우변에 대입한다.

$\dfrac{-2}{x-1} + \dfrac{3}{x+2}$

---

## 기본문제

**01** 다음 분수식을 분해하고, $A$, $B$, $k_1$, $k_2$ 에 알맞은 값을 구하시오.

(1) $\dfrac{1}{(x+2)(x+1)} = \dfrac{A}{x+2} + \dfrac{B}{x+1}$

(2) $\dfrac{1}{s(s+1)} = \dfrac{A}{s} + \dfrac{B}{s+1}$

(3) $\dfrac{5s-3}{(s-3)(s+1)} = \dfrac{A}{s-3} + \dfrac{B}{s+1}$

(4) $\dfrac{s+1}{s^2+2s} = \dfrac{k_1}{s} + \dfrac{k_2}{s+2}$

## 01 $F(s) = \dfrac{s+1}{s^2+2s}$ 의 역라플라스 변환은?

① $\dfrac{1}{2}(1-e^{-t})$　　　② $\dfrac{1}{2}(1-e^{-2t})$

③ $\dfrac{1}{2}(1+e^t)$　　　④ $\dfrac{1}{2}(1+e^{-2t})$

**[풀이]** 역라플라스 변환: $F(s) = \dfrac{s+1}{s^2+2s} = \dfrac{k_1}{s} + \dfrac{k_2}{s+2}$

인수분해를 하고 $\dfrac{s+1}{s(s+2)}$,

좌변에 $s$를 가리고 0을 넣어 $k_1$ 을 구한다.

$k_1 = \dfrac{1}{2}$

좌변에 $s+2$를 가리고 $-2$를 넣어 $k_2$ 를 구한다.

$k_2 = \dfrac{-2+1}{-2} = \dfrac{1}{2}$

$\therefore F(s) = \dfrac{1}{2}\left(\dfrac{1}{s} + \dfrac{1}{s+2}\right)$

$f(t) = \dfrac{1}{2}(1+e^{-2t})$

**정답 ④**

## 02 다음 함수 $F(s) = \dfrac{5s+3}{s(s+1)}$ 의 역라플라스 변환은?

① $2 + 3e^t$　　　② $3 + 2e^{-t}$

③ $3 - 2e^{-t}$　　　④ $2 - 3e^{-t}$

**[풀이]** 라플라스 역변환

$F(s) = \dfrac{5s+3}{s(s+1)} = \dfrac{k_1}{s} + \dfrac{k_2}{s+1}$

$k_1 = F(s) \times s|_{s=0} = \dfrac{3}{1} = 3$

$k_2 = F(s) \times (s+1)|_{s=-1} = \dfrac{-5+3}{-1} = 2$

$f(t) = 3 + 2e^{-t}$

**정답 ②**

## 03 다음과 같은 시스템에 단위계단입력 신호가 가해졌을 때 지연시간에 가장 가까운 값(sec)은?

$$\frac{C(s)}{R(s)} = \frac{1}{s+1}$$

① 0.5　　　② 0.7

③ 0.9　　　④ 1.2

**[풀이]** 단위 계단 응답

$C(s) = G(s)R(s) = \dfrac{1}{s(s+1)} = \dfrac{1}{s} - \dfrac{1}{s+1}$

$c(t) = 1 - e^{-t}$ 이므로 출력의 최종값

$\displaystyle\lim_{t\to\infty} c(t) = \lim_{t\to\infty}(1-e^{-t}) = 1$ 이 된다.

따라서, 지연시간 $T_d$ 는 최종값의 50[%]에 도달하는데 소요되는 시간이므로

$0.5 = 1 - e^{-T_d}$, $\dfrac{1}{e^{T_d}} = 1 - 0.5$, $e^{T_d} = 2$

$\therefore T_d = \ln 2 = 0.693 ≒ 0.7$

**정답 ②**

## 01

(1) $\dfrac{1}{(x+2)(x+1)} = \dfrac{A}{x+2} + \dfrac{B}{x+1}$

① 인수분해를 한다. 위의 예제는 $(x+2)(x+1)$ 로 인수분해되어 있다.

② 좌변의 $(x+2)$ 을 가려라. 그리고, $-2$ 를 대입하라.　　$\dfrac{1}{(x+1)}\Big|_{x=-2} = \dfrac{1}{-1} = -1 = A$

③ 좌변의 $(x+1)$ 을 가려라. 그리고, $-1$ 을 대입하라.　　$\dfrac{1}{(x+2)}\Big|_{x=-1} = \dfrac{1}{1} = 1 = B$

④ 위에서 구한 $A$, $B$의 값을 우변에 대입한다.　　정답　$A = -1,\ B = 1$

(2) $\dfrac{1}{s(s+1)} = \dfrac{A}{s} + \dfrac{B}{s+1}$

① 인수분해를 한다. 위의 예제는 $(s)(s+1)$ 로 인수분해되어 있다.

② 좌변의 $s$를 가려라. 그리고, 0을 대입하라.　　$\dfrac{1}{(s+1)}\Big|_{s=0} = \dfrac{1}{1} = 1 = A$

③ 좌변의 $(s+1)$ 을 가려라. 그리고, $-1$ 을 대입하라.　　$\dfrac{1}{s}\Big|_{s=-1} = \dfrac{1}{-1} = -1 = B$

④ 위에서 구한 $A$, $B$의 값을 우변에 대입한다.　　정답　$A = 1,\ B = -1$

(3) $\dfrac{5s-3}{(s-3)(s+1)} = \dfrac{A}{s-3} + \dfrac{B}{s+1}$

① 인수분해를 한다. 위의 예제는 $(s-3)(s+1)$ 로 인수분해되어 있다.

② 좌변에 $(s-3)$ 을 가리고, $s$에 3을 넣어, $A$를 구한다.　　$A = 3$

③ 좌변에 $(s+1)$ 을 가리고, $s$에 $-1$을 넣어, $B$를 구한다.　　$B = 2$

④ 위에서 구한 $A$, $B$ 값을 우변에 대입한다.　　정답　$A = 3,\ B = 2$

(4) $\dfrac{s+1}{s^2+2s} = \dfrac{k_1}{s} + \dfrac{k_2}{s+2}$

① 인수분해를 한다. $s(s+2)$　　　　　　　　　　$\dfrac{s+1}{s(s+2)} = \dfrac{k_1}{s} + \dfrac{k_2}{s+2}$

② 좌변에 $s$를 가리고, $s$에 0을 넣어, $k_1$ 을 구한다.　　　$k_1 = \dfrac{1}{2}$

③ 좌변에 $s+2$ 를 가리고, $s$에 $-2$을 넣어, $k_2$를 구한다.

$$\dfrac{-2+1}{-2} = \dfrac{1}{2} = k_2$$

$$\dfrac{\frac{1}{2}}{s} + \dfrac{\frac{1}{2}}{s+2} = \dfrac{1}{2} \cdot \dfrac{1}{s} + \dfrac{1}{2} \cdot \dfrac{1}{s+2}$$　　정답　$k_1 = \dfrac{1}{2},\ k_2 = \dfrac{1}{2}$

# 25 무리식

## 1. 무리식

> **(1) 무리식** : 근호 안에 문자가 포함된 식 중에서 유리식으로 나타낼 수 없는 식을 <mark>무리식</mark>이라 한다.
>
> **(2) 무리식의 값이 실수가 되기 위한 조건** : 무리식의 값이 실수가 되려면 근호 안의 식의 값이 양수 또는 0
> 이어야 하고, 분모는 0이 아니어야 한다.
>
> $$(\text{근호 안의 식의 값}) \geq 0, (\text{분모}) \neq 0$$

유리식과 무리식을 통틀어 식이라 하며, 식을 분류하면 다음과 같다.

$\sqrt{3x+1},\ \sqrt{x+2} - \sqrt{4-x},\ \dfrac{1}{\sqrt{x-1}}$ 과 같은 식을 무리식이라 한다.

① $\sqrt{x-3}$ 이 실수가 되려면 : $x-3 \geq 0$ 에서 $x \geq 3$

② $\dfrac{1}{\sqrt{x+5}}$ 이 실수가 되려면 : $x+5 \geq 0$ 이고 $x+5 \neq 0$ 이므로 $x > -5$

## 2. 루트 a

① 제곱근을 나타내기 위하여 기호 <mark>$\sqrt{\phantom{x}}$</mark> 를 사용하는데, 이것을 <mark>근호</mark>라
하며 '제곱근' 또는 '루트'라 읽는다.

② 양수 $a$의 제곱근 중 양수인 것을 양의 제곱근, 음수인 것을 음의 제곱
근이라 하고, <mark>양의 제곱근</mark> ⇨ $\sqrt{a}$, <mark>음의 제곱근</mark> ⇨ $-\sqrt{a}$ 로 나타낸
다. ← $\sqrt{a}$ 와 $-\sqrt{a}$ 를 한꺼번에 $\pm\sqrt{a}$ 로 나타내기도 한다.

$\sqrt{a}$ ⇨ 제곱근 $a$, **루트** $a$

# 3. 무리식의 계산

무리식의 계산은 무리수의 계산과 마찬가지로 제곱근의 성질, 분모의 유리화를 이용한다.

(1) 제곱근의 성질 : $a > 0, b > 0$일 때

① $\sqrt{a}\sqrt{b} = \sqrt{ab}, \dfrac{\sqrt{a}}{\sqrt{b}} = \sqrt{\dfrac{a}{b}}$

② $\sqrt{a^2 b} = a\sqrt{b}, \sqrt{\dfrac{a}{b^2}} = \dfrac{\sqrt{a}}{b}$

③ $m\sqrt{a} \times n\sqrt{b} = mn\sqrt{ab}$

(2) 분모의 유리화 : $a > 0, b > 0$일 때

① $\dfrac{a}{\sqrt{b}} = \dfrac{a\sqrt{b}}{\sqrt{b}\sqrt{b}} = \dfrac{a\sqrt{b}}{b}$

② $\dfrac{c}{\sqrt{a}+\sqrt{b}} = \dfrac{c(\sqrt{a}-\sqrt{b})}{(\sqrt{a}+\sqrt{b})(\sqrt{a}-\sqrt{b})} = \dfrac{c(\sqrt{a}-\sqrt{b})}{a-b}$ (단, $a \neq b$)

③ $\dfrac{c}{\sqrt{a}-\sqrt{b}} = \dfrac{c(\sqrt{a}+\sqrt{b})}{(\sqrt{a}-\sqrt{b})(\sqrt{a}+\sqrt{b})} = \dfrac{c(\sqrt{a}+\sqrt{b})}{a-b}$ (단, $a \neq b$)

# 4. 무리식 빈출공식

근호 밖으로
$\sqrt{a^2 b} = a\sqrt{b}$
근호 안으로

근호 밖으로
$\sqrt{\dfrac{b}{a^2}} = \dfrac{\sqrt{b}}{a}$
근호 안으로

$$\dfrac{b}{\sqrt{a}} = \dfrac{b \times \sqrt{a}}{\sqrt{a} \times \sqrt{a}} = \dfrac{b\sqrt{a}}{a} \quad (\text{단}, a > 0)$$

$$\dfrac{c}{\sqrt{a}+\sqrt{b}} = \dfrac{c(\sqrt{a}-\sqrt{b})}{(\sqrt{a}+\sqrt{b})(\sqrt{a}-\sqrt{b})} = \dfrac{c(\sqrt{a}-\sqrt{b})}{(\sqrt{a})^2 - (\sqrt{b})^2} = \dfrac{c(\sqrt{a}-\sqrt{b})}{a-b}$$

(단, $a > 0, b > 0, a \neq b$)

곱셈공식 $(a+b)(a-b) = a^2 - b^2$ 이용

## 5. 거듭제곱근

보통의 루트 2는 루트 2를 두 번 곱하면 2가 되지만, 루트 옆에 숫자가 써있는 경우에는 그만큼의 수를 곱해야 한다.

✓ $\sqrt{2} \times \sqrt{2} = 2$

$\sqrt[3]{2}$ 는 $\sqrt[3]{2} \times \sqrt[3]{2} \times \sqrt[3]{2} = 2$

$\left(\sqrt[5]{4}\right)^5 = 4$, $\left(\sqrt[3]{2}\right)^3 = 2$

### 기본문제

**01** 다음 식의 분모를 유리화하시오.

(1) $\dfrac{\sqrt{2}}{\sqrt{5}}$

(2) $\dfrac{2}{3+\sqrt{5}}$

(3) $\dfrac{x}{\sqrt{x+4}-2}$

(4) $\dfrac{6}{\sqrt{x+3}-\sqrt{x-3}}$

**02** 다음 식을 간단히 하시오.

(1) $(\sqrt{x+1}+\sqrt{x})(\sqrt{x+1}-\sqrt{x})$

(2) $\dfrac{1}{\sqrt{x}+\sqrt{y}} - \dfrac{1}{\sqrt{x}-\sqrt{y}}$

# 기출문제

## 01

특성 방정식 $s^3 + 9s^2 + 20s + K = 0$ 에서 허수축과 교차하는 점 $s$는?

① $s = \pm j\sqrt{20}$
② $s = \pm j\sqrt{30}$
③ $s = \pm j\sqrt{40}$
④ $s = \pm j\sqrt{50}$

**풀이** 특성 방정식 $s^3 + 9s^2 + 20s + K = 0$

루드표를 만들면

$$
\begin{array}{c|cc}
s^3 & 1 & 20 \\
s^2 & 9 & K \\
s^1 & \dfrac{9 \times 20 - 1 \times K}{9} & 0 \\
s^0 & K & 0
\end{array}
$$

$K$의 임계값은 $s^1$의 제1요소를 0으로 놓아 얻을 수 있다.

$\dfrac{9 \times 20 - 1 \times K}{9} = 20 - \dfrac{K}{9} = 0$ 에서 $K = 180$

주파수 $\omega$는 보조 방정식 $9s^2 + K = 0$, $K = 180$

$9s^2 + 180 = 0$, $s = \pm j\sqrt{20}$

**정답** ①

## 02

선로의 임피던스 $Z = R + j\omega L[\Omega]$, 병렬 어드미턴스가 $Y = G + j\omega[\mho]$ 일 때 선로의 저항 $R$과 콘덕턴스 $G$가 동시에 0이 되었을 때 전파정수는?

① $j\omega\sqrt{LC}$
② $j\omega\sqrt{\dfrac{C}{L}}$
③ $j\omega\sqrt{L^2 C}$
④ $j\omega\sqrt{\dfrac{L}{C^2}}$

**풀이** $R$과 $G$가 동시에 0인 경우는 무손실이므로 전파정수는
$$\gamma = \sqrt{(R + j\omega L)(G + j\omega C)} = \sqrt{j\omega L \cdot j\omega C}$$
$$= j\omega\sqrt{LC}$$

**정답** ①

## 03

간격 $d[m]$의 평행판 도체에 $V[kV]$의 전위차를 주었을 때 음극 도체판을 초속도 0으로 출발한 전자 $e[C]$이 양극 도체판에 도달할 때의 속도는 몇 [m/s]인가?(단, $m[kg]$은 전자의 질량이다)

① $\sqrt{\dfrac{eV}{m}}$
② $\sqrt{\dfrac{2eV}{m}}$
③ $\sqrt{\dfrac{eV}{2m}}$
④ $\dfrac{2eV}{m}$

**풀이** $\dfrac{1}{2}mv^2 = eV$ 이므로 $v = \sqrt{\dfrac{2eV}{m}}$

(소문자 $v$ : 속도(Velosity), 대문자 $V$ : 전압(Volt))

**정답** ②

## 04

두 점전하 $q$, $\dfrac{1}{2}q$ 가 $a$만큼 떨어져 놓여있다. 이 두 점전하를 연결하는 선상에서 전계의 세기가 영(0)이 되는 점은 $q$가 놓여있는 점으로부터 얼마나 떨어진 곳인가?

① $\sqrt{2}a$
② $(2 - \sqrt{2})a$
③ $\dfrac{\sqrt{3}}{2}a$
④ $\dfrac{(1 + \sqrt{2})a}{2}$

**풀이** 동일 전하 사이에 전계가 영인 점은 작은 전하 가까운 곳이 되므로 $q$에서 $x$ 위치라면 $\dfrac{1}{2}q$ 에서의 위치는 $a - x$ 거리가 된다. 그러므로

$$E_1 = E_2, \quad \frac{q}{4\pi\epsilon_0 x^2} = \frac{\dfrac{1}{2}q}{4\pi\epsilon_0(a-x)^2}$$

$$\frac{1}{2}x^2 = (a-x)^2, \quad x = \sqrt{2}(a-x), \quad (\sqrt{2}+1)x = \sqrt{2}a,$$

$$x = \frac{\sqrt{2}a}{(\sqrt{2}+1)} \times \frac{\sqrt{2}-1}{\sqrt{2}-1} = (2-\sqrt{2})a$$

**정답** ②

## 05

2015년 2회

그림과 같이 무한평면 도체 앞 $a$[m] 거리에 점전하 $Q$[C]가 있다. 점 $O$에서 $x$[m]인 $P$점의 전하밀도 $\sigma[C/m^2]$는?

① $\dfrac{Q}{4\pi} \cdot \dfrac{a}{(a^2 + x^2)^{\frac{3}{2}}}$

② $\dfrac{Q}{2\pi} \cdot \dfrac{a}{(a^2 + x^2)^{\frac{3}{2}}}$

③ $\dfrac{Q}{4\pi} \cdot \dfrac{a}{(a^2 + x^2)^{\frac{2}{3}}}$

④ $\dfrac{Q}{2\pi} \cdot \dfrac{a}{(a^2 + x^2)^{\frac{2}{3}}}$

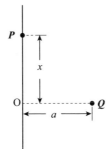

**풀이** 전기 영상 기법

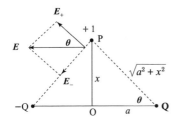

영상 전하 $-Q$, 점 $P$에서 전계의 세기 $E$

$E_+ = E_- = \dfrac{Q}{4\pi\epsilon_0 (\sqrt{a^2 + x^2})^2} = \dfrac{Q}{4\pi\epsilon_0 (a^2 + x^2)}$

$E = 2E_+ \cos\theta = 2 \cdot \dfrac{Q}{4\pi\epsilon_0 (a^2 + x^2)} \cdot \dfrac{a}{\sqrt{a^2 + x^2}}$

$\therefore E = \dfrac{Q}{2\pi\epsilon_0} \cdot \dfrac{a}{(a^2 + x^2)^{\frac{3}{2}}}$

$\sigma = D = \epsilon_0 E$ (면전하밀도와 전계의 세기의 관계식)

그러므로 $\sigma = D = \epsilon_0 E = \dfrac{Q}{2\pi} \cdot \dfrac{a}{(a^2 + x^2)^{\frac{3}{2}}}[C/m^2]$

**정답** ②

## 06

3상3선식에서 선간거리가 각각 50[cm], 60[cm], 70[cm]인 경우 기하평균 선간거리는 몇 [cm]인가?

① 50.4  ② 59.4

③ 62.8  ④ 64.8

**풀이** 등가 선간거리 : 등가 선간거리 $D_e$는 기하학적 평균으로 구한다.

$D_e = {}^{\text{총 거리의 수}}\sqrt{\text{각 거리간의 곱}} = \sqrt[3]{D_{12} \cdot D_{23} \cdot D_{31}}$

$AB = 50[cm]$, $BC = 60[cm]$, $AC = 70[m]$

**총거리의 수** : 3

$D_e = \sqrt[3]{D_{12} \cdot D_{23} \cdot D_{31}} = \sqrt[3]{50 \times 60 \times 70} = 59.4$

**정답** ②

## 01

(1) $\dfrac{\sqrt{2}}{\sqrt{5}} = \dfrac{\sqrt{2} \times \sqrt{5}}{\sqrt{5} \times \sqrt{5}} = \dfrac{\sqrt{10}}{5}$    정답  $\dfrac{\sqrt{10}}{5}$

(2) $\dfrac{2}{3+\sqrt{5}} = \dfrac{2(3-\sqrt{5})}{(3+\sqrt{5})(3-\sqrt{5})} = \dfrac{2(3-\sqrt{5})}{9-5} = \dfrac{2(3-\sqrt{5})}{4} = \dfrac{3-\sqrt{5}}{2}$    정답  $\dfrac{3-\sqrt{5}}{2}$

(3) $\dfrac{x}{\sqrt{x+4}-2} = \dfrac{x(\sqrt{x+4}+2)}{(\sqrt{x+4}-2)(\sqrt{x+4}+2)} = \dfrac{x(\sqrt{x+4}+2)}{x+4-4} = \sqrt{x+4}+2$    정답  $\sqrt{x+4}+2$

(4) $\dfrac{6}{\sqrt{x+3}-\sqrt{x-3}} = \dfrac{6(\sqrt{x+3}+\sqrt{x-3})}{(\sqrt{x+3}-\sqrt{x-3})(\sqrt{x+3}+\sqrt{x-3})} = \dfrac{6(\sqrt{x+3}+\sqrt{x-3})}{(x+3)-(x-3)} = \sqrt{x+3}+\sqrt{x-3}$

   정답  $\sqrt{x+3}+\sqrt{x-3}$

## 02

(1) $(\sqrt{x+1}+\sqrt{x})(\sqrt{x+1}-\sqrt{x}) = (\sqrt{x+1})^2 - (\sqrt{x})^2 = x+1-x = 1$    정답  $1$

(2) $\dfrac{1}{\sqrt{x}+\sqrt{y}} - \dfrac{1}{\sqrt{x}-\sqrt{y}} = \dfrac{(\sqrt{x}-\sqrt{y})-(\sqrt{x}+\sqrt{y})}{(\sqrt{x}+\sqrt{y})(\sqrt{x}-\sqrt{y})} = \dfrac{-2\sqrt{y}}{x-y}$    정답  $\dfrac{-2\sqrt{y}}{x-y}$

# 26 지수법칙

## 1. 거듭제곱

실수 $a$와 자연수 $n$에 대하여 $a$를 $n$번 곱한 것을 $a$의 $n$제곱이라 하고, $a^n$으로 나타낸다. 이때 $a$, $a^2$, $a^3$, $\cdots a^n$, $\cdots$ 을 통틀어 $a$의 거듭제곱이라 하고, $a^n$에서 $n$을 거듭제곱의 지수, $a$를 거듭제곱의 밑이라 한다.

$$\underbrace{a \times a \times a \times \cdots \times a}_{n\text{개}} = a^n \;\; \leftarrow \text{지수}$$
$$\llcorner \text{밑}$$

## 2. 지수 법칙

### (1) 지수의 합

$$a^m \times a^n = a^{m+n} \leftarrow \text{밑이 같을 때의 곱은 지수끼리 더한다.}$$

✓ $a^m \times a^n \neq a^{mn}$

$a^3 \times a^5 = (a \times a \times a) \times (a \times a \times a \times a \times a)$

이때 $a^8$의 지수 8은 $a^3 \times a^5$의 두 지수 3과 5의 합과 같다.

즉, $a^3 \times a^5 = a^{3+5} = a^8$

지수의 합
$$a^3 \times a^5 = a^{3+5}$$

✓ $x^2 \times y^3 \times x^5 \times y^2 = (x^2 \times x^5) \times (y^3 \times y^2) = x^{2+5} \times y^{3+2} = x^7 y^5$

## (2) 지수의 곱

$$(a^m)^n = a^{mn} \ \leftarrow \text{거듭제곱의 지수는 두 지수의 곱과 같다.}$$

✓ $(a^m)^n \neq a^{m+m}$

$(a^m)^n$은 $a^m$을 $n$번 곱한 것이다.

$$(a^m)^n = \underbrace{a^m \times a^m \times \cdots \times a^m}_{n개} = \overbrace{a^{m+m+ \cdots +m}}^{n개} = a^{m \times m} = a^{mn}$$

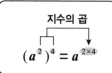

지수의 곱

$$(a^2)^4 = a^{2 \times 4}$$

✓ $(a^2)^4 = a^2 \times a^2 \times a^2 \times a^2 = a^{2+2+2+2} = a^8$

## (3) 지수의 차

$$a^m \div a^n \begin{cases} m > n\text{이면} \ \ a^{m-n} \\ m = n\text{이면} \ \ 1 \\ m < n\text{이면} \ \ \dfrac{1}{a^{n-m}} \end{cases} \leftarrow \text{밑이 같을 때의 나눗셈은 지수끼리 뺀다.}$$

✓ $a^m \div a^n \neq a^{m+n}$, $a^m \div a^n \neq 0$, $a^m \div a^n \neq a^{m \div n}$

　① $a^{m \div n}$을 계산할 때에는 먼저 $m$, $n$의 대소를 비교한다.

　② 나눗셈이 연이어 나올 때, 앞에서부터 차례로 계산한다.

　$a^9 \div a^5 \div a^2 = a^{9-5} \div a^2 = a^4 \div a^2 = a^{4-2} = a^2$

$a \neq 0$일 때, $a^5 \div a^2$, $a^3 \div a^3$, $a^2 \div a^5$을 $a$에 대하여 간단히 하면,

$$a^5 \div a^2 = \frac{a^5}{a^2} = \frac{a \times a \times a \times a \times a}{a \times a} = a \times a \times a = a^3$$

$$a^3 \div a^3 = \frac{a^3}{a^3} = \frac{a \times a \times a}{a \times a \times a} = 1$$

$$a^2 \div a^5 = \frac{a^2}{a^5} = \frac{a \times a}{a \times a \times a \times a \times a} = \frac{1}{a \times a \times a} = \frac{1}{a^3}$$

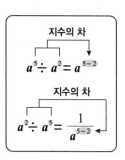

지수의 차

$$a^5 \div a^2 = a^{5-2}$$

지수의 차

$$a^2 \div a^5 = \frac{1}{a^{5-2}}$$

이때 $a^5 \div a^2 = a^{5-2} = a^3$, $a^3 \div a^3 = 1$, $a^2 \div a^5 = \dfrac{1}{a^{5-2}} = \dfrac{1}{a^3}$ 이다.

## (4) 지수의 분배

① $(ab)^n = a^n b^n$    ② $\left(\dfrac{a}{b}\right)^n = \dfrac{a^n}{b^n}$ (단, $b \neq 0$)

✓ 음수의 거듭제곱: $(-a)^{\text{짝수}} = a^{\text{짝수}}$, $(-a)^{\text{홀수}} = -a^{\text{홀수}} \Rightarrow (-3)^2 = 3^2$, $(-3)^3 = -3^3$

① $(ab)^n = \underbrace{ab \times ab \times \cdots \times ab}_{n\text{개}} = \underbrace{a \times a \times \cdots \times a}_{n\text{개}} \times \underbrace{b \times b \times \cdots \times b}_{n\text{개}} = a^n b^n$

$(ab)^4 = ab \times ab \times ab \times ab \times = a^4 b^4$

② $\left(\dfrac{a}{b}\right)^n = \overbrace{\underbrace{\dfrac{a}{b} \times \dfrac{a}{b} \times \cdots \times \dfrac{a}{b}}_{n\text{개}}}^{n\text{개}} = \dfrac{a^n}{b^n}$

$\left(\dfrac{a}{b}\right)^3 = \dfrac{a}{b} \times \dfrac{a}{b} \times \dfrac{a}{b} = \dfrac{a^3}{b^3}$

> 지수의 분배
> $(ab)^4 = a^4 b^4$
> 지수의 분배
> $\left(\dfrac{a}{b}\right)^3 = \dfrac{a^3}{b^3}$

## (5) 지수가 0 또는 음수인 경우 (0, −1, −2 ⋯)

**0 또는 음의 정수인 지수의 정의:** $a \neq 0$ 이고 $n$이 음의 정수일 때

① $a^0 = 1$    ② $a^{-n} = \dfrac{1}{a^n}$

✓ $0^0, 0^{-2}$ 등은 정의되지 않는다.

**예제**    $4^0 = 1, 2^{-2} = \dfrac{1}{2^2} = \dfrac{1}{4}, \left(\dfrac{1}{3}\right)^{-1} = \dfrac{1}{\frac{1}{3}} = 3$

---

지수법칙을 다음과 같이 혼동하지 않도록 주의한다.

① $a^m + a^n \neq a^{m+n}$    ② $a^m \times a^n \neq a^{mn}$    ③ $a^m \div a^m \neq 0$ (단, $a \neq 0$)

---

### ✓ 지수 법칙 정리

$a$, $b$가 실수이고 $m$, $n$이 자연수일 때,

① $a^m a^n = a^{m+n}$

② $a^m \div a^n = \dfrac{a^m}{a^n} = \begin{cases} a^{m-n} & (m > n) \\ 1 & (m = n) \text{(단, } a \neq 0) \\ \dfrac{1}{a^{n-m}} & (m < n) \end{cases}$

③ $(a^m)^n = a^{mn}$

④ $(ab)^n = a^n b^n$

⑤ $\left(\dfrac{a}{b}\right)^n = \dfrac{a^n}{b^n}$ (단, $b \neq 0$)

## 기본문제

### 01 다음 식을 간단히 하시오.

(1) $x^4 \times x^5 = x^{4+5}$

(2) $3^3 \times 3^6$

(3) $y^3 \times y^3$

(4) $z^2 \times z^4 \times z^5$

### 02 다음 식을 간단히 하시오.

(1) $(x^3)^6 = x^{3 \times 6}$

(2) $(y^4)^5$

(3) $(a^7)^2$

(4) $(5^2)^9$

### 03 다음 식을 간단히 하시오.

(1) $x^{10} \div x^6 = x^{10-6}$

(2) $a^5 \div a^5$

(3) $b^4 \div b^{12}$

(4) $7^9 \div 7^5$

### 04 다음 식을 간단히 하시오.

(1) $(xy)^4$

(2) $(a^3 b^2)^5$

(3) $(3x^2)^4$

(4) $\left(\dfrac{ab}{2}\right)^3$

### 05 다음 식을 간단히 하시오.

(1) $(-x)^5$

(2) $(-y)^6$

(3) $(-ab^2)^3$

(4) $\left(-\dfrac{b^5}{a^2}\right)^4$

### 06 다음 식을 간단히 하시오.

(1) $(2\sqrt{2})^0$

(2) $\left(\dfrac{1}{2}\right)^{-4}$

(3) $3^{-2}$

(4) $8^0 + \left(\dfrac{1}{4}\right)^{-2}$

## 01
부하역률이 $\cos\theta$ 인 경우의 배전선로의 전력손실은 같은 크기의 부하전력으로 역률이 1인 경우의 전력손실에 비하여 몇 배인가?

① $\dfrac{1}{\cos^2\theta}$  ② $\dfrac{1}{\cos\theta}$

③ $\cos\theta$  ④ $\cos^2\theta$

**풀이** $P_l = 3I^2R = 3\left(\dfrac{p}{\sqrt{3}\,V\cos\theta}\right)^2 R = \dfrac{P^2R}{V^2\cos^2\theta}[\mathrm{W}]$

$\therefore P_l \propto \dfrac{1}{\cos^2\theta}$

**정답** ①

## 02
100[mH]의 자기 인덕턴스를 갖는 코일에 10[A]의 전류를 통할 때 축적되는 에너지는 몇 [J]인가?

① 1  ② 5

③ 50  ④ 1000

**풀이** $W = \dfrac{1}{2}LI^2 = \dfrac{1}{2}\times 100\times 10^{-3}\times 10^2 = 5[\mathrm{J}]$

**정답** ②

## 03
진공 중에서 $1[\mu F]$의 정전용량을 갖는 구의 반지름은 몇 [km]인가?

① 0.9  ② 9

③ 90  ④ 900

**풀이** $C = 4\pi\epsilon_0 a$

$a = \dfrac{C}{4\pi\epsilon_0} = 9\times 10^9\times 1\times 10^{-6} = 9\times 10^3[\mathrm{m}]$

$\quad = 9[\mathrm{km}]$

**정답** ②

## 04
$R = 1[\mathrm{k}\Omega]$, $C = 1[\mu F]$가 직렬접속된 회로에 스텝(구형파) 전압10[V]를 인가하는 순간에 커패시터 C에 걸리는 최대 전압[V]은?

① 0  ② 3.72

③ 6.32  ④ 10

**풀이** $R-C$ 직렬연결에서 $C$의 전압

$v_c = E\left(1 - e^{-\frac{1}{RC}t}\right)(t = 0$일 때$)$

$\quad = E(1 - e^0) = E(1 - 1) = 0$

**정답** ①

## 05
다음과 같은 시스템에 단위계단입력 신호가 가해졌을 때 지연시간에 가장 가까운 값(sec)은?

$$\frac{C(s)}{R(s)} = \frac{1}{s+1}$$

① 0.5  ② 0.7

③ 0.9  ④ 1.2

**풀이** 단위 계단 응답

$C(s) = G(s)R(s) = \dfrac{1}{s(s+1)} = \dfrac{1}{s} - \dfrac{1}{s+1}$

$c(t) = 1 - e^{-t}$ 이므로 출력의 최종값

$\lim_{t\to\infty}c(t) = \lim_{t\to\infty}(1 - e^{-t}) = 1$ 이 된다.

따라서, 지연시간 $T_d$는 최종값의 50[%]에 도달하는데 소요되는 시간이므로

$0.5 = 1 - e^{-T_d}, \dfrac{1}{e^{T_d}} = 1 - 0.5, e^{T_d} = 2$

$\therefore T_d = \ln 2 = 0.693 \fallingdotseq 0.7$

**정답** ②

## 06

그림과 같이 무한평면 도체 앞 $a$[m] 거리에 점전하 $Q$[C]가 있다. 점 $O$에서 $x$[m]인 $P$점의 전하밀도 $\sigma[C/m^2]$는?

① $\dfrac{Q}{4\pi} \cdot \dfrac{a}{(a^2+x^2)^{\frac{3}{2}}}$

② $\dfrac{Q}{2\pi} \cdot \dfrac{a}{(a^2+x^2)^{\frac{3}{2}}}$

③ $\dfrac{Q}{4\pi} \cdot \dfrac{a}{(a^2+x^2)^{\frac{2}{3}}}$

④ $\dfrac{Q}{2\pi} \cdot \dfrac{a}{(a^2+x^2)^{\frac{2}{3}}}$

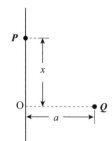

**풀이** 전기 영상 기법

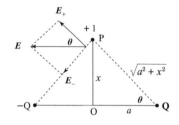

영상 전하 $-Q$, 점 $P$에서 전계의 세기 $E$

$E_+ = E_- = \dfrac{Q}{4\pi\epsilon_0\left(\sqrt{a^2+x^2}\right)^2} = \dfrac{Q}{4\pi\epsilon_0\,(a^2+x^2)}$

$E = 2E_+\cos\theta = 2 \cdot \dfrac{Q}{4\pi\epsilon_0\,(a^2+x^2)} \cdot \dfrac{a}{\sqrt{a^2+x^2}}$

$\therefore E = \dfrac{Q}{2\pi\epsilon_0} \cdot \dfrac{a}{(a^2+x^2)^{\frac{3}{2}}}$

$\sigma = D = \epsilon_0 E$ (면전하밀도와 전계의 세기의 관계식)

그러므로 $\sigma = D = \epsilon_0 E = \dfrac{Q}{2\pi} \cdot \dfrac{a}{(a^2+x^2)^{\frac{3}{2}}}[C/m^2]$

**정답** ②

## 07

반지름 1[cm]인 원형 코일에 전류 10[A]가 흐를 때 코일의 중심에서 코일 면에 수직으로 $\sqrt{3}$[cm] 떨어진 점의 자계의 세기는 몇 [A/m]인가?

① $\dfrac{1}{16} \times 10^3$[A/m]

② $\dfrac{3}{16} \times 10^3$[A/m]

③ $\dfrac{5}{16} \times 10^3$[A/m]

④ $\dfrac{7}{16} \times 10^3$[A/m]

**풀이** 원형 코일축상 $x$[cm]인 점의 자계($H$)

$H = \dfrac{a^2 I}{2(a^2+x^2)^{3/2}}$

$a = 1 \times 10^{-2}$[m], $x = \sqrt{3} \times 10^{-2}$[m], $I = 10$[A]

$H = \dfrac{a^2 I}{2(a^2+x^2)^{3/2}} = \dfrac{(1\times10^{-2})^2 \times 10}{2\left[(1\times10^{-2})^2 + (\sqrt{3}\times10^{-2})^2\right]^{3/2}}$

$\quad = \dfrac{1}{16} \times 10^3$[AT/m]

**정답** ①

## 08

진공 중에서 선전하 밀도 $\rho_l = 6 \times 10^{-8}$[C/m]인 무한히 긴 직선상 선전하가 $x$축과 나란하고 $Z = 2$[m] 점을 지나고 있다.

이 선전하에 의하여 반지름 5[m]인 원점에 중심을 둔 구표면 $S_0$를 통과하는 전기력선수는 얼마인가?

① $3.1 \times 10^4$

② $4.8 \times 10^4$

③ $5.5 \times 10^4$

④ $6.2 \times 10^4$

**풀이** $Q$ 전하에서 나오는 전기력선수: $N = \dfrac{Q}{\epsilon_0} = \dfrac{\rho_l \cdot l}{\epsilon_0}$ 개

($Q$ : 전하, $\epsilon_0$ : 진공 중의 유전율($= 8.855 \times 10^{-12}$),

$\rho_l$ : 선전하밀도, $l$ : 길이)

$$l = 2 \times \sqrt{5^2 - 2^2} = 2\sqrt{21}$$

$N = \dfrac{\rho_l \cdot l}{\epsilon_0} = \dfrac{6 \times 10^{-8} \times 2\sqrt{21}}{8.855 \times 10^{-12}} = 6.2 \times 10^4$

**정답** ④

# 기출문제

**09** 자성체 $3 \times 4 \times 20[cm^3]$가 자속밀도 $B=130$ [mT]로 자화되었을 때 자기모멘트가 $48[A \cdot m^2]$ 이었다면 자화의 세기(M)은 몇 [A/m]인가?

① $10^4$  ② $10^5$
③ $2 \times 10^4$  ④ $2 \times 10^5$

**풀이** 자화의 세기: $J = \dfrac{M}{V}$[A/m]

($J$:자화의 세기, $M$:단위 체적당의 자기모멘트,
$V$:자성체의 체적[m³])

$J = \dfrac{M}{V} = \dfrac{48}{3 \times 4 \times 20 \times 10^{-6}} = 2 \times 10^5$[A/m]

$cm^3$을 $m^3$으로 변환

**정답** ④

**10** 길이 $l$[m], 지름 $d$[m]인 원통이 길이 방향으로 균일하게 자화되어 자화의 세기가 $J$[Wb/m²]인 경우 원통 양단에서의 전자극의 세기[Wb]는?

① $\pi d^2 J$  ② $\pi d J$
③ $\dfrac{4J}{\pi d^2}$  ④ $\dfrac{\pi d^2 J}{4}$

**풀이** 자화의 세기:자성체의 양 단면의 단위 면적에 발생한 자기량

$J = \dfrac{m}{S} = \dfrac{ml}{Sl} = \dfrac{M}{V}$[Wb/m²]

($S$:자성체의 단면적 [m²]
$m$:자화된 자기량(전자극의 세기)[Wb]
$l$:자성체의 길이[m], $V$:자성체의 체적 [m³]
$M$:자기모멘트 ($M = ml$[Wb · ml]))
전자극의 세기

$m = J \cdot S = J \cdot \pi a^2 = J \cdot \pi \left(\dfrac{d}{2}\right)^2 = J \cdot \dfrac{\pi d^2}{4}$[Wb]

**정답** ④

**11** 공기 중에 그림과 같이 가느다란 전선으로 반경 $a$인 코일을 만들고, 이것에 전하 $Q$가 균일하게 분포하고 있을 때 원형코일의 중심축상에서 중심으로부터 거리 $x$만큼 떨어진 $P$점의 전계의 세기는 몇 [V/m]인가?

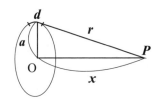

① $\dfrac{Q}{2\pi\epsilon_0 \sqrt{a+x}}$  ② $\dfrac{Q}{4\pi\epsilon_0 \sqrt{a+x}}$
③ $\dfrac{Qx}{2\pi\epsilon_0 (a^2+x^2)^{\frac{3}{2}}}$  ④ $\dfrac{Qx}{4\pi\epsilon_0 (a^2+x^2)^{\frac{3}{2}}}$

**풀이** 원형 코일 중심축상의 전계의 세기

$E = \dfrac{Q}{4\pi\epsilon_0 a^2} \cos\theta$[V/m]

$E = \dfrac{Q}{4gp\epsilon(a^2+x^2)} \cdot \dfrac{x}{\sqrt{a^2+x^2}} = \dfrac{Qx}{4\pi\epsilon_0 (a^2+x^2)^{\frac{3}{2}}}$[V/m]

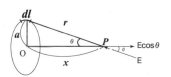

**정답** ④

**12** 어떤 회로의 전류가 $i(t) = 20 - 20e^{-200t}$[A] 로 주어졌다. 정상값은 몇 [A]인가?

① 5  ② 12.6  ③ 15.6  ④ 20

**풀이** $i(t) = 20 - 20e^{-200t}$ 에서 정상값은 $t = \infty$ 인 경우이므로

$i(t) = 20 - 20e^{-200 \times \infty} = 20$[A]

$\left(e^{-\infty} = \dfrac{1}{e^{\infty}} = \dfrac{1}{\infty} = 0\right)$

**정답** ④

**13** 그림과 같이 단면적 $S = 10[\text{cm}^2]$, 자로의 길이 $l = 20\pi[\text{cm}]$, 비투자율 $\mu_s = 1,000$ 인 철심에 $N_1 = N_2 = 100$ 인 두 코일을 감았다. 두 코일 사이의 상호 인덕턴스는 몇 $[\text{mH}]$인가?

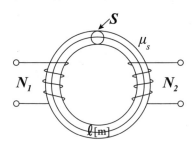

① 0.1          ② 1
③ 2             ④ 20

**풀이** 상호 인덕턴스: $M = \dfrac{N_1 N_2}{R_m} = \dfrac{\mu S N_1 N_2}{l}[H]$

($N$:권수, $\mu$:투자율$(= \mu_0 \mu_s)$, $S$:면적, $R_m$:자기저항, $l$:자로의 길이)

단면적$(S) = 10[\text{cm}^2]$

자로의 길이$(l) = 20\pi[\text{cm}](= 20\pi \times 10^{-2}[\text{m}])$

비유전율$(\mu_s) = 1,000$, 권수: $N_1 = N_2 = 100$

$$M = \frac{\mu S N_1 N_2}{l} = \frac{\mu_0 \mu_s S N_1 N_2}{l}[\text{H}]$$

$$= \frac{4\pi \times 10^{-7} \times 1000 \times 10 \times 10^{-4} \times 100 \times 100}{20\pi \times 10^2}$$

$$\times 10^3$$

$$= 20[\text{mH}]$$

> $\mu_0 = 4\pi \times 10^{-7}$
> $10[\text{cm}^2] = 10 \times (10^{-2})^2 = 10 \times 10^{-4}[\text{m}^2]$
> $H = 10^3[\text{mH}]$

**정답** ④

## 01

(1) 정답 $x^9$

(2) $3^3 \times 3^6 = 3^{3+6} = 3^9$    정답 $3^9$

(3) $y^3 \times y^3 = y^{3+3} = y^6$    정답 $y^6$

(4) $z^2 \times z^4 \times z^5 = z^{2+4+5} = z^{11}$    정답 $z^{11}$

## 02

(1) 정답 $x^{18}$

(2) $(y^4)^5 = y^{4 \times 5} = y^{20}$    정답 $y^{20}$

(3) $(a^7)^2 = a^{7 \times 2} = a^{14}$    정답 $a^{14}$

(4) $(5^2)^9 = 5^{2 \times 9} = 5^{18}$    정답 $5^{18}$

## 03

(1) 정답 $x^4$

(2) 지수가 같으므로 $a^5 \div a^5 = 1$    정답 $1$

(3) $b^4 \div b^{12} = \dfrac{1}{b^{12-4}} = \dfrac{1}{b^8}$    정답 $\dfrac{1}{b^8}$

(4) $7^9 \div 7^5 = 7^{9-5} = 7^4$    정답 $7^4$

## 04

(1) 정답 $x^4 y^4$

(2) $(a^3 b^2)^5 = (a^3)^5 \times (b^2)^5 = a^{15} b^{10}$    정답 $a^{15} b^{10}$

(3) $(3x^2)^4 = 3^4 \times (x^2)^4 = 81x^8$    정답 $81x^8$

(4) $\left(\dfrac{ab}{2}\right)^3 = \dfrac{(ab)^3}{2^3} = \dfrac{a^3 b^3}{8}$    정답 $\dfrac{a^3 b^3}{8}$

## 05

(1) 정답 $-x^5$

(2) 정답 $y^6$

(3) $(-ab^2)^3 = (-1)^3 \times a^3 \times (b^2)^3 = -a^3 b^6$    정답 $-a^3 b^6$

(4) $\left(-\dfrac{b^5}{a^2}\right)^4 = (-1)^4 \times \dfrac{(b^5)^4}{(a^2)^4} = \dfrac{b^{20}}{a^8}$    정답 $\dfrac{b^{20}}{a^8}$

## 06

(1) $(2\sqrt{2})^0 = 1$    정답 $1$

(2) $\left(\dfrac{1}{2}\right)^{-4} = (2^{-1})^{-4} = 2^4 = 16$    정답 $16$

(3) $3^{-2} = \dfrac{1}{3^2} = \dfrac{1}{9}$    정답 $\dfrac{1}{9}$

(4) $8^0 + \left(\dfrac{1}{4}\right)^{-2} = 1 + (4^{-1})^{-2} = 1 + 4^2 = 17$    정답 $17$

# 복소수

## 1. 허수단위 $i$

> 제곱하여 $-1$이 되는 새로운 수를 $i$로 나타내기로 한다. 이때 $i$를 허수단위라 하고, 제곱하여 $-1$이 된다는 뜻에서 $i = \sqrt{-1}$ 로 나타내기로 한다. 즉,
>
> $$i^2 = -1, \ i = \sqrt{-1}$$

임의의 실수를 제곱하면 항상 0 또는 양수가 되므로 이차방정식 $x^2 = -1$ 의 해를 실수의 범위에서는 구할 수 없다. 따라서, 방정식 $x^2 = -1$ 과 같이 제곱하여 음수가 되는 이차방정식의 해를 구하려면 수의 범위를 확장할 필요가 있다. 여기서 제곱하여 $-1$이 되는 새로운 수를 생각하고 이 수를 $i$로 나타낸다.

전기전자공학에서는 허수단위를 $j$로 쓰지만 수학에서는 $i$로 쓴다. 원래 수학에서는 허수의 영어 표현 imaginary number의 머리글자 $i$를 사용하고 있었는데, 전기전자공학에서도 허수단위를 $i$로 쓸 경우 전류의 머리글자 $i$와 혼동하기 쉽다.

따라서, 전기전자공학에서는 허수단위를 $j$로 쓴다.

## 2. 복소수

$$\underset{\text{복소수}}{\underline{z}} = \underset{\text{실수부}}{\underline{x}} + \overset{\text{허수단위}}{\underline{j}} \ \underset{\text{허수부}}{\underline{y}}$$

✓ 복소수 $a + bi$ ($a, b$는 실수)에서 $0i = 0$ 으로 정하면 실수 $a$는 $a + 0i$ 로 나타낼 수 있으므로 실수도 복소수이다.
✓ 복소수 $a + bi$ 에서 허수부분은 $bi$ 가 아니라 $b$ 이다.

(1) 복소수 $1 + 2i$ 의 실수부분은 1, 허수부분은 2이다.

(2) 실수 3은 $3 + 0i$ 로 나타낼 수 있으므로 실수부분은 3, 허수부분은 0이다.

(3) 순허수 $5i$ 는 $0 + 5i$ 로 나타낼 수 있으므로 실수부분은 0, 허수부분은 5이다.

## 3. 복소수가 서로 같을 조건

두 복소수에서 실수부분은 실수부분끼리, 허수부분은 허수부분끼리 서로 같을 때, 두 복소수는 서로 같다고 한다.

---

✓ $a$, $b$, $c$, $d$가 실수일 때

(1) $a + bi = c + di \Leftrightarrow a = c, b = d$    (2) $a + bi = 0 \Leftrightarrow a = 0, b = 0$

---

✓ 실수는 실수끼리, 허수는 허수끼리 모은다. ⇒(실수부분)+(허수부분)$i$ = 0의 꼴로!

$a$, $b$가 실수일 때, $2 + 4i = a + bi$ 이면 $a = 2, b = 4$ 이다.

## 4. 켤레복소수

---

복소수 $a + bi$ ($a$, $b$는 실수)에 대하여 허수부분의 부호를 바꾼 복소수 $a - bi$ 를 $a + bi$ 의 켤레복소수라 하고, 이것을 기호로 $\overline{a + bi}$ 로 나타낸다. 즉, $\overline{a + bi} = a - bi$

---

✓ 복소수 $z$의 켤레복소수를 $\overline{z}$ 로 나타내고 '$z\ bar$ (바)'라 읽는다.

복소수 $3 + 2i$ 에서 허수부분의 부호를 바꾸면 $3 - 2i$ 이므로 $3 + 2i$ 의 켤레복소수는 $3 - 2i$ 이다.

즉, $\overline{3 + 2i} = 3 - 2i$ 이다. 마찬가지로 $3 - 2i$ 의 켤레복소수는 $3 + 2i$ 이므로 $\overline{3 - 2i} = 3 + 2i$ 이다.

## 기본문제

### 01 다음 복소수의 실수부분과 허수부분을 구하시오.

(1) $2 - 3i$

(2) $5i$

(3) $\sqrt{3} - 1$

(4) $i + 4$

(5) $\dfrac{1+i}{3}$

### 02 다음 등식을 만족시키는 실수 $x$, $y$를 구하시오.

(1) $x + 2yi = 2 - 4i$

(2) $2x + (y+3)i = 4 + 5i$

(3) $(x-1) + (2y-1)i = 3 - i$

(4) $(2x+1) + (y-3)i = 9$

(5) $(x+y) + (2x-3y)i = -1 + 8i$

### 03 다음 복소수의 켤레복소수를 구하시오.

(1) $3 - 4i$

(2) $-5i$

(3) $-3 + \sqrt{2}\,i$

(4) $1 + \sqrt{5}$

(5) $\dfrac{2}{3}i + \dfrac{1}{2}$

## 기출문제

### 01 $G(s) = \dfrac{s+2}{s^2+1}$ 의 극점과 영점은?

① $-2, -2$

② $-j, -2$

③ $-2, j$

④ $\pm j, -2$ 와 $\infty$

**풀이** 영점은 분자가 0이 되는 점, 극점은 분모가 0이 되는 점
- 영점 : $s + 2 = 0$, 따라서 $s = -2$
- 극점 : $s^2 + 1 = 0$, 따라서 $s = \pm\sqrt{(-1)} = \pm j$

**정답** ④

### 02 $E = 40 + j30[V]$의 전압을 가하면

$I = 30 + j10[A]$의 전류가 흐르는 회로의 역률은?

① $0.949$

② $0.831$

③ $0.764$

④ $0.651$

**풀이** 복소전력을 계산하면
$$P_a = \overline{E}i = (40 - j30)(30 + j10) = 1500 - j500$$
이므로
$$\text{역률 } \cos\theta = \frac{P}{P_a} = \frac{1500}{\sqrt{1500^2 + 500^2}} = 0.949$$

**정답** ①

## 01

(1) $2 - 3i$ 의 실수부분은 2, 허수부분은 -3이다.  **정답**  **실수부분 : 2, 허수부분 : $-3$**

(2) $5i = 0 + 5i$ 이므로 $5i$ 의 실수부분은 0, 허수부분은 5이다.  **정답**  **실수부분 : 0, 허수부분 : 5**

(3) $\sqrt{3} - 1 = (\sqrt{3} - 1) + 0i$ 이므로 $\sqrt{3} - 1$ 의 실수부분은 $\sqrt{3} - 1$, 허수부분은 0이다.

   **정답**  **실수부분 : $\sqrt{3} - 1$ , 허수부분 : 0**

(4) $i + 4 = 4 + 1 \times i$ 이므로 $i + 4$ 의 실수부분은 4, 허수부분은 1이다.  **정답**  **실수부분 : 4, 허수부분 : 1**

(5) $\dfrac{1+i}{3} = \dfrac{1}{3} + \dfrac{1}{3}i$ 이므로 $\dfrac{1+i}{3}$ 의 실수부분은 $\dfrac{1}{3}$, 허수부분은 $\dfrac{1}{3}$ 이다.

   **정답**  **실수부분 : $\dfrac{1}{3}$ , 허수부분 : $\dfrac{1}{3}$**

## 02 복소수가 서로 같으려면 실수부분과 허수부분이 각각 같아야 한다.

(1) $x = 2, 2y = -4$  **정답**  **$x = 2, y = -2$**

(2) $2x = 4, y + 3 = 5$  **정답**  **$x = 2, y = 2$**

(3) $x - 1 = 3, 2y - 1 = -1$  **정답**  **$x = 4, y = 0$**

(4) $2x + 1 = 9, y - 3 = 0$  **정답**  **$x = 4, y = 3$**

(5) $x + y = -1, 2x - 3y = 8$ 두 식을 연립하여 풀면 $x = 1, y = -2$

   **정답**  **$x = 1, y = -2$**

## 03

(1) $\overline{3 - 4i} = 3 + 4i$  **정답**  **$3 + 4i$**

(2) $-5i = 0 - 5i$ 이므로 $\overline{-5i} = 5i$  **정답**  **$5i$**

(3) $\overline{-3 + \sqrt{2}\,i} = -3 - \sqrt{2}\,i$  **정답**  **$-3 - \sqrt{2}\,i$**

(4) $1 + \sqrt{5} = (1 + \sqrt{5}) + 0i$ 이므로 $\overline{1 + \sqrt{5}} = 1 + \sqrt{5}$  **정답**  **$1 + \sqrt{5}$**

(5) $\dfrac{2}{3}i + \dfrac{1}{2} = \dfrac{1}{2} + \dfrac{2}{3}i = \dfrac{1}{2} - \dfrac{2}{3}i$  **정답**  **$\dfrac{1}{2} - \dfrac{2}{3}i$**

# 28 복소수의 연산

## 1. 복소수의 사칙연산

복소수의 덧셈, 뺄셈은 허수단위 $i$를 문자처럼 생각하여 실수부분은 실수부분끼리, 허수부분은 허수부분끼리 계산한다.

복소수의 곱셈은 분배법칙을 이용하여 전개한 다음 $i^2 = -1$임을 이용하여 계산하고, 복소수의 나눗셈은 분모의 켤레복소수를 분모, 분자에 각각 곱하여 계산한다.

---

✓ $a, b, c, d$ 가 실수일 때,

**(1) 덧셈** : $(a + bi) + (c + di) = (a + c) + (b + d)i$

**(2) 뺄셈** : $(a + bi) - (c + di) = (a - c) + (b - d)i$

**(3) 곱셈** : $(a + bi)(c + di) = (ac - bd) + (ad + bc)i$

**(4) 나눗셈** : $\dfrac{a + bi}{c + di} = \dfrac{(a + bi)(c - di)}{(c + di)(c - di)} = \dfrac{ac + bd}{c^2 + d^2} + \dfrac{bc - ad}{c^2 + d^2}i$ (단, $c + di \neq 0$)

---

✓ 분모에 $i$가 있으면 분모의 켤레복소수를 분모, 분자에 각각 곱한다(분모의 실수화).

✓ 분모의 켤레복소수를 분모, 분자에 곱할 때, $(a + b)(a - b) = a^2 - b^2$ 임을 이용하여 분모를 실수가 되게 한다.

**예제** (1) $(4 - 7i) + (3 + 2i) = (4 + 3) + (-7 + 2)i = 7 - 5i$

(2) $(6 + 3i) - (7 - 5i) = (6 - 7) + (3 + 5)i = -1 + 8i$

(3) $(2 - 3i)(3 + 4i) = 6 + 8i - 9i - 12i^2 = 6 + 8i - 9i + 12 = 18 - i$    ← $(a + b)(c + d) = ac + ad + bc + bd$

(4) $\dfrac{1 - 2i}{2 + 3i} = \dfrac{(1 - 2i)(2 - 3i)}{(2 + 3i)(2 - 3i)} = \dfrac{2 - 3i - 4i + 6i^2}{2^2 - (3i)^2}$    ← $(a + b)(a - b) = a^2 - b^2$

$\qquad = \dfrac{2 - 3i - 4i - 6}{4 + 9} = \dfrac{-4 - 7i}{13} = -\dfrac{4}{13} - \dfrac{7}{13}i$

## 2. 복소수의 사칙연산에 대한 성질

실수의 경우와 마찬가지로 복소수의 사칙연산의 결과는 모두 복소수이다.

즉, 복소수 전체는 0으로 나누는 것을 제외하면 사칙연산이 가능하다.

또한, 실수의 경우와 마찬가지로 덧셈, 곱셈에 대하여 다음 성질이 성립한다.

---

✓ **세 복소수 $z_1, z_2, z_3$에 대하여**

**(1) 교환법칙** : $z_1 + z_2 = z_2 + z_1$, $z_1 z_2 = z_2 z_1$

**(2) 결합법칙** : $(z_1 + z_2) + z_3 = z_1 + (z_2 + z_3)$, $(z_1 z_2) z_3 = z_1 (z_2 z_3)$

**(3) 분배법칙** : $z_1 (z_2 + z_3) = z_1 z_2 + z_1 z_3$, $(z_1 + z_2) z_3 = z_1 z_3 + z_2 z_3$

---

## 기본문제

### 01 다음을 계산하시오.

(1) $3i + (1 - 4i)$

(2) $(5 - 3i) + (2 - 7i)$

(3) $(4 + 3i) - (2 - 5i)$

(4) $(-9 - 3i) - (5 - 2i)$

### 02 다음을 계산하시오.

(1) $(1 - i)(2 + 3i)$

(2) $(-2 + 3i)(5 - 6i)$

(3) $(\sqrt{3} - 2i)(\sqrt{3} + 2i)$

(4) $(1 + 2i)^2$

### 03 다음을 $a + bi$의 꼴로 나타내시오(단, $a$, $b$는 실수).

(1) $\dfrac{1}{2 + 3i}$

(2) $\dfrac{1}{4 - 5i}$

(3) $\dfrac{1 + i}{2 - i}$

(4) $\dfrac{8i}{1 + 4i}$

## 01

불평형 3상 전류 $I_a = 15 + j2$[A],

$I_b = -20 - j14$[A], $I_c = -3 + j10$[A]일 때

영상전류 $I_0$는 약 몇 [A]인가?

① $2.67 + j0.36$  ② $15.7 - j3.25$

③ $-1.91 + j6.24$  ④ $-2.67 - j0.67$

**풀이** 영상전류 : $I_0 = \frac{1}{3}(I_a + I_b + I_c)$

$\qquad = \frac{1}{3}(15 + j2 + (-20 - j14) + (-3 + j10))$

$\qquad = \frac{1}{3}(-8 - j2) = -2.67 - j0.67$

정답 ④

## 02

변압기의 병렬운전에서 1차 환산

누설임피던스가 $2 + j3$[Ω]과 $3 + j2$[Ω]일 때

변압기에 흐르는 부하 전류가 50[A]이면 순환전류

[A]는?(단, 다른 정격은 모두 같다)

① 10  ② 8

③ 5  ④ 3

**풀이** $|Z_1| = |Z_2|$  ∴ 전류는 $\frac{1}{2}$씩 흐름

$I_c = \frac{E_1 - E_2}{Z_1 + Z_2} = \frac{25(2 + j3) - 25(3 + 2j)}{(2 + j3) + (3 + j2)} = j5$

$\quad = 5\angle 90°$

정답 ③

## 03

비접지 3상 Y회로에서 전류 $I_a = 15 + j2$[A],

$I_b = -20 - j14$[A]일 경우 $I_c$[A]는?

① $5 + j12$  ② $-5 + j12$

③ $5 - j12$  ④ $-5 - j12$

**풀이** 대칭좌표법 : 영상분은 접지선, 중성선에 존재하므로

$\quad I_0 = \frac{1}{3}(I_a + I_b + I_c) = 15 + j2 - 20 - j14 + I_c = 0$

$\quad I_c = 5 + j12$[A]

정답 ①

## 04

그림과 같은 3상 송전계통에서 송전단 전압은

3,300[V]이다. 점 P에서 3상 단락사고가 발생했다면

발전기에 흐르는 단락전류는 약 몇 [A]가 되는가?

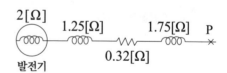

① 320  ② 330

③ 380  ④ 410

**풀이** 단락전류 : $I_s = \frac{E}{Z} = \frac{E}{\sqrt{R^2 + X^2}}$[A]

($E$ : 전압, $Z$ : 임피던스, $R$ : 저항, $X$ : 리액턴스)

임피던스 : $Z = 0.32 + j(2 + 1.25 + 1.75) = 0.32 + j5$

$I_s = \frac{E}{\sqrt{R^2 + X^2}} = \frac{\frac{3300}{\sqrt{3}}}{\sqrt{0.32^2 + 5^2}} = 380.27$[A]

정답 ③

## 05
불평형 3상 전류가 $I_a = 16 + j2[\text{A}]$,
$I_b = -20 - j9[\text{A}]$, $I_c = -2 + j10[\text{A}]$일 때 영상분
전류 [A]는?

① $-2 + j[A]$      ② $-6 + j3[A]$

③ $-9 + j6[A]$      ④ $-18 + j9[A]$

**풀이** 영상전류 $I_0 = \dfrac{1}{3}(I_a + I_b + I_c)$

$\therefore I_0 = \dfrac{1}{3}(16 + j2 - 20 - j9 - 2 + j10)$

$= \dfrac{1}{3}(-6 + j3) = -2 + j[A]$

**정답 ①**

## 06
어떤 회로에 $100 + j50[\text{V}]$인 전압을 가했을
때, $3 + j4[\text{A}]$인 전류가 흘렀다면 이 회로의
소비전력은?

① $300[\text{W}]$      ② $500[\text{W}]$

③ $700[\text{W}]$      ④ $900[\text{W}]$

**풀이** 복소전력 $P = \overline{V}I$ 이므로

$V = 100 + j50, \overline{V} = 100 - j50$

$I = 3 + j4$

$P = \overline{V}I = (100 - j50)(3 + j4) = 500 + j250$

유효전력 즉, 소비전력은 $500[\text{W}]$, 무효전력은
$250[\text{Var}]$

**정답 ②**

## 07
어떤 회로에 $100 + j20[\text{V}]$인 전압을 가했을
때, $8 + j6[\text{A}]$인 전류가 흘렀다면 이 회로의
소비전력은?

① $800[\text{W}]$      ② $920[\text{W}]$

③ $1{,}200[\text{W}]$      ④ $1{,}400[\text{W}]$

**풀이** 복소전력 $P = \overline{V}I$ 이므로,

$V = 100 + 20j \to \overline{V} = 100 - j20$

$I = 8 + j6$

$P = \overline{V}I = (100 - j20)(8 + j6) = 920 + j440$

유효전력은 $920[\text{W}]$, 무효전력은 $440[\text{Var}]$

**정답 ②**

## 08
송전선로의 일반회로 정수가 $A = 0.7$,
$B = j190$, $D = 0.9$라 하면 $C$의 값은?

① $-j1.95 \times 10^{-3}$      ② $j1.95 \times 10^{-3}$

③ $-j1.95 \times 10^{-4}$      ④ $j1.95 \times 10^{-4}$

**풀이** 일반 회로 정수 : $AD - BC = 1$

$C = \dfrac{AD - 1}{B} = \dfrac{0.7 \times 0.9 - 1}{j190} = j1.95 \times 10^{-3}$

**정답 ②**

## 09
송전선로의 일반 회로 정수가 $A = 0.7$,
$C = j1.95 \times 10^{-3}$, $D = 0.9$라 하면 $B$의 값은 약
얼마인가?

① $j90$      ② $-j90$

③ $j190$      ④ $-j190$

**풀이** 일반 회로 정수 : $AD - BC = 1$

$B = \dfrac{AD - 1}{C} = \dfrac{0.7 \times 0.9 - 1}{j1.95 \times 10^{-3}} = j190[\Omega]$

**정답 ③**

**10** 그림의 $RLC$ 직·병렬회로를 등가 병렬회로로 바꿀 경우, 저항과 리액턴스는 각각 몇 [Ω]인가?

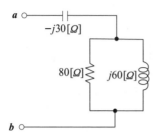

① 46.23, $j$87.67

② 46.23, $j$107.15

③ 31.25, $j$87.67

④ 31.25, $j$107.15

**풀이**

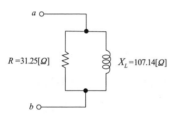

등가 병렬회로

$$Z = -j30 + \frac{80 \times j60}{80 + j60} = 28.8 + j8.4[\Omega]$$

$$Y = \frac{1}{Z} = \frac{1}{28.8 + j8.4} = \frac{4}{125} - j\frac{7}{750}[\Omega]$$

허수부가 ($-$) 이므로 $R-L$ 병렬 회로이다.

저항 : $R = \frac{1}{G} = \frac{1}{\frac{4}{125}} = \frac{125}{4} = 31.25[\Omega]$

리액턴스 : $X_l = j\frac{1}{B_L} = j\frac{1}{\frac{7}{750}} = j\frac{750}{7} = j107.14[\Omega]$

정답 ④

**11** 어떤 회로에 $100 + j20[\text{V}]$인 전압을 가할 때 $4 + j3[\text{A}]$인 전류가 흐른다면 이 회로의 임피던스 [Ω]는?

① $18.4 - j8.8[\Omega]$    ② $27.3 + j15.2[\Omega]$

③ $48.6 + j31.4[\Omega]$    ④ $65.7 - j54.3[\Omega]$

**풀이**
$$Z = \frac{V}{I} = \frac{100 + j20}{4 + j3} = \frac{(100 + j20)(4 - j3)}{(4 + j3)(4 - j3)}$$
$$= \frac{460 - j220}{4^2 + 3^2} = 18.4 - j8.8[\Omega]$$

정답 ①

**12** 회로에서 단자 $a$, $b$ 사이에 교류전압 200[V]를 가하였을 때 $c$, $d$ 사이의 전위차는 몇[V]인가?

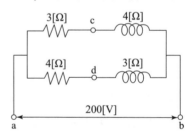

① 46[V]    ② 96[V]

③ 56[V]    ④ 76[V]

**풀이**
$$I_1 = \frac{200}{3 + j4} = \frac{200(3 - j4)}{(3 + j4)(3 - j4)} = \frac{200(3 - j4)}{25}$$
$$= \frac{600 - j800}{25} = 24 - j32[\text{A}]$$
$$I_2 = \frac{200}{4 + j3} = \frac{200(4 - j3)}{(4 + j3)(4 - j3)} = \frac{200(4 - j3)}{25}$$
$$= \frac{800 - j600}{25} = 32 - j24[\text{A}]$$
$$V_{cd} = 4(32 - j24) - 3(24 - j32)$$
$$= 128 - j96 - 72 + j96 = 56[\text{V}]$$

정답 ③

## 13 $RL$ 병렬회로의 합성 임피던스 $[\Omega]$ 는?

(단, $\omega[rad/s]$ 는 이 회로의 각 주파수이다)

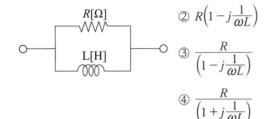

① $R\left(1 + j\dfrac{\omega L}{R}\right)$

② $R\left(1 - j\dfrac{1}{\omega L}\right)$

③ $\dfrac{R}{\left(1 - j\dfrac{1}{\omega L}\right)}$

④ $\dfrac{R}{\left(1 + j\dfrac{1}{\omega L}\right)}$

**풀이** $Z = \dfrac{R \cdot j\omega L}{R + j\omega L} = \dfrac{R}{1 + \dfrac{R}{j\omega L}} = \dfrac{R}{1 - j\dfrac{R}{\omega L}}[\Omega]$

**정답** ③

## 14 어떤 회로에 $E = 100 + j20[V]$ 인 전압을

가했을 때 $I = 4 + j3[A]$ 인 전류가 흘렀다면

이 회로의 임피던스는?

① $19.5 + j3.9[\Omega]$　　② $18.4 - j8.8[\Omega]$

③ $17.3 - j8.5[\Omega]$　　④ $15.3 + j3.7[\Omega]$

**풀이** $Z = \dfrac{E}{I} = \dfrac{100 + j20}{4 + j3} = \dfrac{(100 + j20)(4 - j3)}{(4 + j3)(4 - j3)}$

$= \dfrac{1}{25}(400 - j300 + j80 + 60) = \dfrac{1}{25}(460 - j220)$

$= 18.4 - j8.8[\Omega]$

$R = 18.4[\Omega],\ X = 8.8[\Omega]$

**정답** ②

## 15 그림과 같은 회로의 구동점 임피던스 $[\Omega]$ 는?

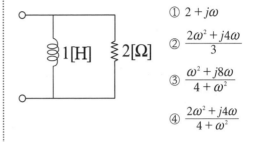

① $2 + j\omega$

② $\dfrac{2\omega^2 + j4\omega}{3}$

③ $\dfrac{\omega^2 + j8\omega}{4 + \omega^2}$

④ $\dfrac{2\omega^2 + j4\omega}{4 + \omega^2}$

**풀이** 2단자 회로망

$R = 2[\Omega]$

$Z_1 = R = 2[\Omega]$

$Z_2 = j\omega L = j\omega$

$Z = \dfrac{Z_1 \cdot Z_2}{Z_1 + Z_2} = \dfrac{2 \times j\omega}{2 + j\omega} \times \dfrac{2 - j\omega}{2 - j\omega} = \dfrac{j2\omega(2 - j\omega)}{2^2 - (j\omega)^2}$

$= \dfrac{2\omega^2 + j4\omega}{2^2 + \omega^2}$

**정답** ④

## 16 임피던스 $Z = 15 + j4[\Omega]$ 의 회로에

$I = 5(2 + j)[A]$ 의 전류를 흘리는 데 필요한 전압

$V[V]$ 는?

① $10(26 + j23)$　　② $10(34 + j23)$

③ $5(26 + j23)$　　④ $5(34 + j23)$

**풀이** $V = Z \cdot I = (15 + j4) \cdot 5(2 + j) = 5(15 + j4)(2 + j)$

$= 5(26 + j23)$

**정답** ③

*17* 그림과 같은 회로에서 $a - b$ 양단 간의
전압은 몇 [V]인가?

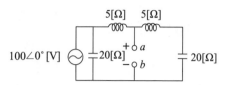

① 80          ② 90

③ 120         ④ 150

**풀이** 전류: $I = \dfrac{100}{j5 + j5 - j20} = \dfrac{100}{-j10} = j10[A]$

     $ab$의 전압: $V_{ab} = (j5 - j20) \times j10 = -j15 \times j10$

                    $= 150[V]$

**정답** ④

## 01

(1)  $3i + (1 - 4i) = (0 + 1) + (3 - 4)i = 1 - i$    정답  $1 - i$

(2)  $(5 - 3i) + (2 - 7i) = (5 + 2) + (-3 - 7)i = 7 - 10i$    정답  $7 - 10i$

(3)  $(4 + 3i) - (2 - 5i) = (4 - 2) + (3 + 5)i = 2 + 8i$    정답  $2 + 8i$

(4)  $(-9 - 3i) - (5 - 2i) = (-9 - 5) + (-3 + 2)i = -14 - i$    정답  $-14 - i$

## 02

(1)  $(1 - i)(2 + 3i) = 2 + 3i - 2i - 3i^2 = 2 + 3i - 2i + 3 = 5 + i$    정답

(2)  $(-2 + 3i)(5 - 6i) = -10 + 12i + 15i - 18i^2 = -10 + 12i + 15i + 18 = 8 + 27i$    정답  $8 + 27i$

(3)  $(\sqrt{3} - 2i)(\sqrt{3} + 2i) = (\sqrt{3})^2 - (2i)^2 = 3 - 4i^2 = 3 + 4 = 7$    정답  $7$

(4)  $(1 + 2i)^2 = 1 + 4i + 4i^2 = 1 + 4i - 4 = -3 + 4i$    정답  $-3 + 4i$

## 03

(1)  $\dfrac{1}{2 + 3i} = \dfrac{2 - 3i}{(2 + 3i)(2 - 3i)} = \dfrac{2 - 3i}{4 - 9i^2} = \dfrac{2 - 3i}{13} = \dfrac{2}{13} - \dfrac{3}{13}i$    정답  $\dfrac{2}{13} - \dfrac{3}{13}i$

(2)  $\dfrac{1}{4 - 5i} = \dfrac{4 + 5i}{(4 - 5i)(4 + 5i)} = \dfrac{4 + 5i}{16 - 25i^2} = \dfrac{4 + 5i}{41} = \dfrac{4}{41} + \dfrac{5}{41}i$    정답  $\dfrac{4}{41} + \dfrac{5}{41}i$

(3)  $\dfrac{1 + i}{2 - i} = \dfrac{(1 + i)(2 + i)}{(2 - i)(2 + i)} = \dfrac{2 + i + 2i + i^2}{4 - i^2} = \dfrac{1 + 3i}{5} = \dfrac{1}{5} + \dfrac{3}{5}i$    정답  $\dfrac{1}{5} + \dfrac{3}{5}i$

(4)  $\dfrac{8i}{1 + 4i} = \dfrac{8i(1 - 4i)}{(1 + 4i)(1 - 4i)} = \dfrac{8i - 32i^2}{1 - 16i^2} = \dfrac{32 + 8i}{17} = \dfrac{32}{17} + \dfrac{8}{17}i$    정답  $\dfrac{32}{17} + \dfrac{8}{17}i$

# 29 복소평면

## 1. 복소수를 기하학적으로 표현하기 위해 개발된 좌표평면

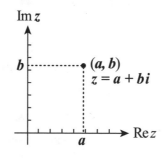

베셀의 복소평면

✓ $j^2 = -1$ 인 이유

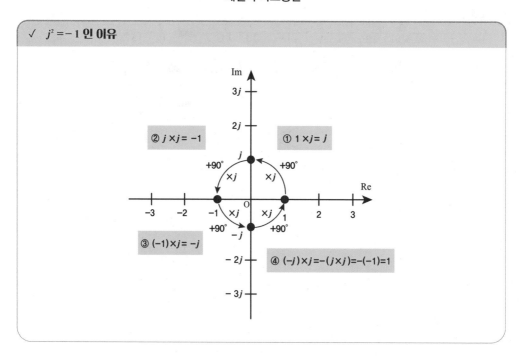

② $j \times j = -1$

① $1 \times j = j$

③ $(-1) \times j = -j$

④ $(-j) \times j = -(j \times j) = -(-1) = 1$

## 기본문제

### *01* 복소평면으로 나타내시오.

(1) $3+2i$

(2) $3i$

(3) $3$

(4) $\dfrac{1}{j10}$

### *02* 위상으로 나타내시오.

(1) $3+2i$

(2) $3i$

(3) $3$

(4) $\dfrac{1}{j10}$

## 기출문제

### *01*  나이퀴스트 선도에서의 임계점 $(-1,\ j0)$에 대응하는 보드선도에서의 이득과 위상은?

① $1[\text{dB}]$, $0°$

② $0[\text{dB}]$, $-90°$

③ $0[\text{dB}]$, $90°$

④ $0[\text{dB}]$, $-180°$

**풀이** 나이퀴스트 곡선의 이득과 위상
- 이득 $= 20\log|G| = 20\log 1 = 0[\text{dB}]$
- 위상 $= -180°$ 또는 $180°$

**정답** ④

### *02*  주파수 전달 함수 $G(j\omega) = \dfrac{1}{j100\omega}$ 인 제어계에서 $\omega = 0.1[\text{rad/s}]$일 때의 이득[dB]과 위상차는?

① $40$, $90°$

② $-40$, $-90°$

③ $-20$, $-90°$

④ $20$, $90°$

**풀이** $G(j\omega) = \dfrac{1}{j100\omega}$

$g = 20\log|G(j\omega)| = 20\log\left|\dfrac{1}{j100\omega}\right|$

$= 20\log\left|\dfrac{1}{j10}\right| = 20\log\dfrac{1}{10} = -20[\text{dB}]$

$\theta = \angle G(j\omega) = \angle\dfrac{1}{j100\omega} = \angle\dfrac{1}{j10} = -90°$

**정답** ③

## 01

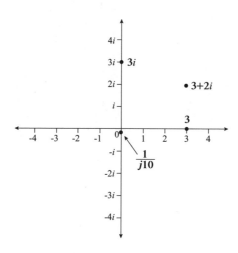

## 02

(1)  $\tan\theta = \dfrac{2}{3} \rightarrow \tan^{-1}\dfrac{2}{3} = \theta$

   정답  $\theta = 0.58800260354$ (계산기 사용)

(2)  정답  $90°$ or $-270°$

(3)  정답  $0°$

(4)  $\dfrac{1}{j10} = \dfrac{j \times 1}{j \times j10} = -j\dfrac{1}{10}$    정답  $270°$ or $-90°$

# 30 직교좌표와 극좌표

## 1. 직교좌표와 극좌표

> ✓ **직교좌표와 극좌표**
>
> • **직교좌표**: 서로 직교하는 가로축과 세로축의 값으로 좌표를 나타낸다 $(x, y)$.
>
> • **극좌표**: 중심으로부터의 '길이'와 '각도' 값으로 좌표를 나타낸다 $(r \angle \theta)$.

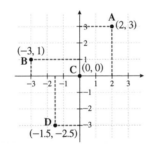

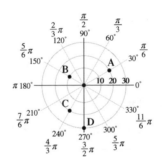

$$A(2, 3)$$
$$B(-3, 1)$$
$$C(0, 0)$$
$$D(-1.5, -2.5)$$

$$A\left(20 \angle \frac{\pi}{6}\right)$$
$$B\left(10 \angle \frac{5\pi}{6}\right)$$
$$C\left(20 \angle \frac{4\pi}{3}\right)$$
$$D\left(30 \angle \frac{3\pi}{2}\right)$$

직교좌표 $(x, y)$는 복소수 $x + jy$로 나타낼 수 있다.

같은 점을 표현하는 방식은 두가지다. 직교좌표, 극좌표.

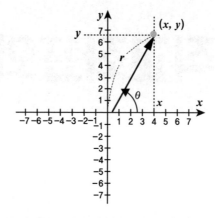

✓ **극직 변환 공식**

극좌표 $(r \angle \theta) \rightarrow$ 직교좌표 $[(r\cos\theta, r\sin\theta) = r\cos\theta + jr\sin\theta]$

직교좌표 $[(x, y) = x + jy] \rightarrow$ 극좌표 : $\sqrt{x^2 + y^2} \angle \tan^{-1}\dfrac{y}{x}$

## 2. 좌표계 변환

### (1) 극좌표→직교좌표

점을 극좌표로 표현하면 $r \angle \theta$ 이다. 이를 직교좌표로 변환해 보자. 삼각함수의 정의에 의해

$$\cos\theta = \frac{x}{r}, \ \sin\theta = \frac{y}{r}$$

가 된다. 양변에 $r$을 곱한 후, 좌변과 우변을 서로 바꾸면 다음과 같은 변환 공식이 나온다.

$$x = r\cos\theta, \ y = r\sin\theta$$

지금까지 공부한 내용을 정리하면 다음과 같다.

$$r \angle \theta = (r\cos\theta, r\sin\theta) = r\cos\theta + jr\sin\theta$$

### (2) 직교좌표→극좌표

점을 직교좌표로 표현하면 $(x, y) = x + jy$이다. 이를 극좌표로 변환한다. 점과 원점을 이은 선분을 빗변으로 하는 직각삼각형에서 피타고라스 정리를 이용하면,

$$r = \sqrt{x^2 + y^2}$$

삼각함수의 정의에서

$$\tan\theta = \frac{y}{x}$$

이다. 삼각함수는 각도로부터 원 위의 점의 $x$좌표와 $y$좌표의 비를 계산하지만 역삼각함수는 원 위의 점의 $x$좌표와 $y$좌표의 비로부터 각도를 계산해내는 것이다.

$$\tan\theta = \frac{y}{x}$$

삼각함수의 정의로부터 역삼각함수를 구하면 다음과 같다. 자리를 바꾼다.

$$\overbrace{\tan^{-1}}^{\text{아그탄젠트}} = \frac{y}{x} = \theta$$

$$(x, y) = x + jy = \sqrt{x^2 + y^2} \angle \tan^{-1}\frac{y}{x}$$

# 3. 복소수의 크기

$z = a + bi$ 이라고 할 때 복소수 $z$의 크기는 $|Z| = \sqrt{a^2 + b^2}$ 이다.

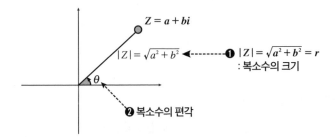

✓ **극직 변환 공식 이용**

극좌표 $(r\angle\theta) \rightarrow$ 직교좌표 $[(r\cos\theta, r\sin\theta) = r\cos\theta + jr\sin\theta]$

**직교좌표** $[(x, y) = x + y] \rightarrow$ **극좌표** : $\sqrt{x^2 + y^2} \angle \tan^{-1}\frac{y}{x}$

# 4. 페이저

### (1) 실수 신호인 $x(t)$

$$x(t) = A\cos(\omega t + \theta)$$

### (2) 실수 신호 $x(t)$를 복소수로 가정할 때 신호

$A\cos(\omega t + \theta) + jA\sin(\omega t + \theta)$ (직교형식)

$Ae^{j(\omega t + \theta)}$ (지수형식)

$A\angle(\omega t + \theta)$ (극형식)

### (3) 복소 페이저 표현(시간항 $\omega t$ 제거)

$X = A\cos\theta + jA\sin\theta$ (직교형식)

$\quad = Ae^{j\theta}$ (지수형식)

$\quad = A\angle\theta$ (극형식)

전기공학에서는 $\omega t$ 를 생략하여 페이저 식으로 간단하게 나타내기도 한다.

## 기본문제

### *01* 직교좌표를 극좌표로 변환하시오.

(1) $(2, 2)$

(2) $(3, 3\sqrt{3})$

(3) $(2\sqrt{3}, 2)$

### *02* 극좌표를 직교좌표로 변환하시오.

(1) $\left(2\angle\dfrac{\pi}{6}\right)$

(2) $\left(6\angle\dfrac{\pi}{3}\right)$

(3) $\left(5\angle\dfrac{\pi}{2}\right)$

**01** 불평형 3상 전류가 다음과 같을 때 역상 전류 $I_2$는 약 몇 [A]인가?

> $I_a = 15 + j2[\text{A}]$
> $I_b = -20 - j14[\text{A}]$
> $I_c = -3 + j10[\text{A}]$

① $1.91 + j6.24$   ② $2.17 + j5.34$

③ $3.38 - j4.26$   ④ $4.27 - j3.68$

**풀이** 역상전류

$I_2 = \frac{1}{3}(I_a + a^2 I_b + a I_c)$

$= \frac{1}{3}\{(15+j2) + (-20-j14)(\angle -120°)$

$\quad + (-3+j10)(\angle 120°)\}$

$= 1.91 + j6.24$

$\left(\angle 120° = \cos 120° + j\sin 120° = -\frac{1}{2} + j\frac{\sqrt{3}}{2}\right)$

**정답** ①

**02** $v = 100\sqrt{2}\sin\left(\omega t + \frac{\pi}{3}\right)[\text{V}]$를 복소수로 나타내면?

① $25 + j25\sqrt{3}$   ② $50 + j25\sqrt{3}$

③ $25 + j5\sqrt{3}$   ④ $50 + j50\sqrt{3}$

**풀이** $v = 100\sqrt{2}\sin\left(\omega t + \frac{\pi}{3}\right)$를 실효값 정지 벡터로

표시하면,

$v = 100\angle\frac{\pi}{3} = 100(\cos 60° + j\sin 60°)$

$= 50 + j50\sqrt{3}[\text{V}]$

**정답** ④

**03** 복소수 $I_1 = 10\angle \tan^{-1}\frac{4}{3}$,

$I_2 = 10\angle \tan^{-1}\frac{3}{4}$ 일 때 $I = I_1 + I_2$ 는 얼마인가?

① $-2 + j2$   ② $14 + j14$

③ $14 + j4$   ④ $14 + j3$

**풀이** $I_1 = 10\angle \tan^{-1}\frac{4}{3} = 10\angle 53.13°$

$I_2 = 10\angle \tan^{-1}\frac{3}{4} = 10\angle 36.87°$

$I = I_1 + I_2 = 10\angle 53.13° + 10\angle 36.87°$

$= 14 + j14$

**정답** ②

**04** 저항 $60[\Omega]$과 유도리액턴스 $\omega L = 80[\Omega]$
인 코일이 직렬로 연결된 회로에 $200[\text{V}]$의 전압을
인가할 때 전압과 전류의 위상차는?

① $48.17°$   ② $50.23°$

③ $53.13°$   ④ $55.27°$

**풀이** $Z = R + j\omega L = 60 + j80$

$= \sqrt{60^2 + 80^2} \angle \tan^{-1}\left(\frac{80}{60}\right)$

$= 100\angle 53.13°$

**정답** ③

# 기출문제

**05** 불평형 3상 전류가 $I_a = 15 + j2[A]$, $I_b = -20 - j14[A]$, $I_c = -3 + j10[A]$일 때, 정상분 전류 $I[A]$는?

① $1.91 + j6.24$  ② $-2.67j + j0.67$

③ $15.7 - j3.57$  ④ $18.4 + j12.3$

**풀이** 정상전류: $I_1 = \frac{1}{3}(I_a + aI_b + a^2 I_c)$

$= \frac{1}{3}[15 + j2 + (1\angle 120°)(-20 - j14)$
$+ (1\angle -120°)(-3 + j10)]$
$= 15.7 - j3.57[A]$

**정답** ③

**06** 어떤 회로에 $E = 200\angle \frac{\pi}{3}[V]$의 전압을 가하니 $I = 10\sqrt{3} + j10[A]$의 전류가 흘렀다. 이 회로의 무효전력[Var]은?

① 707  ② 1,000

③ 1,732  ④ 2,000

**풀이** 복소전력

$P_a = \overline{E} \cdot I = \left(200\angle -\frac{\pi}{3}\right) \times (10\sqrt{3} + j10)$
$= 3,464 + j2,000[VA]$
$\therefore P_r = 2,000[Var]$

**정답** ④

**07** $R-L$ 직렬 회로에 $e = 100\sin(120\pi t)[V]$의 전원을 연결하여 $i = 2\sin(120\pi t - 45°)[A]$의 전류가 흐르도록 하려면 저항은 몇 $[\Omega]$인가?

① 25.0  ② 35.4

③ 50.0  ④ 70.7

**풀이** 임피던스: $Z = \frac{E}{I} = \frac{\frac{100}{\sqrt{2}}\angle 0°}{\frac{2}{\sqrt{2}}\angle -45°} = 50\angle 45°$

$Z = 50(\cos 45° + j\sin 45°) = 35.36 + j35.36$

임피던스: $Z = R + jX$

$R = 35.36[\Omega], X = 35.36[\Omega]$

**정답** ②

**08** 상전압이 120[V]인 평형 3상 $Y$결선의 전원에 $Y$결선 부하를 도선으로 연결하였다. 도선의 임피던스는 $1 + j[\Omega]$이고 부하의 임피던스는 $20 + j10[\Omega]$이다. 이 때 부하에 걸리는 전압은 약 몇 [V]인가?

① $67.18 \angle - 25.4°$　　② $101.62 \angle 0°$

③ $113.14 \angle - 1.1°$　　④ $118.42 \angle - 30°$

 풀이

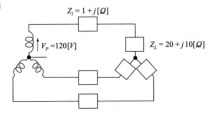

도선의 임피던스: $Z_i = 1 + j[\Omega]$

부하 임피던스: $Z_L = 20 + j10$
$$= \sqrt{20^2 + 10^2} \angle \tan^{-1}\frac{10}{20}$$
$$= 22.36 \angle 26.565°$$

합성 임피던스: $Z = Z_i + Z_L = 1 + j + 20 + j10$
$$= 21 + j11$$
$$= \sqrt{21^2 + 11^2} \angle \tan^{-1}\frac{11}{21}$$
$$= 23.71 \angle 27.646°$$

부하전압: $V_L = I_P Z_L = \dfrac{V_P}{Z} \cdot Z_L$
$$= \frac{120 \angle 0°}{23.71 \angle 27.646°} \times 22.36 \angle 26.565°$$
$$= 113.14 \angle - 1.1°$$

정답　③

**09** 2차로 환산한 임피던스가 각각 $0.03 + j0.02[\Omega]$, $0.02 + j0.03[\Omega]$인 단상 변압기 2대를 병렬로 운전시킬 때 분담 전류는?

① 크기는 같으나 위상이 다르다.

② 크기와 위상이 같다.

③ 크기는 다르나 위상이 같다.

④ 크기와 위상이 다르다.

풀이 　$0.03 + j0.02 = \sqrt{0.03^2 + 0.02^2} \angle \tan^{-1}\frac{0.02}{0.03}$
$$= 0.036 \angle 33.69°$$
$$0.02 + j0.03 = \sqrt{0.02^2 + 0.03^2} \angle \tan^{-1}\frac{0.03}{0.02}$$
$$= 0.036 \angle 56.31°$$

따라서, 두 임피던스는 같으나 위상각이 다르기 때문에 전류도 크기는 같으나 위상이 다르게 된다.

정답　①

**10** $v_1 = 20\sqrt{2} \sin \omega t[V]$,

$v_2 = 50\sqrt{2} \cos\left(\omega t - \dfrac{\pi}{6}\right)[V]$일 때 $v_1 + v_2$의 실효값은?

① $\sqrt{1,400}$　　　　② $\sqrt{2,400}$

③ $\sqrt{2,900}$　　　　④ $\sqrt{3,900}$

풀이 　$v_2$을 sin 함수로 변환하면
$$v_2 = 50\sqrt{2} \cdot \sin\left(\omega t - \frac{\pi}{6} + \frac{\pi}{2}\right)$$
$$= 50\sqrt{2} \cdot \sin\left(\omega t + \frac{\pi}{3}\right)$$

$v_1$과 $v_2$의 실효값
$$v_1 = 20 \angle 0° = 20(\cos 0° + j\sin 0°) = 20$$
$$v_2 = 50 \angle 60° = 50(\cos 60° + j\sin 60°)$$
$$= 25 + j25\sqrt{3}$$
$$v = v_1 + v_2 = 45 + j25\sqrt{3} = \sqrt{45^2 + (25\sqrt{3})^2}$$
$$= \sqrt{3,900}[V]$$

정답　④

## 11 그림과 같은 회로에서 전류 $I$[A]는?

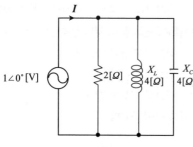

① 0.2
② 0.5
③ 0.7
④ 0.9

**풀이** 저항 $2[\Omega]$에 흐르는 전류: $I_R = \dfrac{1\angle 0°}{2} = 0.5[A]$

인덕턴스 $4[\Omega]$에 흐르는 전류: $I_L = \dfrac{1\angle 0°}{j4}$
$\qquad\qquad\qquad\qquad\qquad = -j0.25[A]$

콘덴서 $4[\Omega]$에 흐르는 전류: $I_C = \dfrac{1\angle 0°}{-j4} = j0.25[A]$

전체 전류: $I = I_R + I_L + I_C = 0.5 - j0.25 + j0.25$
$\qquad\qquad = 0.5[A]$

정답 ②

## 12 10[kVA], 2000/10[V] 변압기 1차 환산등가 임피던스가 $6.2 + j7[\Omega]$일 때 %임피던스 강하[%]는?

① 약 9.4
② 약 8.35
③ 약 6.75
④ 약 2.3

**풀이** %임피던스 강하: $z = \dfrac{PZ}{10V^2} \times 100$

($V$ : 정격전압, $P$ : 전력, $Z$ : 임피던스)
$Z = 6.2 + j7$이므로
$|Z| = \sqrt{R^2 + X^2} = \sqrt{6.2^2 + 7^2} = 9.35[\Omega]$
$\therefore \%Z = \dfrac{ZP}{10V^2} = \dfrac{9.35 \times 10}{10 \times 2^2} = 2.33[\%]$

정답 ④

## 13 한 상의 임피던스가 $6 + j8[\Omega]$인 △부하에 대칭 선간전압 200[V]를 인가한 경우의 3상 전력은 몇 [W]인가?

① 2400
② 4157
③ 7200
④ 12470

**풀이** $I = \dfrac{E}{|Z|} = \dfrac{200}{|6 + j8|} = \dfrac{200}{\sqrt{6^2 + 8^2}} = 20[A]$

$\therefore P = 3I^2R = 3 \times 20^2 \times 6 = 7200[W]$

정답 ③

## 01

(1) 직교좌표 $(2, 2)$ 으로 주어졌을 때, 이것을 극좌표로 변환하면

$$r = \sqrt{x^2 + y^2} = \sqrt{2^2 + 2^2} = \sqrt{8}$$

$$\theta = \tan^{-1}\frac{y}{x} = \tan^{-1}\frac{2}{2} = \tan^{-1}1 = \frac{\pi}{4}$$

정리하면　**정답**　$r\angle\theta = \sqrt{8}\angle\frac{\pi}{4}$

(2) 직교좌표 $(3, 3\sqrt{3})$ 으로 주어졌을 때, 이것을 극좌표로 변환하면

$$r = \sqrt{x^2 + y^2} = \sqrt{3^2 + (3\sqrt{3})^2} = \sqrt{9 + 9 \cdot 3} = \sqrt{36} = 6$$

$$\theta = \tan^{-1}\frac{y}{x} = \tan^{-1}\frac{3\sqrt{3}}{3} = \tan^{-1}\sqrt{3} = \frac{\pi}{3}$$

정리하면　**정답**　$r\angle\theta = 6\angle\frac{\pi}{3}$

(3) 직교좌표 $(2\sqrt{3}, 2)$ 으로 주어졌을 때, 이것을 극좌표로 변환하면

$$r = \sqrt{x^2 + y^2} = \sqrt{(2\sqrt{3})^2 + 2^2} = \sqrt{4 \cdot 3 + 4} = \sqrt{16} = 4$$

$$\theta = \tan^{-1}\frac{y}{x} = \tan^{-1}\frac{2}{2\sqrt{3}} = \tan^{-1}\frac{1}{\sqrt{3}} = \frac{\pi}{6}$$

정리하면　**정답**　$r\angle\theta = 4\angle\frac{\pi}{6}$

## 02

(1) 극좌표 $6\angle\frac{\pi}{6}$ 로 주어졌을 때, 이것을 직교좌표로 변환하면

$$x = r\cos\theta = 6\cos\frac{\pi}{6} = 6 \cdot \frac{\sqrt{3}}{2} = 3\sqrt{3}$$

$$y = r\sin\theta = 6\sin\frac{\pi}{6} = 6 \cdot \frac{1}{2} = 3$$

이 된다. 정리하면　**정답**　$x + jy = 3\sqrt{3} + j3$

(2) 극좌표 $6\angle\dfrac{\pi}{3}$ 로 주어졌을 때, 이것을 직교좌표로 변환하면

$$x = r\cos\theta = 6\cos\dfrac{\pi}{3} = 6 \cdot \dfrac{1}{2} = 3$$

$$y = r\sin\theta = 6\sin\dfrac{\pi}{3} = 6 \cdot \dfrac{\sqrt{3}}{2} = 3\sqrt{3}$$

이 된다. 정리하면 　정답　 $x + jy = 3 + j3\sqrt{3}$

(3) 극좌표 $5\angle\dfrac{\pi}{2}$ 로 주어졌을 때, 이것을 직교좌표로 변환하면

$$x = r\cos\theta = 5\cos\dfrac{\pi}{2} = 5 \cdot 0 = 0$$

$$y = r\sin\theta = 5\sin\dfrac{\pi}{2} = 5 \cdot 1 = 5$$

이 된다. 정리하면 　정답　 $x + jy = 0 + j5 = j5$

# 31

# 극좌표 계산

## 1. 극좌표 계산

① **곱셈**: 길이는 곱셈, 각도는 덧셈  $(r_1 \angle \theta_1)(r_2 \angle \theta_2) = r_1 r_2 \angle (\theta_1 + \theta_2)$

② **나눗셈**: 길이는 나눗셈, 각도는 뺄셈  $\dfrac{r_1 \angle \theta_1}{r_2 \angle \theta_2} = \dfrac{r_1}{r_2} \angle (\theta_1 - \theta_2)$.

③ **덧셈, 뺄셈**: 직교좌표로 변환해서 계산

$$z_1 = 6 \angle \frac{\pi}{6},\ z_2 = 2 \angle \left(-\frac{\pi}{3}\right) \text{일 때,}$$

$$z_1 z_2 = \left(6 \angle \frac{\pi}{6}\right)\left\{2 \angle \left(-\frac{\pi}{3}\right)\right\} = 6 \cdot 2 \angle \left\{\frac{\pi}{6} + \left(-\frac{\pi}{3}\right)\right\} = 12 \angle \left(-\frac{\pi}{6}\right)$$

$$\frac{z_1}{z_2} = \frac{6 \angle \frac{\pi}{6}}{2 \angle \left(-\frac{\pi}{3}\right)} = \frac{6}{2} \angle \left\{\frac{\pi}{6} - \left(-\frac{\pi}{3}\right)\right\} = 3 \angle \left(\frac{\pi}{2}\right)$$

## 2. 오일러 극좌표

$z$라는 점은 직교좌표·극좌표·지수로 표현할 수 있다.

• **직교좌표 표시**: $z = x + jy$

• **극좌표 표시**: $z = r \angle \theta$

• **지수 표시**: $z = re^{j\theta}$

## ✓ 오일러 공식

$$z = r\angle\theta = r(\cos\theta + j\sin\theta)$$
$$z = re^{j\theta} = r(\cos\theta + j\sin\theta)$$

오일러 공식에서 $e$는 자연로그의 밑 또는 네이피어의 수 등으로 불리는 상수로서 그 값은

$$e = \underbrace{\left\{1 + \frac{1}{\pi}\right\}^n}_{\text{이식에서 }n\text{을 무한대로 크게한다.}} = 2.7182818284\cdots$$

와 같다. 여기에서 $e$는 값이 $2.7182818284\cdots$인 상수이고, 원주율 $\pi = 3.1415926535\cdots$ 처럼 매우 중요한 무리수의 값이다. 소수점 두자리 숫자까지 외우는 것을 추천한다.

## ✓ 페이저

① 실수 신호인 $x(t)$

　$x(t) = A\cos(\omega t + \theta)$

② 실수 신호인 $x(t)$를 복소수로 가정할 때의 신호

　$A\cos(\omega t + \theta) + jA\sin(\omega t + \theta)$ (직교형식)

　$Ae^{j(\omega t + \theta)}$ (지수형식)

　$A\angle(\omega t + \theta)$ (극형식)

③ 복소 페이저 표현(시간항 $\omega t$ 제거)

　$X = A\cos\theta + jA\sin\theta$ (직교형식)

　　$= Ae^{j\theta}$ (지수형식)

　　$= A\angle\theta$ (극형식)

✓지수형식이 오일러 공식을 이용한 극좌표 표현이다.

## 01

불평형 3상 전류가 다음과 같을 때 역상 전류 $I_2$는 약 몇 [A]인가?

$$I_a = 15 + j2[A]$$
$$I_b = -20 - j14[A]$$
$$I_c = -3 + j10[A]$$

① $1.91 + j6.24$　　　② $2.17 + j5.34$

③ $3.38 - j4.26$　　　④ $4.27 - j3.68$

**풀이** 역상전류

$$I_2 = \frac{1}{3}(I_a + a^2 I_b + a I_c)$$
$$= \frac{1}{3}\{(15 + j2) + (-20 - j14)(\angle - 120°)$$
$$+ (-3 + j10)(\angle 120°)\}$$
$$= 1.91 + j6.24$$
$$\left(\angle 120° = \cos 120° + j\sin 120° = -\frac{1}{2} + j\frac{\sqrt{3}}{2}\right)$$

**정답** ①

## 02

복소수 $I_1 = 10\angle \tan^{-1}\frac{4}{3}$,

$I_2 = 10\angle \tan^{-1}\frac{3}{4}$ 일 때 $I = I_1 + I_2$ 는 얼마인가?

① $-2 + j2$　　　② $14 + j14$

③ $14 + j4$　　　④ $14 + j3$

**풀이**
$$I_1 = 10\angle \tan^{-1}\frac{4}{3} = 10\angle 53.13°$$
$$I_2 = 10\angle \tan^{-1}\frac{3}{4} = 10\angle 36.87°$$
$$I = I_1 + I_2 = 10\angle 53.13° + 10\angle 36.87°$$
$$= 14 + j14$$

**정답** ②

## 03

저항 $60[\Omega]$과 유도리액턴스 $\omega L = 80[\Omega]$ 인 코일이 직렬로 연결된 회로에 $200[V]$의 전압을 인가할 때 전압과 전류의 위상차는?

① $48.17°$　　　② $50.23°$

③ $53.13°$　　　④ $55.27°$

**풀이**
$$Z = R + j\omega L = 60 + j80$$
$$= \sqrt{60^2 + 80^2} \angle \tan^{-1}\left(\frac{80}{60}\right) = 100\angle 53.13°$$

**정답** ③

## 04

불평형 3상 전류가 $I_a = 15 + j2[A]$, $I_b = -20 - j14[A]$, $I_c = -3 + j10[A]$일 때, 정상분 전류 $I[A]$는?

① $1.91 + j6.24$　　　② $-2.67 + j0.67$

③ $15.7 - j3.57$　　　④ $18.4 + j12.3$

**풀이** 정상전류 : $I_1 = \frac{1}{3}(I_a + a I_b + a^2 I_c)$
$$= \frac{1}{3}[15 + j2 + (1\angle 120°)(-20 - j14)$$
$$+ (1\angle - 120°)(-3 + j10)]$$
$$= 15.7 - j3.57[A]$$

**정답** ③

## 05

어떤 회로에 $E = 200 \angle \dfrac{\pi}{3}[\text{V}]$의 전압을

가하니 $I = 10\sqrt{3} + j10[\text{A}]$의 전류가 흘렀다.

이 회로의 무효전력$[\text{Var}]$은?

① 707        ② 1,000

③ 1,732      ④ 2,000

**풀이** 복소전력 : $P_a = \overline{E} \cdot I$

$$= \left(200 \angle -\dfrac{\pi}{3}\right) \times (10\sqrt{3} + j10)$$

$$= 3,464 + j2,000[\text{VA}]$$

$$\therefore P_r = 2,000[\text{Var}]$$

정답 ④

## 06

어떤 회로의 단자 전압 및 전류의 순시값이

$v = 220\sqrt{2}\sin\left(377t + \dfrac{\pi}{4}\right)[\text{V}]$,

$i = 5\sqrt{2}\sin\left(377t + \dfrac{\pi}{3}\right)[\text{A}]$일 때 복소 임피던스는

약 몇 $[\Omega]$인가?

① $42.5 - j11.4$      ② $42.5 - j9$

③ $50 + j11.4$      ④ $50 - j11.4$

**풀이** 전압 및 전류를 극형식으로 나타내면 다음과 같다.

$$\dot{V} = \dfrac{220\sqrt{2}}{\sqrt{2}} \angle \dfrac{\pi}{4}, \dot{i} = \dfrac{5\sqrt{2}}{\sqrt{2}} \angle \dfrac{\pi}{3}$$

교류에서의 옴의 법칙은 $\dot{V} = \dot{i}\dot{Z}$ 이므로

$$\dot{Z} = \dfrac{\dot{V}}{\dot{i}} = \dfrac{220 \angle 45°}{5 \angle 60°} = 44 \angle -15°$$

$$= 42.5 - j11.4[\Omega]$$

정답 ①

## 07

$e_1 = 6\sqrt{2}\sin\omega t[\text{V}]$, $e_2 = 4\sqrt{2}\sin$

$(\omega t - 60°)[\text{V}]$일 때 $e_1 - e_2$의 실효값$[\text{V}]$은?

① $2\sqrt{2}$       ② 4

③ $2\sqrt{7}$       ④ $2\sqrt{13}$

**풀이**   $V_1 = 6 \angle 0°$       $V_2 = 4 \angle -60°$

$$V = V_1 - V_2 = 6 \angle 0° - (4 \angle -60°)$$

$$= 6 - (2 - j3.46) = 4 + j3.46$$

$$= \sqrt{(4)^2 + (3.46)^2} = 5.29$$

$$= 2\sqrt{7}$$

정답 ③

## 08

$R-L$ 직렬 회로에 $e = 100\sin(120\pi t)[\text{V}]$

의 전원을 연결하여 $I = 2\sin(120\pi t - 45°)[\text{A}]$의

전류가 흐르도록 하려면 저항은 몇 $[\Omega]$인가?

① 25.0       ② 35.4

③ 50.0       ④ 70.7

**풀이** 임피던스 : $Z = \dfrac{E}{I} = \dfrac{\dfrac{100}{\sqrt{2}} \angle 0°}{\dfrac{2}{\sqrt{2}} \angle -45°} = 50 \angle 45°$

$$Z = 50(\cos 45° + j\sin 45°) = 35.36 + j35.36$$

임피던스 : $Z = R + jX$

$$R = 35.36[\Omega], X = 35.36[\Omega]$$

정답 ②

**09** 상전압이 $120[V]$인 평형 3상 $Y$결선의 전원에 $Y$결선 부하를 도선으로 연결하였다. 도선의 임피던스는 $1 + j[\Omega]$이고 부하의 임피던스는 $20 + j10[\Omega]$이다. 이 때 부하에 걸리는 전압은 약 몇 $[V]$인가?

① $67.18\angle - 25.4°$  　　② $101.62\angle 0°$

③ $113.14\angle - 1.1°$  　　④ $118.42\angle - 30°$

**풀이**

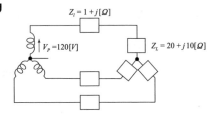

도선의 임피던스 : $Z_l = 1 + j[\Omega]$

부하 임피던스 : $Z_L = 20 + j10$

$$= \sqrt{20^2 + 10^2} \angle \tan^{-1}\frac{10}{20}$$
$$= 22.36 \angle 26.565°$$

합성 임피던스 : $Z = Z_l + Z_L = 1 + j + 20 + j10$

$$= 21 + j11$$
$$= \sqrt{21^2 + 11^2} \angle \tan^{-1}\frac{11}{21}$$
$$= 23.71 \angle 27.646°$$

부하전압 : $V_L = I_P Z_L = \frac{V_P}{Z} \cdot Z_L$

$$= \frac{120\angle 0°}{23.71\angle 27.646°} \times 22.36 \angle 26.565°$$
$$= 113.14 \angle - 1.1°$$

**정답** ③

**10** $v_1 = 20\sqrt{2}\sin\omega t[V]$,

$v_2 = 50\sqrt{2}\cos\left(\omega t - \frac{\pi}{6}\right)[V]$일 때 $v_1 + v_2$의

실효값은?

① $\sqrt{1,400}$  　　　② $\sqrt{2,400}$

③ $\sqrt{2,900}$  　　　④ $\sqrt{3,900}$

**풀이**  $v_2$을 $\sin$ 함수로 변환하면

$$v_2 = 50\sqrt{2} \cdot \sin\left(\omega t - \frac{\pi}{6} + \frac{\pi}{2}\right)$$
$$= 50\sqrt{2} \cdot \sin\left(\omega t + \frac{\pi}{3}\right)$$

$v_1$과 $v_2$의 실효값

$v_1 = 20\angle 0° = 20(\cos 0° + j\sin 0°) = 20$
$v_2 = 50\angle 60° = 50(\cos 60° + j\sin 60°)$
$\quad = 25 + j25\sqrt{3}$
$v = v_1 + v_2 = 45 + j25\sqrt{3} = \sqrt{45^2 + (25\sqrt{3})^2}$
$\quad = \sqrt{3,900}[V]$

**정답** ④

## 11

그림과 같은 회로에서 전류 $I[A]$는?

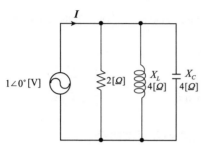

$1∠0°[V]$  $2[Ω]$  $X_L$ $4[Ω]$  $X_C$ $4[Ω]$

① 0.2    ② 0.5    ③ 0.7    ④ 0.9

**풀이** 저항 2[Ω]에 흐르는 전류: $I_R = \dfrac{1∠0°}{2} = 0.5[A]$

인덕턴스 4[Ω]에 흐르는 전류: $I_L = \dfrac{1∠0°}{j4}$
$$= -j0.25[A]$$

콘덴서 4[Ω]에 흐르는 전류: $I_C = \dfrac{1∠0°}{-j4} = j0.25[A]$

전체 전류: $I = I_R + I_L + I_C = 0.5 - j0.25 + j0.25$
$$= 0.5[A]$$

**정답** ②

## 12

$e^{j\frac{2}{3}\pi}$와 같은 것은?

① $\dfrac{1}{2} - j\dfrac{\sqrt{3}}{2}$    ② $-\dfrac{1}{2} - j\dfrac{\sqrt{3}}{2}$

③ $-\dfrac{1}{2} + j\dfrac{\sqrt{3}}{2}$    ④ $\cos\dfrac{2}{3}\pi + \sin\dfrac{2}{3}\pi$

**풀이** 복소수 표현법에 의해 $Ae^{j\theta} = A(\cos\theta + j\sin\theta)$의 표현이므로

$$e^{j\frac{2}{3}\pi} = 1\left(\cos\dfrac{2\pi}{3} + j\sin\dfrac{2\pi}{3}\right) = \cos 120° + j\sin 120°$$
$$= -\dfrac{1}{2} + j\dfrac{\sqrt{3}}{2}$$

**정답** ③

# 32

# 파이, 유전율, 투자율

## 1. 파이

$$\pi = 3.14$$
$$\pi = 180°$$

## 2. 유전율

전기장에서 전기 에너지를 축적하는 물체의 능력

- $\varepsilon = \varepsilon_s \times \varepsilon_0$
- $\varepsilon$ = 유전율
- $\varepsilon_s$ = 비유전율
- $\varepsilon_0$ = 공기 중의 유전율

$$\epsilon_0 = 8.855 \times 10^{-12}$$
$$4\pi\epsilon_0 = 4 \times 3.14 \times 8.855 \times 10^{-12} = \frac{1}{9 \times 10^9}$$

기호 $\varepsilon$, $\epsilon$ 둘다 쓴다.

비유전율은 물질마다 각각의 고유한 유전율이 있는데, 고유한 특성을 반영하기 위해 곱하는 것이다.

## 3. 투자율

어떤 물질을 자기장에 놓았을 경우 상호자기장을 만들 수 있는 능력

- $B = \mu_r \mu_0 H$

- $\mu = \mu_s \times \mu_0$

- $\mu$ = 투자율

- $\mu_s$ = 비투자율

- $\mu_0$ = 공기 중의 투자율

$$\mu_0 = 4 \times \pi \times 10^{-7}$$

기호 $\mu$를 쓴다.

비투자율은 물질마다 각각의 고유한 투자율이 있는데, 고유한 특성을 반영하기 위해 곱하는 것이다.

## 01

진공 중에서 선전하 밀도 $\rho_l = 6 \times 10^{-8}$ [C/m]인 무한히 긴 직선상 선전하가 $x$축과 나란하고 $Z = 2$[m]점을 지나고 있다. 이 선전하에 의하여 반지름 5[m]인 원점에 중심을 둔 구표면 $S_0$를 통과하는 전기력선수는 얼마인가?

① $3.1 \times 10^4$    ② $4.8 \times 10^4$

③ $5.5 \times 10^4$    ④ $6.2 \times 10^4$

**풀이** $Q$전하에서 나오는 전기력선수 : $N = \dfrac{Q}{\epsilon_0} = \dfrac{\rho_l \cdot l}{\epsilon_0}$ 개

($Q$ : 전하, $\epsilon_0$ : 진공 중의 유전율($= 8.855 \times 10^{-12}$),

$\rho_l$ : 선전하밀도, $l$ : 길이)

$$l = 2 \times \sqrt{5^2 - 2^2} = 2\sqrt{21}$$

$$N = \frac{\rho_l \cdot l}{\epsilon_0} = \frac{6 \times 10^{-8} \times 2\sqrt{21}}{8.855 \times 10^{-12}} = 6.2 \times 10^4$$

**정답 ④**

## 02

극판의 면적 $S = 10$[cm²], 간격 $d = 1$[mm]의 평행판 콘덴서에 비유전율 $\varepsilon_s = 3$ 인 유전체를 채웠을 때 전압 100[V]를 인가하면 축적되는 에너지는 약 몇 [J]인가?

① $0.3 \times 10^{-7}$    ② $0.6 \times 10^{-7}$

③ $1.3 \times 10^{-7}$    ④ $2.1 \times 10^{-7}$

**풀이** 콘덴서에 축적되는 에너지

$$W = \frac{1}{2} CV^2 = \frac{1}{2} \times \frac{\epsilon S}{d} V^2$$
$$= \frac{1}{2} \times \frac{8.855 \times 10^{-12} \times 3 \times 10 \times 10^{-4}}{1 \times 10^{-3}} \times 100^2$$
$$= 1.3 \times 10^{-7} [\text{J}]$$

**정답 ③**

## 03

비유전율이 2.4인 유전체 내의 전계의 세기가 100[mV/m]이다. 유전체에 축적되는 단위체적당 정전에너지는 몇 [J/m³]인가?

① $1.06 \times 10^{-13}$    ② $1.77 \times 10^{-13}$

③ $2.32 \times 10^{-13}$    ④ $2.32 \times 10^{-11}$

**풀이** 정전에너지

콘덴서에 전하를 축적시키는데 필요한 에너지
단위체적당 정전에너지

$$W = \frac{1}{2} \epsilon E^2 = \frac{D^2}{2\epsilon} = \frac{1}{2} ED [\text{J/m}^3]\text{이므로}$$

$$W = \frac{1}{2} \epsilon E^2$$
$$= \frac{1}{2} \times 8.855 \times 10^{-12} \times 2.4 \times (100 \times 10^{-3})^2$$
$$= 1.06 \times 10^{-13} [\text{J/m}^3]$$

**정답 ①**

## 04

투자율 $\mu = \mu_0$, 굴절률 $n = 2$, 전도율 $\sigma = 0.5$ 의 특성을 갖는 매질 내부의 한 점에서 전계가 $E = 10\cos(2\pi ft)a_x$ 로 주어질 경우 전도전류와 변위 전류 밀도의 최댓값의 크기가 같아지는 전계의 주파수 $f$[GHz]는?

① 1.75    ② 2.25

③ 5.75    ④ 10.25

**풀이** 전도전류와 변위전류가 같을 때 : $\sigma = 2\pi f \varepsilon$

$$\text{주파수 } f = \frac{\sigma}{2\pi \varepsilon} = \frac{\sigma}{2\pi (n^2 \varepsilon_0)}$$
$$= \frac{0.5}{2\pi \times 2^2 \times 8.855 \times 10^{-12}}$$
$$= 2.25 \times 10^9 [\text{Hz}] = 2.25 [\text{GHz}]$$

**정답 ②**

## 05
공기 중에 있는 지름 6[cm]인 단일 도체구의 정전용량은 약 몇 [pF]인가?

① 0.34  ② 0.67

③ 3.34  ④ 6.71

**풀이** 도체구의 정전용량: $C = 4\pi\varepsilon_0 a[\text{F}]$

($C$: 정전용량, $\varepsilon_0$: 진공 중의 유전율, $a$: 반지름)

**지름 6[cm](=0.06[m])인 단일 도체구**

$C = 4\pi\varepsilon_0 a = \dfrac{1}{9 \times 10^9} \times (3 \times 10^{-2}) = \dfrac{1}{3} \times 10^{-11}$

$$4\pi\varepsilon_0 = 4 \times 3.14 \times 8.855 \times 10^{-12} = \dfrac{1}{9 \times 10^9}$$

$C = 3.3 \times 10^{-12}[\text{F}] = 3.3[pF]$

$$p(\text{피코}) = 10^{-12}$$

**정답** ③

## 06
반지름 $a$[m]의 원형 단면을 가진 도선에 전도전류 $i_c = I_c \sin 2\pi ft[\text{A}]$가 흐를 때 변위전류밀도의 최대값 $i_d$는 몇 [A/m²]가 되는가?
(단, 도전율은 $\sigma = [\text{S/m}]$이고, 비유전율은 $\epsilon_r$이다)

① $\dfrac{f\epsilon_r I_c}{18\pi \times 10^9 \sigma a^2}$  ② $\dfrac{f\epsilon_r I_c}{9\pi \times 10^9 \sigma a^2}$

③ $\dfrac{f\epsilon_r I_c}{4\pi \times 10^9 \sigma a^2}$  ④ $\dfrac{f\epsilon_r I_c}{4\pi f \times 10^9 \sigma a^2}$

**풀이** 전도전류밀도 및 변위전류 밀도

① 전도전류밀도: $\dfrac{i_c}{S} = \sigma E = \dfrac{I_c \sin \omega t}{\sqrt{2}\,S}$

② 변위전류밀도: $i_d = \dfrac{I_d}{S} = \omega \epsilon E = 2\pi f \epsilon_0 \epsilon_r E$

($\sigma$: 도전율, $E$: 전계의 세기, $I_c$: 전도전류,

$I_d$: 변위전류, $S$: 단면적, $\epsilon$: 유전율 ($\epsilon_0 \epsilon_r$),

$f$: 주파수, $\omega$: 각속도 ($= 2\pi f$))

전계의 세기: $E = \dfrac{I_c \sin \omega t}{\sigma S} = \dfrac{I_c \sin \omega t}{\sigma \pi a^2}$

**변위전류밀도 전계의 세기를 대입**

$i_d = 2\pi f \epsilon_0 \epsilon_r E = 2\pi f \epsilon_0 \epsilon_r \times \dfrac{I_c \sin \omega t}{\sigma \pi a^2}$

$\quad = \dfrac{f\epsilon_r I_c \sin \omega t}{10\pi \times 10^9 \sigma a^2}$

$$\epsilon_0 = 8.855 \times 10^{-12}$$

따라서, 최대값은 $\sin \omega t = 1$일 때 이므로

$i_d = \dfrac{f\epsilon_r I_c}{18\pi \times 10^9 \sigma a^2}$

**정답** ①

## 07

공기 중에서 코로나 방전이 3.5[kV/mm] 전계에서 발생한다고 하면, 이때 도체의 표면에 작용하는 힘은 약 몇 [N/m²]인가?

① 27

② 54

③ 81

④ 108

**풀이** 유전체 면적당 힘 : $f = \frac{1}{2}ED = \frac{\epsilon E^2}{2} = \frac{D^2}{2\epsilon}$[N/m²]

($\epsilon = \epsilon_0 \epsilon_s$ : 유전율, $E$ : 전계, $D$ : 밀도)

**전계($E$)** : 3.5[kV/mm]

$$(= 10^3 V / 10^{-3}[-m] = 10^6 [V/m])$$

$$f = \frac{\epsilon E^2}{2} = \frac{\epsilon_0 \epsilon_s E^2}{2}$$

$$= \frac{1}{2} \times 8.855 \times 10^{-12} \times 1 \times (3.5 \times 10^6)^2$$

$$= 54.24[\text{N/m}^2]$$

$\epsilon_0 = 8.855 \times 10^{-12}, \epsilon_s(공기 중) = 1$

**정답** ②

## 08

그림과 같이 반지름 $a$[m]의 한 번 감긴 원형 코일이 균일한 자속밀도 $B$[WB/m²]인 자계에 놓여 있다. 지금 코일 면을 자계와 나란하게 전류 $I$[A]를 흘리면 원형 코일이 자계로부터 받는 회전 모멘트는 몇 [N·m/rad]인가?

① $2\pi aBI$

② $\pi aBI$

③ $2\pi a^2 BI$

④ $\pi a^2 BI$

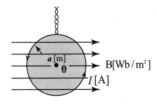

**풀이** 원형 코일의 회전 모멘트

• 자성체에 의한 토크 : $T = M \times H = MH \sin\theta$

• 도체에 의한 토크 : $T = NIBS \cos\theta$

여기서, $T = NIBS \cos\theta$

(원형코일 면적 $S = \pi a^2$

자계와의 각 = 0°, $N = 1$)

**정답** ④

## 09

유전율 $\epsilon = 8.855 \times 10^{-12}$[F/m]인 진공 중을 전자파가 전파할 때 진공 중의 투자율[H/m]은?

① $7.58 \times 10^{-5}$

② $7.58 \times 10^{-7}$

③ $12.56 \times 10^{-5}$

④ $12.56 \times 10^{-7}$

**풀이** 투자율 : $\mu_0 = 4\pi 10^{-7} = 12.56 \times 10^{-7}$

**정답** ④

## 10

철심이 든 환상 솔레노이드의 권수는 500회, 평균 반지름은 10cm, 철심의 단면적은 10cm², 비투자율 4,000이다. 이 환상 솔레노이드에 2A의 전류를 흘릴 때, 철심 내의 자속[Wb]은?

① $4 \times 10^{-3}$

② $4 \times 10^{-4}$

③ $8 \times 10^{-3}$

④ $8 \times 10^{-4}$

**풀이** 자속 $m$[Wb] $= BS$이다(여기서 $B$는 자속밀도, $S$는 단위면적이다).

또한 자속밀도 $B = \mu_r \mu_0 H$ 이다(여기서 $H$는 자계이다).

그렇다면 환상솔레노이드의 자계를 구하면 $H = \frac{NI}{2\pi r}$

이며 $N = 500$[회], $I = 2$[A], $r = 0.1$[m]이므로

$H = 1,591.549430\cdots$이다.

소수 세 번째 자리에서 반올림하면 1591.55

$B = \mu_r \mu_0 H = 4000 \times 4\pi \times 10^{-7} \times 1591.55 = 8$

$m = BS = 8 \times 10 \times 10^{-4} = 8 \times 10^{-3}$

**정답** ③

**11** 그림과 같이 단면적 $S = 10[\text{cm}^2]$, 자로의 길이 $l = 20\pi[\text{cm}]$, 비투자율 $\mu_s = 1,000$인 철심에 $N_1 = N_2 = 100$인 두 코일을 감았다. 두 코일 사이의 상호 인덕턴스는 몇 $[\text{mH}]$인가?

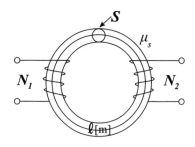

① 0.1

② 1

③ 2

④ 20

**풀이** 상호 인덕턴스 : $M = \dfrac{N_1 N_2}{R_m} = \dfrac{\mu S N_1 N_2}{l}[H]$

($N$ : 권수, $\mu$ : 투자율 $(= \mu_0 \mu_s)$, $S$ : 면적, $R_m$ : 자기저항, $l$ : 자로의 길이)

단면적 $(S) = 10[\text{cm}^2]$

자로의 길이 $(l) = 20\pi[\text{cm}](= 20\pi \times 10^{-2}[\text{m}])$

비유전율 $(\mu_s) = 1,000$, 권수 : $N_1 = N_2 = 100$

$$M = \frac{\mu S N_1 N_2}{l} = \frac{\mu_0 \mu_s S N_1 N_2}{l}[\text{H}]$$

$$= \frac{4\pi \times 10^{-7} \times 1000 \times 10 \times 10^{-4} \times 100 \times 100}{20\pi \times 10^{-2}}$$

$$\times 10^3$$

$$= 20[\text{mH}]$$

> $\mu_0 = 4\pi \times 10^{-7}$
> $10[\text{cm}^2] = 10 \times (10^{-2})^2 = 10 \times 10^{-4}[\text{m}^2]$
> $H = 10^3[\text{mH}]$

정답 ④

**12** $Ql = \pm\, 200\pi\varepsilon_0 \times 10^3[C \cdot m]$인 전기 쌍극자에서 $l$과 $r$의 사이각이 $\dfrac{\pi}{3}$이고, $r = 1$인 점의 전위$[V]$는?

① $50\pi \times 10^4$

② $50 \times 10^3$

③ $25 \times 10^3$

④ $5\pi \times 10^4$

**풀이** 전기 쌍극자에 의한 전위 : $V = \dfrac{M\cos\theta}{4\pi\epsilon_0 r^2}[V]$

전기 쌍극자 모멘트 크기 : $M = Ql$

($l$ : 두 정하 사이의 거리$[\text{m}]$)

$r = 1$이므로

$$V = \frac{M\cos\theta}{4\pi\epsilon_0 r^2} = \frac{Ql\cos\theta}{4\pi\epsilon_0 r^2} = \frac{200\pi\epsilon_0 \times 10^3 \times \cos\frac{\pi}{3}}{4\pi\epsilon_0 \times 1^2}$$

$$= 25 \times 10^3[V]$$

※ 쌍극자 전계 : $E = \dfrac{M}{4\pi r^3 \epsilon_0}\sqrt{1 + 3\cos^2\theta}[\text{V/m}]$

> $\epsilon_0 = 8.855 \times 10^{-12}$
> $4\pi\epsilon_0 = 4 \times 3.14 \times 8.855 \times 10^{-12} = \dfrac{1}{9 \times 10^9}$

정답 ③

# 33 행렬 기초

## 1. 행렬

> (행, 열) = (가로, 세로)

행렬은 수를 행과 열, 즉 가로와 세로로 정렬한 것이며, 행렬을 사용하면 많은 식을 한 곳에 모을 수 있다. 특히 연립방정식을 매우 간단하게 나타낼 수 있다.

$$A = \begin{bmatrix} 1 & 2 & 3 \\ 4 & 5 & 6 \\ 7 & 8 & 9 \end{bmatrix}$$

**행렬A의 크기 : $3 \times 3$**

그 크기를 '(행의 수) × (열의 수)'로 나타낸다. 즉, 행렬 $A$는 $3 \times 3$ 행렬이다.

행렬을 구성하는 수들을 성분이라고 한다. 각 성분의 위치는 (행, 열)로 나타낸다. 예를 들어, 행렬 $A$의 성분 4는 두 번째 행의 첫 번째 열에 있으므로 행렬 $A$의 $(2, 1)$성분이며, 행렬 $A$의 성분 6은 두 번째 행의 세 번째 열에 있으므로 행렬 $A$의 $(2, 3)$성분이다.

## 2. 행렬의 덧셈·뺄셈

> 덧셈 $\begin{bmatrix} a_1 & b_1 \\ c_1 & d_1 \end{bmatrix} + \begin{bmatrix} a_2 & b_2 \\ c_2 & d_2 \end{bmatrix} = \begin{bmatrix} a_1 + a_2 & b_1 + b_2 \\ c_1 + c_2 & d_1 + d_2 \end{bmatrix}$
>
> 뺄셈 $\begin{bmatrix} a_1 & b_1 \\ c_1 & d_1 \end{bmatrix} - \begin{bmatrix} a_2 & b_2 \\ c_2 & d_2 \end{bmatrix} = \begin{bmatrix} a_1 - a_2 & b_1 - b_2 \\ c_1 - c_2 & d_1 - d_2 \end{bmatrix}$

## 3. 행렬의 상수배

> 각 성분에 상수를 곱한다.

행렬 $A$를 $a$배 한 행렬 $aA$는 행렬 $A$의 성분을 모두 $a$배 한 것이다.

### 기본문제

**01** 두 행렬 $A = \begin{bmatrix} 1 & 2 \\ 3 & 4 \end{bmatrix}$, $B = \begin{bmatrix} 2 & 1 \\ 2 & 1 \end{bmatrix}$ 에 대하여 다음을 구해라

(1) $A + B$　　　　　(2) $A - B$　　　　　(3) $3A$

## 4. 행렬의 곱셈

행렬 곱하는 방향은 '→, ↓'이다.

$$\begin{bmatrix} \boxed{a_1} & \boxed{b_1} \\ c_1 & d_1 \end{bmatrix} \begin{bmatrix} \boxed{a_2} & b_2 \\ \boxed{c_2} & d_2 \end{bmatrix} = \begin{bmatrix} \boxed{a_1}\boxed{a_2} + \boxed{b_1}\boxed{c_2} & a_1\ b_2 + b_1\ d_2 \\ c_1\ a_2 + d_1\ c_2 & c_1\ b_2 + d_1\ d_2 \end{bmatrix}$$
(1,1) 성분의 곱셈 방법

$$\begin{bmatrix} \boxed{a_1} & \boxed{b_1} \\ c_1 & d_1 \end{bmatrix} \begin{bmatrix} a_2 & \boxed{b_2} \\ c_2 & \boxed{d_2} \end{bmatrix} = \begin{bmatrix} a_1\ a_2 + b_1\ c_2 & \boxed{a_1}\boxed{b_2} + \boxed{b_1}\boxed{d_2} \\ c_1\ a_2 + d_1\ c_2 & c_1\ b_2 + d_1\ d_2 \end{bmatrix}$$
(1,2) 성분의 곱셈 방법

$$\begin{bmatrix} a_1 & b_1 \\ \boxed{c_1} & \boxed{d_1} \end{bmatrix} \begin{bmatrix} \boxed{a_2} & b_2 \\ \boxed{c_2} & d_2 \end{bmatrix} = \begin{bmatrix} a_1\ a_2 + b_1\ c_2 & a_1\ b_2 + b_1\ d_2 \\ \boxed{c_1}\boxed{a_2} + \boxed{d_1}\boxed{c_2} & c_1\ b_2 + d_1\ d_2 \end{bmatrix}$$
(2,1) 성분의 곱셈 방법

$$\begin{bmatrix} a_1 & b_1 \\ \boxed{c_1} & \boxed{d_1} \end{bmatrix} \begin{bmatrix} a_2 & \boxed{b_2} \\ c_2 & \boxed{d_2} \end{bmatrix} = \begin{bmatrix} a_1\ a_2 + b_1\ c_2 & a_1\ b_2 + b_1\ d_2 \\ c_1\ a_2 + d_1\ c_2 & \boxed{c_1}\boxed{b_2} + \boxed{d_1}\boxed{d_2} \end{bmatrix}$$
(2,2) 성분의 곱셈 방법

$$\begin{bmatrix} a_1 & b_1 \\ c_1 & d_1 \end{bmatrix} \begin{bmatrix} a_2 & b_2 \\ c_2 & d_2 \end{bmatrix} = \begin{bmatrix} a_1\ a_2 + b_1\ c_2 & a_1\ b_2 + b_1\ d_2 \\ c_1\ a_2 + d_1\ c_2 & c_1\ b_2 + d_1\ d_2 \end{bmatrix}$$

행렬의 곱셈($2 \times 2$행렬)

이때 행렬의 곱셈이 가능하기 위한 조건이 있다. 두 행렬을 곱할 때 왼쪽 행렬의 열과 오른쪽 행렬의 수가 같아야 한다. 일반적으로 $a{\times}b$ 행렬과 $b{\times}c$ 행렬을 곱하면 $a{\times}c$ 행렬이 만들어진다.

✓ $2{\times}3$행렬과 $2{\times}3$은 행렬곱이 불가능하다.
  $2{\times}5$행렬과 $4{\times}2$은 행렬곱이 불가능하다.
  $2{\times}3$행렬과 $3{\times}2$은 행렬곱이 가능하다.
  행렬 $2{\times}3$, 행렬 $3{\times}2$이므로, 행렬 $AB$의 크기는 $2{\times}2$가 된다.

## 기본문제

### 02

(1) $\begin{bmatrix} 2 & 1 \\ 3 & 2 \end{bmatrix}\begin{bmatrix} 1 & 2 \\ 3 & 3 \end{bmatrix}$

(2) $\begin{bmatrix} 2 & 1 \\ 2 & 2 \end{bmatrix}\begin{bmatrix} 3 \\ 3 \end{bmatrix}$

(3) $\begin{bmatrix} A & B \\ C & D \end{bmatrix}\begin{bmatrix} 1 & \frac{1}{3} \\ 0 & 1 \end{bmatrix}$

(4) 두 행렬 $A = \begin{bmatrix} 1 & 1 & 1 \\ 1 & a & a^2 \\ 1 & a^2 & a \end{bmatrix}$, $B = \begin{bmatrix} 3 \\ 2 \\ 1 \end{bmatrix}$에 대하여 행렬 $\frac{1}{3}AB$ 를 구해 보자.

## 5. 단위행렬

1 같은 존재, '$I$'

왼쪽 위에서 오른쪽 아래로의 대각선($\searrow$) 위의 성분이 모두 1, 그 이외의 성분은 모두 0인 행렬을 $n$차 단위행렬이라고 하고, 기호로 $I$ 또는 $E$로 나타낸다.

✓ 이차단위행렬 : $\begin{pmatrix} 1 & 0 \\ 0 & 1 \end{pmatrix}$        삼차단위행렬 : $\begin{pmatrix} 1 & 0 & 0 \\ 0 & 1 & 0 \\ 0 & 0 & 1 \end{pmatrix}$

## 기본문제

**03** 다음 행렬을 $I$로 표현하시오.

(1) $\begin{bmatrix} 2 & 0 \\ 0 & 2 \end{bmatrix}$

(2) $\begin{bmatrix} 5 & 0 \\ 0 & 5 \end{bmatrix}$

(3) $\begin{bmatrix} 2 & 0 & 0 \\ 0 & 2 & 0 \\ 0 & 0 & 2 \end{bmatrix}$

(4) $\begin{bmatrix} 5 & 0 & 1 \\ 0 & 5 & 0 \\ 0 & 0 & 5 \end{bmatrix}$

## 기출문제

**01** 상태방정식 $\dfrac{d}{dt}x(t) = Ax(t) + Bu(t)$ 에서

$A = \begin{bmatrix} -6 & 7 \\ 2 & -1 \end{bmatrix}$ 이라면 $A$의 고유값은?

① 1, −8          ② 1, −5

③ 2, −8          ④ 2, −5

**풀이** $A$의 고유값＝특성 방정식의 해

특성 방정식

$$|sI - A| = \begin{bmatrix} s & 0 \\ 0 & s \end{bmatrix} - \begin{bmatrix} -6 & 7 \\ 2 & -1 \end{bmatrix} = \begin{vmatrix} s+6 & -7 \\ -2 & s+1 \end{vmatrix}$$
$$= (s+6)(s+1) - 14 = 0$$
$$= s^2 + 7s - 8 = 0$$
$$= (s-1)(s+8) = 0$$
$$\therefore s = 1, -8$$

**정답** ①

**02** 다음과 같은 상태 방정식의 고유값 $\lambda_1$ 과 $\lambda_2$ 는?

$$\begin{bmatrix} x_1 \\ x_2 \end{bmatrix} = \begin{bmatrix} 1 & -2 \\ -3 & 2 \end{bmatrix}\begin{bmatrix} x_1 \\ x_2 \end{bmatrix} + \begin{bmatrix} 2 & -3 \\ -4 & 3 \end{bmatrix}\begin{bmatrix} r_1 \\ r_2 \end{bmatrix}$$

① 4, −1          ② −4, 1

③ 6, −1          ④ −6, 1

**풀이** $|\lambda I - A| = \begin{bmatrix} \lambda & 0 \\ 0 & \lambda \end{bmatrix} - \begin{bmatrix} 1 & -2 \\ -3 & 2 \end{bmatrix} = \begin{vmatrix} \lambda-1 & 2 \\ 3 & \lambda-2 \end{vmatrix}$

$$= (\lambda-1)(\lambda-2) - 6 = \lambda^2 - 3\lambda - 4$$
$$= (\lambda-4)(\lambda+1) = 0$$
$$\therefore \lambda = 4, -1$$

**정답** ①

## 03

*A*, *B* 및 *C*상전류를 각각 $I_a$, $I_b$ 및 $I_c$라 할 때

$I_x = \frac{1}{3}(I_a + a^2 I_b + aI_c)$, $a = -\frac{1}{2} + j\frac{\sqrt{3}}{2}$ 으로

표시되는 $I_x$는 어떤 전류인가?

① 정상전류

② 역상전류

③ 영상전류

④ 역상전류와 영상전류의 합

**풀이** 대칭좌표법: $\begin{bmatrix} I_0 \\ I_1 \\ I_2 \end{bmatrix} = \frac{1}{3}\begin{bmatrix} 1 & 1 & 1 \\ 1 & a & a^2 \\ 1 & a^2 & a \end{bmatrix}\begin{bmatrix} I_a \\ I_b \\ I_c \end{bmatrix}$

• **영상분**: $I_0 = \frac{1}{3}(I_a + I_b + I_c)$

• **정상분**: $I_1 = \frac{1}{3}(I_a + aI_b + a^2 I_c)$

• **역상분**: $I_2 = \frac{1}{3}(I_a + a^2 I_b + aI_c)$

정답 ②

## 04

4단자 정수가 *A*, *B*, *C*, *D*인 선로에 임피던스가

$\frac{1}{Z_T}$ 인 변압기가 수전단에 접속된 경우 계통의 4단자

정수 중 $D_0$는?

① $D_0 = \frac{C + DZ_T}{Z_T}$    ② $D_0 = \frac{C + AZ_T}{Z_T}$

③ $D_0 = \frac{D + CZ_T}{Z_T}$    ④ $D_0 = \frac{B + AZ_T}{Z_T}$

**풀이** 4단자 정수: $\begin{bmatrix} A_0 & B_0 \\ C_0 & D_0 \end{bmatrix} = \begin{bmatrix} A & B \\ C & D \end{bmatrix}\begin{bmatrix} 1 & \frac{1}{Z_T} \\ 0 & 1 \end{bmatrix} = \begin{bmatrix} A & \frac{A}{Z_T} + B \\ C & \frac{C}{Z_T} + D \end{bmatrix}$

$D_0 = \frac{C + DZ_T}{Z_T}$

정답 ①

## 05

그림과 같이 10[Ω]의 저항에 권수비가

10 : 1의 결합회로를 연결했을 때 4단자정수 *A*, *B*, *C*,

*D*는?

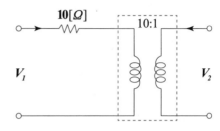

① $A = 1$, $B = 10$, $C = 0$, $D = 10$

② $A = 10$, $B = 1$, $C = 0$, $D = 10$

③ $A = 10$, $B = 0$, $C = 1$, $D = \frac{1}{10}$

④ $A = 10$, $B = 1$, $C = 0$, $D = \frac{1}{10}$

**풀이** $\begin{bmatrix} A & B \\ C & D \end{bmatrix} = \begin{bmatrix} 1 & 10 \\ 0 & 1 \end{bmatrix}\begin{bmatrix} 10 & 0 \\ 0 & \frac{1}{10} \end{bmatrix} = \begin{bmatrix} 10 & 1 \\ 0 & \frac{1}{10} \end{bmatrix}$

정답 ④

## 06

4단자 정수 $A = D = 0.8$, $B = j1.0$인 3상

송전선로에 송전단전압 160[kV]를 인가할 때 무부하

시 수전단 전압은 몇 [kV]인가?

① 154    ② 164

③ 180    ④ 200

**풀이** 전송파라미터의 4단자 정수: $\begin{bmatrix} E_s \\ I_s \end{bmatrix} = \begin{bmatrix} A & B \\ C & D \end{bmatrix}\begin{bmatrix} E_r \\ I_r \end{bmatrix}$

무부하 시 이므로 $I_r = 0$

4단자정수: $E_s = AE_r + BI_r$, $E_s = AE_r$    $\therefore E_r = \frac{1}{A}E_s$

수전단 전압: $E_r = \frac{1}{A}E_s = \frac{160}{0.8} = 200[kV]$

정답 ④

## 07

다음의 $T$형 4단자망 회로에서 $A$, $B$, $C$, $D$ 파라미터 사이의 성질 중 성립되는 대칭조건은?

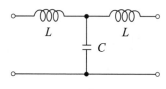

① $A=D$          ② $A=C$

③ $B=C$          ④ $B=A$

**풀이**
$$\begin{bmatrix} 1 & j\omega L \\ 0 & 1 \end{bmatrix}\begin{bmatrix} 1 & 0 \\ j\omega C & 1 \end{bmatrix}\begin{bmatrix} 1 & j\omega L \\ 0 & 1 \end{bmatrix}$$
$$= \begin{bmatrix} 1-\omega^2 LC & j\omega L(2-\omega^2 LC) \\ j\omega C & 1-\omega^2 LC \end{bmatrix}$$

대칭조건 : $A=D$

**정답** ①

## 08

어떤 2단자 쌍 회로망의 $Y$ 파라미터가 그림과 같다. $a-a'$ 단자간에 $V=36V$, $b-b'$ 단자간에 $V_2 = 24V$ 의 정전압원을 연결하였을 때 $I_2$, $I_2$ 값은? (단, $Y$파라미터의 단위는 [℧]이다)

$$
\begin{array}{c}
a \circ \xrightarrow{I_1} \quad \boxed{\begin{array}{cc} \dfrac{1}{6} & \dfrac{1}{-12} \\ \dfrac{1}{-12} & \dfrac{1}{6} \end{array}} \quad \xleftarrow{I_2} \circ b \\
V_1 \qquad\qquad\qquad\qquad V_2 \\
a' \circ \qquad\qquad\qquad\qquad \circ b'
\end{array}
$$

① $I_1 = 4[A]$, $I_2 = 5[A]$    ② $I_1 = 5[A]$, $I_2 = 4[A]$

③ $I_1 = 1[A]$, $I_2 = 4[A]$    ④ $I_1 = 4[A]$, $I_2 = 1[A]$

**풀이**
$$\begin{bmatrix} a & b \\ c & d \end{bmatrix}\begin{bmatrix} e \\ f \end{bmatrix} = \begin{bmatrix} ae + bf \\ ce + df \end{bmatrix} \text{로 구한다.}$$

$$\begin{bmatrix} I_1 \\ I_2 \end{bmatrix} = \begin{bmatrix} Y_{11} & Y_{12} \\ Y_{21} & Y_{22} \end{bmatrix}\begin{bmatrix} V_1 \\ V_2 \end{bmatrix} = \begin{bmatrix} \dfrac{1}{6} & -\dfrac{1}{12} \\ -\dfrac{1}{12} & \dfrac{1}{6} \end{bmatrix}\begin{bmatrix} 36 \\ 24 \end{bmatrix}$$

$$= \begin{bmatrix} \dfrac{1}{6} \times 36 - \dfrac{1}{12} \times 24 \\ -\dfrac{1}{12} \times 36 + \dfrac{1}{6} \times 24 \end{bmatrix} = \begin{bmatrix} 4 \\ 1 \end{bmatrix}$$

**정답** ④

## 1. 행렬~3. 행렬의 상수배 216p

## 01

(1) $A + B = \begin{bmatrix} 1+2 & 2+1 \\ 3+2 & 4+1 \end{bmatrix} = \begin{bmatrix} 3 & 3 \\ 5 & 5 \end{bmatrix}$ **정답** $\begin{bmatrix} 3 & 3 \\ 5 & 5 \end{bmatrix}$ (2) $A - B = \begin{bmatrix} 1-2 & 2-1 \\ 3-2 & 4-1 \end{bmatrix} = \begin{bmatrix} -1 & 1 \\ 1 & 3 \end{bmatrix}$ **정답** $\begin{bmatrix} -1 & 1 \\ 1 & 3 \end{bmatrix}$

(3) $3A = 3\begin{bmatrix} 1 & 2 \\ 3 & 4 \end{bmatrix} = \begin{bmatrix} 1\times 3 & 2\times 3 \\ 3\times 3 & 4\times 3 \end{bmatrix} = \begin{bmatrix} 3 & 6 \\ 9 & 12 \end{bmatrix}$ **정답** $\begin{bmatrix} 3 & 6 \\ 9 & 12 \end{bmatrix}$

## 4. 행렬의 곱셈 217p

## 02

(1) $\begin{bmatrix} 2 & 1 \\ 3 & 2 \end{bmatrix}\begin{bmatrix} 1 & 2 \\ 3 & 3 \end{bmatrix} = \begin{bmatrix} 2\times 1 + 1\times 3 & 2\times 2 + 1\times 3 \\ 3\times 1 + 2\times 3 & 3\times 2 + 2\times 3 \end{bmatrix} = \begin{bmatrix} 5 & 7 \\ 9 & 12 \end{bmatrix}$ **정답** $\begin{bmatrix} 5 & 7 \\ 9 & 12 \end{bmatrix}$

(2) $\begin{bmatrix} 2 & 1 \\ 2 & 2 \end{bmatrix}\begin{bmatrix} 3 \\ 3 \end{bmatrix} = \begin{bmatrix} 2\times 3 + 1\times 3 \\ 2\times 3 + 2\times 3 \end{bmatrix} = \begin{bmatrix} 9 \\ 12 \end{bmatrix}$ **정답** $\begin{bmatrix} 9 \\ 12 \end{bmatrix}$

(3) $\begin{bmatrix} A & B \\ C & D \end{bmatrix}\begin{bmatrix} 1 & \frac{1}{3} \\ 0 & 1 \end{bmatrix} = \begin{bmatrix} A & \frac{1}{3}A + B \\ C & \frac{1}{3}C + D \end{bmatrix}$ **정답** $\begin{bmatrix} A & \frac{1}{3}A + B \\ C & \frac{1}{3}C + D \end{bmatrix}$

(4) $AB = \begin{bmatrix} 1 & 1 & 1 \\ 1 & a & a^2 \\ 1 & a^2 & a \end{bmatrix}\begin{bmatrix} 3 \\ 2 \\ 1 \end{bmatrix} = \begin{bmatrix} 1\cdot 3 + 1\cdot 2 + 1\cdot 1 \\ 1\cdot 3 + a\cdot 2 + a^2\cdot 1 \\ 4\cdot 1 + 3\cdot a^2 + a\cdot 1 \end{bmatrix} = \begin{bmatrix} 6 \\ 3 + 2a + a^2 \\ 3 + 2a^2 + a \end{bmatrix}$

$\frac{1}{3}AB = \frac{1}{3}\begin{bmatrix} 6 \\ 3 + 2a + a^2 \\ 3 + 2a^2 + a \end{bmatrix} = \begin{bmatrix} 2 \\ \frac{3 + 2a + a^2}{3} \\ \frac{3 + 2a^2 + a}{3} \end{bmatrix}$

**정답** 행렬 $A$의 크기는 $3\times 3$, 행렬 $B$의 크기는 $3\times 1$이므로, 행렬 $AB$의 크기는 $3\times 1$가 된다.

## 5. 단위행렬 218p

## 03

(1) $\begin{bmatrix} 2 & 0 \\ 0 & 2 \end{bmatrix} = 2I$ **정답** $2I$ (2) $\begin{bmatrix} 5 & 0 \\ 0 & 5 \end{bmatrix} = 5I$ **정답** $5I$

(3) $\begin{bmatrix} 2 & 0 & 0 \\ 0 & 2 & 0 \\ 0 & 0 & 2 \end{bmatrix} = 2I$ **정답** $5I$ (4) $\begin{bmatrix} 5 & 0 & 1 \\ 0 & 5 & 0 \\ 0 & 0 & 5 \end{bmatrix}$ **정답** 1행 3열 성분이 0이 아니기 때문에 단위행렬($I$)로 표현될 수 없다.

# 34 역행렬, 판별식, 고유값, 특성방정식

## 1. 역행렬

$A = \begin{pmatrix} a & b \\ c & d \end{pmatrix}$ 일 때,

**역행렬** : $A^{-1} = \dfrac{1}{ad-bc}\begin{pmatrix} d & -b \\ -c & a \end{pmatrix}$

존재하기 위해서 분모 $ad-bc \neq 0$ 을 만족해야 한다.

이때, $ad-bc$ 를 판별식(행렬식)이라 하며 $|A|$ 라 표기

$A$에 $X$를 곱했을 때 단위행렬이 나온다. 이때 $X$를 역행렬이라 한다.

$AX = I$에서 $I$는 단위행렬이며, $X = A^{-1}$ 이라 쓸 수 있다.

### 기본문제

**01** $A = \begin{bmatrix} 3 & 2 \\ 1 & 0 \end{bmatrix}$의 역행렬은?

**02** 행렬 $A = \begin{pmatrix} 1 & 1 \\ 2 & 4 \end{pmatrix}$에 대하여 행렬 $A + 2A^{-1}$은?

① $\begin{pmatrix} -2 & 0 \\ 0 & 2 \end{pmatrix}$  　　② $\begin{pmatrix} -2 & 2 \\ 0 & 2 \end{pmatrix}$  　　③ $\begin{pmatrix} 4 & -2 \\ 4 & 0 \end{pmatrix}$  　　④ $\begin{pmatrix} 5 & 0 \\ 0 & 2 \end{pmatrix}$  　　⑤ $\begin{pmatrix} 5 & 0 \\ 0 & 5 \end{pmatrix}$

**03** 이차정사각행렬 $X$에 대하여 $\begin{pmatrix} 2 & 1 \\ 5 & 3 \end{pmatrix}X = \begin{pmatrix} 2 & 1 \\ 0 & 1 \end{pmatrix}$일 때, $X$의 모든 성분의 합은?

① 5　　　　② 3　　　　③ 0　　　　④ −3　　　　⑤ −5

222

## 2. 판별식

> ✓ **판별식(Determinant, 디터미넌트)**
>
> 행렬의 역행렬이 존재하는지 알려주는 것

$$A = \begin{bmatrix} a & b \\ c & d \end{bmatrix}$$

$$\det A = |A| = \begin{vmatrix} a & b \\ c & d \end{vmatrix}$$

$$\begin{vmatrix} a & b \\ c & d \end{vmatrix} = ad - bc$$

$$\begin{vmatrix} a & b & c \\ d & e & f \\ g & h & i \end{vmatrix} = a\begin{vmatrix} e & f \\ h & i \end{vmatrix} - b\begin{vmatrix} d & f \\ g & i \end{vmatrix} + c\begin{vmatrix} d & e \\ g & h \end{vmatrix}$$

✓ $\begin{bmatrix} a & b \\ c & d \end{bmatrix}$ 는 행렬을 뜻하고 $\begin{vmatrix} a & b \\ c & d \end{vmatrix}$ 은 판별식을 뜻하여 $ad - bc$ 로 계산해야 한다.

### 기본문제

## *04*

(1) $\begin{vmatrix} 2 & 3 \\ 1 & 5 \end{vmatrix}$

(2) $\begin{vmatrix} 3 & 0 \\ 0 & 2 \end{vmatrix}$

## 3. 고유값, 고유벡터

> $Ax = \lambda x$ 성립하는 행렬에서 $x$는 고유벡터, $\lambda$

어떤 정렬행렬은 $A$는 임의의 벡터 $x$에 곱해져서 $x$의 위치나 방향을 변환시키는 역할을 한다. 그런데 수많은 벡터들 중 어떤 특정 벡터들은 $A$에 곱해져서 그 위치나 방향이 바뀌어도 원래 자기 자신과 동일한, 혹은 평행한 방향을 갖는다. 이러한 벡터들은 고유벡터 (eigenvectors)라 한다. 이때 변환 전의 $x$와 $A$에 곱해져서 변환된 $x$의 크기는 다를 수 있으며, 그 크기는 특정 상수를 곱한 만큼의 차이가 존재할 뿐이다. 여기서 크기를 나타내는 특정 상수는 람다($\lambda$, lambda)로 표현되었으며, 람다가 바로 고유값(eigenvalue)이다.

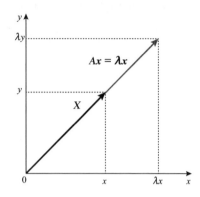

정리하자면, 고유벡터란 어떤 벡터에 선형변환을 취했을 때, 방향은 변하지 않고 크기만 변환되는 벡터를 의미하고, 고유값이란 고유벡터가 변환되는 '크기'를 의미한다.

(선형변환을 취했을 때 방향은 변할 확률은 99.999999…%이다.)

# 4. 특성방정식

$$\det(sI - A) = |sI - A| = \left\| \begin{bmatrix} s & 0 \\ 0 & s \end{bmatrix} - \begin{bmatrix} a & b \\ c & d \end{bmatrix} \right\|$$

$|sI - A| = 0$ 을 '특성방정식'이라 하고 그 해를 '고유값'이라 한다.

$|sI - A|$ 대신, $|\lambda I - A|$ 를 쓰기도 한다.

## 기본문제

**05** 각 값의 고유값을 구하라.

(1) $\begin{bmatrix} 1 & -2 \\ -3 & 2 \end{bmatrix}$ 

(2) $\begin{bmatrix} 0 & 1 \\ -2 & -3 \end{bmatrix}$

(3) $\begin{bmatrix} 0 & 1 \\ -3 & 4 \end{bmatrix}$ 

(4) $\begin{bmatrix} 1 & 3 \\ 1 & -2 \end{bmatrix}$

# 기출문제

## 01

상태방정식 $\dfrac{d}{dt}x(t) = Ax(t) + Bu(t)$ 에서

$A = \begin{bmatrix} -6 & 7 \\ 2 & -1 \end{bmatrix}$ 이라면 $A$의 고유값은?

① $1, -8$  　　　　② $1, -5$
③ $2, -8$  　　　　④ $2, -5$

**풀이** $A$의 고유값=특성 방정식의 해
특성 방정식

$|sI - A| = \begin{bmatrix} s & 0 \\ 0 & s \end{bmatrix} - \begin{bmatrix} -6 & 7 \\ 2 & -1 \end{bmatrix} = \begin{vmatrix} s+6 & -7 \\ -2 & s+1 \end{vmatrix}$
$= (s+6)(s+1) - 14 = 0$
$= s^2 + 7s - 8 = 0$
$= (s-1)(s+8) = 0$
$\therefore s = 1, -8$

정답 ①

## 02

다음과 같은 상태 방정식의 고유값 $\lambda_1$ 과 $\lambda_2$ 는?

$$\begin{bmatrix} x_1 \\ x_2 \end{bmatrix} = \begin{bmatrix} 1 & -2 \\ -3 & 2 \end{bmatrix}\begin{bmatrix} x_1 \\ x_2 \end{bmatrix} + \begin{bmatrix} 2 & -3 \\ -4 & 3 \end{bmatrix}\begin{bmatrix} r_1 \\ r_2 \end{bmatrix}$$

① $4, -1$  　　　　② $-4, 1$
③ $6, -1$  　　　　④ $-6, 1$

**풀이** $|\lambda I - A| = \begin{bmatrix} \lambda & 0 \\ 0 & \lambda \end{bmatrix} - \begin{bmatrix} 1 & -2 \\ -3 & 2 \end{bmatrix} = \begin{vmatrix} \lambda-1 & 2 \\ 3 & \lambda-2 \end{vmatrix}$
$= (\lambda-1)(\lambda-2) - 6 = \lambda^2 - 3\lambda - 4$
$= (\lambda-4)(\lambda+1) = 0$
$\therefore \lambda = 4, -1$

정답 ①

## 03

어떤 제어계의 전달함수

$G(s) = \dfrac{s}{(s+2)(s^2+2s+2)}$ 에서 안정성을 판정하면?

① 안정하다.  　　　　② 불안정하다.
③ 임계상태이다.  　　④ 알 수 없다.

**풀이** 종합 전달 함수이므로 특성 방정식은
$(s+2)(s^2+2s+2) = s^3 + 4s^2 + 6s + 4 = 0$
홀비쯔의 판별법에서
$a_0 = 1, a_1 = 4, a_2 = 6, a_3 = 4$ 이므로
$D_1 = a_1 = 4$
$D_2 = \begin{vmatrix} a_1 & a_3 \\ a_0 & a_2 \end{vmatrix} = \begin{vmatrix} 4 & 4 \\ 1 & 6 \end{vmatrix} = 24 - 4 = 20$
$D_1 > 0, D_2 > 0$ 이므로 제어계는 안정하다.

정답 ①

## 04

$A = \begin{bmatrix} 0 & 1 & 0 \\ 0 & -1 & 6 \\ -1 & -1 & -5 \end{bmatrix}$ 의 고유값은?

① $-1, -2, -3$  　　② $-2, -3, -4$
③ $-1, -2, -4$  　　④ $-1, -3, -4$

**풀이** 특성 방정식의 근이 행렬 $A$의 고유치이므로
$|sI - a| = 0$ 에서 3차 방정식을 세워 인수분해를 한다.
$|sI - A| = \begin{bmatrix} s & 0 & 0 \\ 0 & s & 0 \\ 0 & 0 & s \end{bmatrix} - \begin{bmatrix} 0 & 1 & 0 \\ 0 & -1 & 6 \\ -1 & 1 & -5 \end{bmatrix} = \begin{vmatrix} s & -1 & 0 \\ 0 & s+1 & -6 \\ 1 & 1 & s+5 \end{vmatrix}$
$= s(s+1)(s+5) + 6 + 6s$
$= s(s+1)(s+5) + 6(s+1)$
$= (s+1)[s(s+5)+6] = (s+1)(s^2+5s+6)$
$= (s+1)(s+2)(s+3)$
$(s+1)(s+2)(s+3) = 0$
$\therefore s = -1, -2, -3$
(즉, 근의 고유값은 $-1, -2, -3$이 된다)

정답 ①

**05** 상태 방정식으로 표시되는 제어계의 천이 행렬 $\Phi(t)$ 는?

$$X = \begin{bmatrix} 0 & t \\ 0 & 0 \end{bmatrix} X + \begin{bmatrix} 0 \\ 1 \end{bmatrix} u$$

① $\begin{bmatrix} 0 & t \\ 1 & 1 \end{bmatrix}$    ② $\begin{bmatrix} 1 & 1 \\ 0 & t \end{bmatrix}$

③ $\begin{bmatrix} 1 & t \\ 0 & 1 \end{bmatrix}$    ④ $\begin{bmatrix} 0 & t \\ 1 & 0 \end{bmatrix}$

**풀이** 천이행렬 $\Phi(t) = £^{-1}|sI - A|^{-1}$

$[sI - A] = \begin{bmatrix} s & 0 \\ 0 & s \end{bmatrix} - \begin{bmatrix} 0 & 1 \\ 0 & 0 \end{bmatrix} = \begin{vmatrix} s & -1 \\ 0 & s \end{vmatrix}$

$[sI - A]^{-1} = \dfrac{1}{s^2}\begin{bmatrix} s & 1 \\ 0 & s \end{bmatrix} = \begin{bmatrix} \frac{1}{s} & \frac{1}{s^2} \\ 0 & \frac{1}{s} \end{bmatrix}$

$\therefore \Phi(t) = £^{-1}[sI - A]^{-1} = £^{-1}\begin{bmatrix} \frac{1}{s} & \frac{1}{s^2} \\ 0 & \frac{1}{s} \end{bmatrix} = \begin{bmatrix} 1 & t \\ 0 & 1 \end{bmatrix}$

정답 ③

**06** 상태방정식 $\dot{X} = AX + BU$ 에서

$A = \begin{bmatrix} 0 & 1 \\ -2 & -3 \end{bmatrix}$, $B = \begin{bmatrix} 0 \\ 1 \end{bmatrix}$ 일 때 고유값은?

① $-1, -2$    ② $1, 2$

③ $-2, -3$    ④ $2, 3$

**풀이** $|sI - A|$ 의 행렬식은

$|sI - A| = \begin{vmatrix} s & -1 \\ 2 & s+3 \end{vmatrix} = s(s+3) + 2 = s^2 + 3s + 2$

$s^2 + 3s + 2 = (s+1)(s+2) = 0$

$\therefore s = -1, -2$

정답 ①

**07** $\dfrac{dx(t)}{dt} = Ax(t) + Bu(t)$, $A = \begin{bmatrix} 0 & 1 \\ -3 & 4 \end{bmatrix}$,

$B = \begin{bmatrix} 1 \\ 1 \end{bmatrix}$ 인 상태방정식에 대한 특성방정식을 구하면?

① $s^2 - 4s - 3 = 0$    ② $s^2 - 4s + 3 = 0$

③ $s^2 + 4s + 3 = 0$    ④ $s^2 + 4s - 3 = 0$

**풀이** 특성방정식 $|sI - A|$ 이므로

$\begin{bmatrix} s & 0 \\ 0 & s \end{bmatrix} - \begin{bmatrix} 0 & 1 \\ -3 & 4 \end{bmatrix} = \begin{vmatrix} s & -1 \\ 3 & s-4 \end{vmatrix}$

$= s(s-4) + 3 = s^2 - 4s + 3 = 0$

$(s-3)(s-1) = 0$

$s = 3, s = 1$ 고유값

정답 ②

**08** 선형 시불변 시스템의 상태 방정식

$\dfrac{d}{dt}x(t) = Ax(t) = Ax(t) + Bu(t)$ 에서

$A = \begin{bmatrix} 1 & 3 \\ 1 & -2 \end{bmatrix}$, $B = \begin{bmatrix} 0 \\ 1 \end{bmatrix}$ 일 때, 특성 방정식은?

① $s^2 + s - 5 = 0$    ② $s^2 - s - 5 = 0$

③ $s^2 + 3s + 1 = 0$    ④ $s^2 - 3s + 1 = 0$

**풀이** $\begin{bmatrix} \dot{x_1} \\ \dot{x_2} \end{bmatrix} = \begin{bmatrix} 1 & 3 \\ 1 & -2 \end{bmatrix}\begin{bmatrix} x_1 \\ x_2 \end{bmatrix} + \begin{bmatrix} 0 \\ 1 \end{bmatrix} u$

$|sI - A| = \begin{bmatrix} s & 0 \\ 0 & s \end{bmatrix} - \begin{bmatrix} 1 & 3 \\ 1 & -2 \end{bmatrix} = \begin{vmatrix} s-1 & -3 \\ -1 & s+2 \end{vmatrix}$

$= (s-1)(s+2) - 3 = s^2 + s - 5$

$\therefore s^2 + s - 5 = 0$

정답 ①

## 1. 역행렬　　　　　　　　　　　　　　　　　　　　　　　　　　222p

**01** $A = \begin{bmatrix} 3 & 2 \\ 1 & 0 \end{bmatrix}$의 판별식은 $-2$로 비특이행렬→역행렬 존재

　　따라서, $A$의 역행렬은 $A^{-1} = -\dfrac{1}{2}\begin{bmatrix} 0 & -2 \\ -1 & 3 \end{bmatrix} = \begin{bmatrix} 0 & 1 \\ 0.5 & -1.5 \end{bmatrix}$　　정답 $\begin{bmatrix} 0 & 1 \\ 0.5 & -1.5 \end{bmatrix}$

**02** 정답 ⑤

　　$A = \begin{pmatrix} 1 & 1 \\ 2 & 4 \end{pmatrix}$에서 $A^{-1} = \dfrac{1}{2}\begin{pmatrix} 4 & -1 \\ -2 & 1 \end{pmatrix}$　　　　$\therefore\ A + 2A^{-1} = \begin{pmatrix} 1 & 1 \\ 2 & 4 \end{pmatrix} + \begin{pmatrix} 4 & -1 \\ -2 & 1 \end{pmatrix} = \begin{pmatrix} 5 & 0 \\ 0 & 5 \end{pmatrix}$

**03** 정답 ⑤

　　$\begin{pmatrix} 2 & 1 \\ 5 & 3 \end{pmatrix}^{-1} = \begin{pmatrix} 3 & -1 \\ -5 & 2 \end{pmatrix}$이므로 $X = \begin{pmatrix} 2 & 1 \\ 5 & 3 \end{pmatrix}^{-1}\begin{pmatrix} 2 & 1 \\ 0 & 1 \end{pmatrix} = \begin{pmatrix} 3 & -1 \\ -5 & 2 \end{pmatrix}\begin{pmatrix} 2 & 1 \\ 0 & 1 \end{pmatrix} = \begin{pmatrix} 6 & 2 \\ -10 & -3 \end{pmatrix}$

## 2. 판별식　　　　　　　　　　　　　　　　　　　　　　　　　　223p

**04** $\begin{vmatrix} a & b \\ c & d \end{vmatrix} = ad - bc$

(1) $\begin{vmatrix} 2 & 3 \\ 1 & 5 \end{vmatrix} = 2 \times 5 - 3 \times 1 = 7$　　정답 **7**　　　　(2) $\begin{vmatrix} 3 & 0 \\ 0 & 2 \end{vmatrix} = 3 \times 2 - 0 \times 0 = 6$　　정답 **6**

## 3. 고유값, 고유벡터 ~ 4. 특성방정식　　　　　　　　　　　　　224p

**05**

(1) $A = \begin{bmatrix} 1 & -2 \\ -3 & 2 \end{bmatrix}$일 때 특성방정식 $|\lambda I - A| = 0$이므로

　　$|\lambda I - A| = \begin{bmatrix} \lambda & 0 \\ 0 & \lambda \end{bmatrix} - \begin{bmatrix} 1 & -2 \\ -3 & 2 \end{bmatrix} = \begin{vmatrix} \lambda - 1 & 2 \\ 3 & \lambda - 2 \end{vmatrix} = (\lambda - 1)(\lambda - 2) - 6 = \lambda^2 - 3\lambda - 4$

　　　　$= (\lambda - 4)(\lambda + 1) = 0$

　　정답 $\boldsymbol{\lambda = 4, -1}$

(2) $A = \begin{bmatrix} 0 & 1 \\ -2 & -3 \end{bmatrix}$일 때 특성방정식 $|sI - A| = 0$ 이므로

　　$|sI - A| = \begin{vmatrix} s & -1 \\ 2 & s + 3 \end{vmatrix} = s(s + 3) + 2 = s^2 + 3s + 2$　　정답 $\boldsymbol{s = -1, -2}$

　　$s^2 + 3s + 2 = (s + 1)(s + 2) = 0$

(3) $A = \begin{bmatrix} 0 & 1 \\ -3 & 4 \end{bmatrix}$ 일 때 특성방정식 $|sI - A| = 0$ 이므로

$\begin{bmatrix} s & 0 \\ 0 & s \end{bmatrix} - \begin{bmatrix} 0 & 1 \\ -3 & 4 \end{bmatrix} = \begin{bmatrix} s & -1 \\ 3 & s-4 \end{bmatrix} = s(s-4) + 3 = s^2 - 4s + 3 = 0$

$(s - 3)(s - 1) = 0$

> 정답 $s = 3, 1$

(4) $A = \begin{bmatrix} 1 & 3 \\ 1 & -2 \end{bmatrix}$ 일 때 특성방정식 $|sI - A| = 0$ 이므로

$|sI - A| = \begin{bmatrix} s & 0 \\ 0 & s \end{bmatrix} - \begin{bmatrix} 1 & 3 \\ 1 & -2 \end{bmatrix} = \begin{bmatrix} s-1 & -3 \\ -1 & s+2 \end{bmatrix}$

$= (s - 1)(s + 2) - 3 = s^2 + s - 5$

> 정답 $s^2 + s - 5 = 0$

여기서, 인수분해되지 않아 근의 공식을 써야 한다.

---

**✓ 근의 공식을 이용한 풀이**

계수가 실수인 이차방정식 $ax^2 + bx + c = 0$ 인 근은 $x = \dfrac{-b \pm \sqrt{b^2 - 4ac}}{2a}$

$a = 1, b = 1, c = -5$

$s = \dfrac{-1 \pm \sqrt{1^2 - 4(1)(-5)}}{2(1)}$

$s = \dfrac{-1 \pm \sqrt{21}}{2}$

$\therefore s = \dfrac{-1 + \sqrt{21}}{2}, \dfrac{-1 - \sqrt{21}}{2}$

# 35

# log(로그)

## 1. 로그

> ✓ **로그의 정의**
>
> $a > 0$, $a \neq 1$, $b > 0$일 때, $a^x = b$를 만족하는 $x$를 $a$를 밑으로 하는 $b$의 로그라고 하고 $x = \log_a b$라 나타낸다.
>
> 즉, $a^x = b \Leftrightarrow x = \log_a b$ ($a$ : 밑, $b$ : 진수)

> ✓ **로그의 성질**
>
> (1) $\log_{10} 10 = 1$, $\log_{10} 1 = 0$, $\log 1 = 0$
>
> (2) $\log_a xy = \log_a x + \log_a y$
>
> (3) $\log_a \dfrac{x}{y} = \log_a x - \log_a y$
>
> (4) $\log_a x^n = n \log_a x$ ($n$은 실수)
>
> (5) $\log_{a^m} b^n = \dfrac{n}{m} \log_a b$

로그는 앞에서 공부한 '지수'와 쌍을 이룬다. 예를 들어, $2^3$은

$$2^3 = \underset{3\text{개}}{2 \cdot 2 \cdot 2} = 8$$

로 계산하며, 이때 지수인 3은 밑인 2를 몇 번 곱하는가를 의미한다. 이와는 반대로 '8은 2를 몇 번 곱하면 되는가'를 의미하는 값을 로그라고 하며, log(로그)라는 기호를 사용해 $\log_2 8 = 3$이라고 쓴다. 이때 2를 밑, 8을 진수라고 한다.

| 지수 | 로그 |
|------|------|
| $8 = 2^3$ | $3 = \log_2 8$ |
| $1000 = 10^3$ | $3 = \log_{10} 1000$ |
| $16 = 2^4$ | $4 = \log_2 16$ |
| $0.01 = 10^{-2}$ | $-2 = \log_{10} 0.01$ |

밑

진수

## 2. 밑이 특별한 로그

$$\log_{10} = \log$$
$$\log_e = \ln$$

### 1) 상용로그($\log_{10} = \log$)

공학에서 수를 표기할 때 매우 큰 수나 작은 수를 10의 거듭제곱으로 나타낸다. 이러한 이유로 로그의 밑이 10일 때 편리한 경우가 많아, 밑이 10인 로그는 '상용로그'라고 특별히 이름붙이고 밑 10을 생략하여 $\log M$과 같이 나타낸다. 예를 들어 증폭기의 이득 'dB(데시벨)' 등과 같은 수치는 상용로그로 나타낸다.

### 2) 자연로그($\log_e = \ln$)

미분과 적분에서 사용되는 로그의 대부분은 이 $e$를 밑으로 하는 $\log_e$이며 이것을 자연로그라고 한다. 이 자연로그 $\log_e$를 $\ln$으로 표기하기도 한다.

✓ $\log_e 3 = \ln 3$

### 기본문제

## 01

(1) $\log_3 21 + \log_3 \dfrac{1}{7}$

(2) $\log_2 4^{10}$

(3) $20 \log \dfrac{1}{10}$

(4) $\log_3 162 - \log_3 6$

## 01
송전선로의 정전용량은 등기 선간거리 $D$가 증가하면 어떻게 되는가?

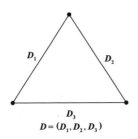

$$D = (D_1, D_2, D_3)$$

① 증가한다.
② 감소한다.
③ 변하지 않는다.
④ $D^2$에 반비례하여 감소한다.

**풀이** 정전용량 : $C = \dfrac{0.02413}{\log_{10}\dfrac{D}{r}}[\mu F/km]$

($D$ : 선간거리, $r$ : 반지름)
선간거리 $D$가 커지면 정전용량은 적어진다.

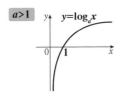

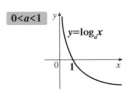

**정답** ②

## 02
$G(s) = \dfrac{1}{0.005s(0.1s+1)^2}$ 에서

$\omega = 10[\text{red/s}]$일 때의 이득 및 위상각은?

① $20[\text{dB}], -90°$  ② $20[\text{dB}], -180°$

③ $40[\text{dB}], -90°$  ④ $40[\text{dB}], -180°$

**풀이** 주파수 전달함수 : $G(j\omega) = \dfrac{1}{\dfrac{5}{1000}j\omega\left(\dfrac{1}{10}j\omega+1\right)^2}$

이득 : $g = 20\log_{10}|G(j\omega)|$

$= 20\log_{10}\left|\dfrac{1}{\dfrac{5}{1000}j\omega\left(\dfrac{1}{10}j\omega+1\right)^2}\right|$

$= 20\log_{10}\left|\dfrac{1}{\dfrac{5}{1000}\omega(\sqrt{1^2+(0.1\omega)^2})^2}\right|$

$= 20\log_{10}\left|\dfrac{1}{\dfrac{5}{1000}\omega(1+(0.1\omega)^2)}\right|$ 에서

$\omega = 10[\text{rad/sec}]$를 대입

$= 20\log_{10}\left|\dfrac{1}{\dfrac{5}{100}(1+1)}\right| = 20\log_{10}\dfrac{1}{\dfrac{1}{10}}$

$= 20\log_{10}10 = 20[\text{dB}]$
($\log_{10}10 = 1$)

주파수 전달함수의 위상은 1형 시스템은 $-90°$ 에서 궤적이 시작 $\omega = 10[\text{rad/sec}]$인 경우

$\theta = \angle G(j\omega) = -180°$ 이다.

**정답** ②

## 03

단위 부궤환 제어 시스템(Unit Negative Feedback Control System)의 개루프(Open Loop) 전달 함수 $G(s)$가 다음과 같이 주어져 있다. 이득여유가 20[dB]이면 이때의 $K$값은?

$$G(s)H(s) = \frac{K}{(s+1)(s+3)}$$

① $\frac{3}{10}$  ② $\frac{3}{20}$

③ $\frac{1}{20}$  ④ $\frac{1}{40}$

**풀이** 이득여유: $g \cdot m = 20 \log_{10} \left| \frac{1}{GH} \right|$ [dB]

$$GH(j\omega) = \frac{K}{(j\omega + 1)(j\omega + 3)}$$

$$|GH| = \left| \frac{K}{3 - \omega^2 + j4\omega} \right|_{\omega=0}$$

허수부가 0이 되는 주파수는 $\omega = 0$이므로 $|GH| = \frac{K}{3}$

$\log_{10} 10 = 1, \ \log_{10} 1 = \log 1 = 0$

**이득여유**: $g \cdot m = 20 \log_{10} \left| \frac{1}{\frac{K}{3}} \right| = 20$[dB]

$\log_{10} 10 = 1$ 그러므로 $\frac{3}{K} = 10 \rightarrow K = \frac{3}{10}$

**정답** ①

## 04

$G(s)H(s) = \dfrac{2}{(s+1)(s+2)}$ 의

이득여유[dB]는?

① 20[dB]  ② $-20$[dB]

③ 0[dB]  ④ $\infty$[dB]

**풀이** $G(s)H(s) = \dfrac{2}{(s+1)(s+2)}$ 허수부=0

에서의 크기가 1이므로, 이득 여유는

$g \cdot m = 20 \log \dfrac{1}{|G(s)H(s)|} = 20 \log 1 = 0$[dB]

$(\log_{10} 1 = 0)$

**정답** ③

## 05

나이퀴스트 선도에서의 임계점 $(-1, j0)$에 대응하는 보드선도에서의 이득과 위상은?

① 1[dB], $0°$  ② 0[dB], $-90°$

③ 0[dB], $90°$  ④ 0[dB], $-180°$

**풀이** 나이퀴스트 곡선의 이득과 위상
- 이득 $= 20 \log |G| = 20 \log 1 = 0$[dB]
- 위상 $= -180°$ 또는 $180°$

**정답** ④

## 06

전달 함수 $G(s) = \dfrac{1}{s(s+10)}$ 에 $\omega = 0.1$ 인

정현파 입력을 주었을 때 보드 선도의 이득은?

① $-40$[dB]  ② $-20$[dB]

③ 0[dB]  ④ 20[dB]

**풀이** $G(s) = \dfrac{1}{s(s+10)}$

$$G(j\omega) = \frac{1}{j\omega(j\omega + 10)}\bigg|_{\omega=0.1} = \frac{1}{j0.1 \times (j0.1 + 10)}$$

$$= \left| \frac{1}{j} \right| = 1$$

$g = 20 \log |G(j\omega)| = 20 \log 1 = 0$[dB]

$(\log_{10} 1 = 0, \log 1 = 0)$

**정답** ③

## 07

그림의 $RL$직렬회로에서 스위치를 닫은 후 몇 초 후에 회로의 전류가 10[mH]가 되는가?

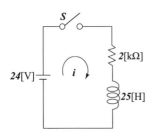

① 0.011[sec]　　　　② 0.016[sec]

③ 0.022[sec]　　　　④ 0.031[sec]

**풀이** $RL$ 직렬 회로이므로 $i(t) = \dfrac{E}{R}\left(1 - e^{-\frac{R}{L}t}\right)$[A] 에서

$$0.01 = \frac{24}{2000}\left(1 - e^{-\frac{2000}{25}t}\right) = 0.012(1 - e^{-80t})$$

$$e^{-80t} = 0.1666$$

$e^{-80t}$ 에서 $e$를 없애고 $t$를 구하기 위해

양변에 $\log_e$를 취하면 $\log_e e^{-80t} = \log_e 0.1666$

$$-80t = \log_e 0.1666 \quad \therefore \ t = 0.0224[\text{sec}]$$

**정답** ③

## 08

$G(s) = \dfrac{K}{s}$ 인 적분요소의 보드선도에서 이득곡선의 **1decade**당 기울기는 몇 dB인가?

① 10　　　　② 20

③ −10　　　　④ −20

**풀이**
$$g = 20\log|G(j\omega)| = 20\log\frac{K}{\omega}$$
$$= 20\log K - 20\log\omega$$

$\omega = 0.1$ 일 때, $g = 20\log K + 20$[dB]

$\omega = 1$ 일 때, $g = 20\log K$[dB]

$\omega = 10$ 일 때, $g = 20\log K - 20$[dB]

그러므로, $-20$[dB]의 경사를 가지며,

위 상각은 $\theta = G(j\omega) = \angle\dfrac{K}{j\omega} = -90°$ 이다.

**정답** ④

## 09

$G(s)H(s) = \dfrac{20}{s(s-1)(s+2)}$ 인 계의 이득 여유는?

① $-20$[dB]　　　　② $-10$[dB]

③ 1[dB]　　　　④ 10[dB]

**풀이**
$$G(s)H(s) = \frac{20}{s(s-1)(s+2)}$$

$$G(j\omega)H(j\omega) = \frac{20}{j\omega(j\omega - 1)(j\omega + 2)}$$

$$= \frac{20}{j\omega[(j\omega)^2 + j\omega - 2]}$$

$$= \frac{20}{(j\omega)^3 + (j\omega)^2 - 2j\omega}$$

$$= \frac{20}{-\omega^2 + j\omega(-\omega^2 - 2)}$$

허수부가 0이므로 $\omega(-\omega^2 - 2) = 0$ 이면 $\omega \neq 0$ 일

때 $\omega^2 = -2$ 이므로 $\dfrac{20}{2} = 10$ 따라서, 이득 여유

$$20\log\frac{1}{|G(j\omega)|} = 20\log\frac{1}{10} = -20[\text{dB}]$$

**정답** ①

## 01

(1)  로그의 성질 (1), (2)를 이용한다.

$$\log_3 21 + \log_3 \frac{1}{7} = \log_3 \left( 21 \cdot \frac{1}{7} \right) = \log_3 3 = 1$$

  정답  **1**

(2)  로그의 성질 (4)를 이용해서 지수를 아래로 내리면 풀기 쉬워진다.

$$\log_2 4^{10}$$
$$= 10 \log_2 4 \qquad \Leftarrow \boxed{(4)}$$
$$= 10 \cdot \log_2 2^2$$
$$= 10 \cdot 2 \cdot \log_2 2$$
$$= 10 \cdot 2 = 20$$

  정답  **20**

(3)  로그의 성질 (4)를 활용하기 위해 지수꼴로 바꾸자.

$$20 \log \frac{1}{10} = 20 \log 10^{-1} = 20 \log 10^{-1} = 20 \cdot (-1) \log 10 = 20 \cdot -1 = -20$$

  정답  **-20**

(4)  로그의 성질 (3), (4), (1)을 차례로 이용해서 푼다.

$$\log_3 162 - \log_3 6$$
$$= \log_3 \frac{162}{6} \qquad \Leftarrow \boxed{(3)}$$
$$= \log_3 27$$
$$= \log_3 3^3 = 3$$

  정답  **3**

# 36 극한

## 1. 수렴, 발산

### 1) 수렴의 정의

수열 $f(1), f(2), f(3), \cdots, f(n), \cdots$ 에서 $n$이 한없이 커질 때 $f(n)$이 일정한 값 $p$에 한없이 가까워지면 수열 $f(n)$은 $p$에 수렴한다고 하고 기호로 나타내면 다음과 같다.

$$\lim_{n \to \infty} f(n) = p$$

$(p$는 수열 $f(n)$의 극한값 또는 극한$)$

### 2) 발산의 정의

수렴하지 않으면 발산한다고 하고 발산의 구체적 예는 3가지다.

#### (1) 양의 무한대

수열 $[f(n)]$에서 $n$이 한없이 커질 때, 일반항 $f(n)$의 값도 한없이 커지면 이 수열은 양의 무한대로 발산한다 하고, 기호로 나타내면 다음과 같다.

$$\lim_{n \to \infty} f(n) = \infty$$

#### (2) 음의 무한대

수열 $[f(n)]$에서 $n$이 한없이 커질 때, 일반항 $f(n)$의 값이 음수로서 그 절댓값이 한없이 커지면 이 수열은 음의 무한대로 발산한다 하고, 기호로 나타내면 다음과 같다.

$$\lim_{n \to \infty} f(n) = -\infty$$

**[3] 진동**

수열 $[f(n)]$에서 $n$이 한없이 커질 때, 일반항 $f(n)$의 값이 일정한 수에 수렴하지도 않고 양의 무한대나 음의 무한대로 발산하지도 않으면 이 수열은 진동한다고 한다.

✓ **수열** : 어떤 규칙에 따라서 숫자들을 늘어놓는 것

**기본문제**

**01** 다음 수열의 수렴, 발산을 조사하라.

(1) $1, 5, 9, 13, \cdots, 4x-3$

(2) $2, 0, -2, -4, \cdots, 4-2x, \cdots$

(3) $0, 2, 0, 2, \cdots, 1+(-1)^x, \cdots$

# 2. 부정형 $\dfrac{\infty}{\infty}$ 형태의 극한값

|  | $f(x)$의 차수 $<g(x)$의 차수 | $f(x)$의 차수 $=g(x)$의 차수 | $f(x)$의 차수 $>g(x)$의 차수 |
|---|---|---|---|
| $\displaystyle\lim_{x\to\infty}\dfrac{g(x)}{f(x)}$ | 발산한다 | 수렴한다 | 수렴한다 |
| 극한값 | $+\infty$ 또는 $-\infty$ | $\dfrac{g(x)\text{의 최고차항 계수}}{f(x)\text{의 최고차항 계수}}$ | $0$ |

증가(감소)하는 비율이 극한값을 결정한다.

$$\lim_{x\to\infty}\frac{100x+2}{x^2+2x+3}$$

$x\to\infty$일 때 분모 $x^2+2x+3$은 $x^2$와 $2x$ 모두 무한대로 한없이 커지지만 $x^2$이 $2x$에 비해 훨씬 빠르게 증가하므로 $x^2+2x+3$의 증가율은 최고차항인 $x^2$이 주로 영향을 미친다.

각각 $x \to \infty$ 일 때 한없이 커지지만 분모는 $x^2$(2차함수)의 크기로 커지고 분자는 $100x$(1차함수)의 크기로 커지므로 분모가 분자에 비해 훨씬 빠르게 커진다. 따라서 주어진 분수함수의 극한은 다음과 같이 0으로 수렴한다.

$$\lim_{x \to \infty} \frac{100x + 2}{x^2 + 2x + 3} \cong \lim_{x \to \infty} \frac{100x}{x^2} = \lim_{x \to \infty} \frac{100}{x} = 0$$

## 기본문제

**02** 다음 함수의 극한값을 계산하라.

(1) $\lim_{x \to \infty} \dfrac{x^2 + 5}{x - 3}$

(2) $\lim_{x \to \infty} \dfrac{3x^2 + 6x + 4}{2x^2 + 5x + 10}$

(3) $\lim_{x \to \infty} \dfrac{5x^3 + 1}{3x^3 + 4x^2 + x - 1}$

(4) $\lim_{x \to \infty} \dfrac{10x + 1}{3x^2 - 2x + 1}$

## 3. 극한의 성질

$\infty$는 수가 한없이 커지는 상태를 나타내는 기호이지 하나의 수를 나타내는 것이 아니므로 $\frac{\infty}{\infty} \neq 1$ 임에 주의한다. 또한, 수열의 극한에 대한 기본 성질을 이용할 수 없으므로 $\frac{\infty}{\infty}$ 꼴은 식을 변형하여 위와 같은 방법으로 계산한다.

(1) $\infty \pm (\text{상수}) = \infty$

(2) $\infty + \infty = \infty$

(3) $\begin{cases} a \times \infty = \infty & (a > 0) \\ a \times \infty = -\infty & (a < 0) \end{cases}$ (단, $a$는 상수)

(4) $\sqrt[n]{\infty} = \infty$

(5) $\dfrac{(\text{상수})}{\infty} = 0$

(6) $\begin{cases} \dfrac{\infty}{a} = \infty & (a > 0) \\ \dfrac{\infty}{a} = -\infty & (a < 0) \end{cases}$ (단, $a$는 상수)

## 기본문제

**03** 다음 극한을 조사하고, 극한이 존재하면 그 극한값을 구하시오.

(1) $\lim\limits_{n \to 0} \dfrac{2n^2 - 4n + 5}{n^3 + 3n^2 - 6}$

(2) $\lim\limits_{n \to \infty} \dfrac{n^3}{2 - n}$

(3) $\lim\limits_{n \to \infty} \dfrac{5n + 1}{n^2 - 3n + 4}$

(4) $\lim\limits_{n \to \infty} \dfrac{(n + 2)(3n - 5)}{(2n + 1)(n - 2)}$

(5) $\lim\limits_{n \to 0} \dfrac{(3n - 1)}{(n^2 - 2n + 2)}$

(6) $\lim\limits_{n \to \infty} \dfrac{(2n^3 - 5n)}{(n^2 + 1)}$

## 기출문제

**01** 어떤 회로의 전류가 $i(t) = 20 - 20e^{-200t}$ [A] 로 주어졌다. 정상값은 몇 [A]인가?

① 5  ② 12.6

③ 15.6  ④ 20

**풀이** $i(t) = 20 - 20e^{-200t}$ 에서 정상값은 $t = \infty$ 인 경우이므로

$i(t) = 20 - 20e^{-200 \times \infty} = 20$[A]

$\left( e^{-\infty} = \dfrac{1}{e^{\infty}} = \dfrac{1}{\infty} = 0 \right)$

정답 ④

**02** 개루프 전달함수 $G(s)$가 다음과 같이 주어지는 단위 부궤환계가 있다. 단위 계단입력이 주어졌을 때, 정상상태 편차가 0.05가 되기 위해서는 $K$의 값은 얼마인가?

$$G(s) = \dfrac{6K(s + 1)}{(s + 2)(s + 3)}$$

① 19  ② 20

③ 0.9  ④ 0.05

**풀이** 단위 계단 입력 시 정상 상태 오차: $e_{ss} = \dfrac{1}{1 + K_p}$

($K_P$: 정상위치편차상수)

정사위치변차상수: $K_P = \lim\limits_{s \to 0} G(s)$

$= \lim\limits_{s \to 0} \dfrac{6K(s + 1)}{(s + 2)(s + 3)} = K$

따라서, 정상상태 오차: $e_{ss} = \dfrac{1}{1 + K_p} = \dfrac{1}{1 + K} = 0.05$

$K = 19$

정답 ①

**03** $F(s) = \dfrac{5s+3}{s(s+1)}$ 일 때 $f(t)$의 정상값은?

① 5        ② 3

③ 1        ④ 0

**풀이** 최종값 정리

$$\lim_{t \to \infty} f(t) = \lim_{s \to 0} sF(s) = \lim_{s \to 0} s \cdot \frac{5s+3}{s(s+1)} = \frac{3}{1} = 3$$

정답 ②

**05** $F(s) = \dfrac{5s+3}{s(s+1)}$ 일 때 $f(t)$의 최종값은?

① 3        ② $-3$

③ 5        ④ $-5$

**풀이** 최종값 정리

$$F(s) = \frac{5s+3}{s(s+1)}$$
$$\lim_{t \to \infty} f(t) = \lim_{s \to 0} sF(s) = \frac{3}{1} = 3$$

정답 ①

**04** 다음과 같은 전류의 초기값 $I(0_+)$은?

$$I(s) = \frac{12}{2s(s+6)}$$

① 6        ② 2

③ 1        ④ 0

**풀이** 초기값정리를 이용하면 $s$가 $\infty$이므로

$$\lim_{t \to 0} i(t) = \lim_{s \to \infty} sI(s) = \lim_{s \to \infty} s \frac{12}{2s(s+6)}$$
$$= \lim_{s \to \infty} \frac{12}{2(s+6)} = 0$$

정답 ④

**06** $F(s) = \dfrac{3s+10}{s^3 + 2s^2 + 5s}$ 일 때 $f(t)$의

최종값은?

① 0        ② 1

③ 2        ④ 3

**풀이** $F(s) = \dfrac{3s+10}{s^3 + 2s^2 + 5s}$

$$\lim_{s \to \infty} f(s) = \lim_{s \to 0} s \cdot F(s) = \frac{10}{5} = 2$$

정답 ③

## 1. 수렴, 발산
236p

## 01

(1) **정답** $x$이 한없이 커지면 $4x - 3$ 은 한없이 커지므로 $\infty$로 발산한다.

(2) **정답** $x$이 한없이 커지면 $4 - 2x$ 은 한없이 작아지므로 $-\infty$로 발산한다.

(3) **정답** $x$이 한없이 커지면 한없이 커지지도, 한없이 작아지지도, 일정한 값에 가까워지지도 않으므로 진동하면서 발산한다.

## 2. 부정형 $\dfrac{\infty}{\infty}$ 형태의 극한값
237p

## 02

(1) 분자의 차수가 분모보다 더 크기 때문에 극한값은 다음과 같다.

$$\lim_{x \to \infty} \frac{x^2 + 5}{x - 3} = \infty \qquad \text{정답} \quad \infty$$

(2) 분모와 분자의 차수가 같으므로 분모와 분자를 $x^2$으로 나누면

$$\lim_{x \to \infty} \frac{3x^2 + 6x + 4}{2x^2 + 5x + 10} = \lim_{x \to \infty} \frac{3 + \dfrac{6}{x} + \dfrac{4}{x^2}}{2 + \dfrac{5}{x} + \dfrac{10}{x^2}} = \frac{3}{2} \text{ 이 된다.}$$

**정답** $\dfrac{3}{2}$

(3) 분모와 분자의 차수가 같으므로 분모와 분자를 $x^3$으로 나누면

$$\lim_{x \to \infty} \frac{5x^3 + 1}{3x^3 + 4x^2 + x - 1} = \lim_{x \to \infty} \frac{5 + \dfrac{1}{x^3}}{3 + \dfrac{4}{x} + \dfrac{1}{x^2} - \dfrac{1}{x^3}} = \frac{5}{3} \text{ 가 된다.}$$

**정답** $\dfrac{5}{3}$

(4) 분모의 차수가 분자의 차수보다 더 크기 때문에 극한값은 다음과 같다.

$$\lim_{x \to \infty} \frac{10x + 1}{3x^2 - 2x + 1} = 0$$

**정답** $0$

## 03

(1) 분모의 최고차항인 $n^3$으로 분모, 분자를 각각 나누면 $\displaystyle\lim_{n \to 0} \frac{2n^2 - 4n + 5}{n^3 + 3n^2 - 6} = \frac{0 + 0 + 5}{0 + 0 - 6} = -\frac{5}{6}$ (수렴)

> 정답   $-\dfrac{5}{6}$ (수렴)

(2) 분모의 최고차항인 $n$으로 분모, 분자를 각각 나누면 $\displaystyle\lim_{n \to \infty} \frac{n^3}{2 - n} = \lim_{n \to \infty} \frac{n^2}{\frac{2}{n} - 1} = \frac{\infty}{0 - 1} = -\infty$ (발산)

> 정답   $-\infty$ (발산)

(3) 분모의 최고차항인 $n^2$으로 분모, 분자를 각각 나누면 $\displaystyle\lim_{n \to \infty} \frac{5n + 1}{n^2 - 3n + 4} = \lim_{n \to \infty} \frac{\frac{5}{n} + \frac{1}{n^2}}{1 - \frac{3}{n} + \frac{4}{n^2}} = \frac{0 + 0}{1 - 0 + 0} = 0$

(수렴)

> 정답   $0$ (수렴)

(4) $\displaystyle\lim_{n \to \infty} \frac{(n + 2)(3n - 5)}{(2n + 1)(n - 2)} = \lim_{n \to \infty} \frac{3n^2 + n - 10}{2n^2 - 3n - 2} = \lim_{n \to \infty} \frac{3 + \frac{1}{n} - \frac{10}{n^2}}{2 - \frac{3}{n} - \frac{2}{n^2}} = \frac{3 + 0 - 0}{2 - 0 - 0} = \frac{3}{2}$     정답   $\dfrac{3}{2}$

(5) $\displaystyle\lim_{n \to 0} \frac{3n - 1}{n^2 - 2n + 2} = -\frac{1}{2}$     정답   $-\dfrac{1}{2}$

(6) $\displaystyle\lim_{n \to \infty} \frac{(2n^3 - 5n)}{(n^2 + 1)} = \lim_{n \to \infty} \frac{2n + \frac{5}{n}}{1 + \frac{1}{n^2}} = \infty$     정답   $\infty$

# 미분의 정의

## 1. 평균변화율과 미분계수

### 1) 평균변화율

> 함수 $y=f(x)$에서 $x$의 값이 $a$에서 $b$까지 변할 때 다음의 비

$$\frac{y의\ 값의\ 변화율}{x의\ 값의\ 변화율} = \frac{f(b)-f(a)}{b-a}$$ 를 $[a,\ b]$에서의 $f(x)$의 평균변화율이라 한다.

✓ $[a,\ b]$에서의 $f(x)$의 평균변화율은 점 $(a, f(a))$와 $(b, f(b))$를 이은 직선의 기울기를 나타낸다.

### 2) 미분계수

> 함수 $y=f(x)$에서 다음의 극한값

$$\lim_{x \to a}\frac{f(x)-f(a)}{x-a} = \lim_{h \to 0}\frac{f(a+h)-f(a)}{h}$$ 를 $x=a$에서 미분계수 또는 순간변화율이라 하고 $f'(a)$로 나타낸다.

✓ $x=a$에서의 $f(x)$의 미분계수는 점 $(a, f(a))$에서 $y=f(x)$의 접선의 기울기를 나타낸다.

### 3) 전기기사에서 미분

얼마만의 시간동안 얼마만큼 변했다.

## 01

자기인덕턴스 0.5[H]의 코일에 1/200초 동안에 전류가 25[A]로부터 20[A]로 줄었다. 이 코일에 유기된 기전력의 크기 및 방향은?

① 50[V], 전류와 같은 방향

② 50[V], 전류와 반대 방향

③ 500[V], 전류와 같은 방향

④ 500[V], 전류와 반대 방향

**풀이** 인덕턴스 $e = -L\dfrac{di}{dt} = -0.5 \times \dfrac{-5}{\frac{1}{200}} = +500[V]$

방향은 렌츠의 법칙에 따르며 회로 전류가 증가할 때는 전류와 반대 방향의 기전력이 유기되어 전류의 증가를 방해하고, 전류가 감소할 때는 회로 전류 방향과 동일 방향의 기전력이 유기되어 전류의 감소를 방해하는 작용을 한다.

**정답** ③

## 02

그림과 같은 환상철심에 $A$, $B$의 코일이 감겨있다. 전류 $I$가 120[A/s]로 변화할 때 코일 $A$에 90[V], 코일 $B$에 40[V]의 기전력이 유도된 경우, 코일 $A$의 자기인덕턴스 $L_1$[H]와 상호 인덕턴스 $M$[H]의 값은 얼마인가?

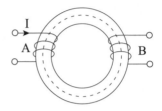

① $L_1 = 0.75$, $M = 0.33$  ② $L_1 = 1.25$, $M = 0.7$

③ $L_1 = 1.75$, $M = 0.9$  ④ $L_1 = 1.95$, $M = 1.1$

**풀이** $\dfrac{di}{dt} = 120[A/s]$

$e_1 = -L_1\dfrac{di}{dt}$

$90 = L_1 \times 120$

$L_1 = \dfrac{90}{120} = 0.75[H]$

$e_2 = -M\dfrac{di}{dt}$

$40 = M \times 120$

$M = \dfrac{40}{120} = 0.33[H]$

값을 물어보았으니 −는 중요하지 않다.

**정답** ①

# 38 미분 기초

## 1. 도함수의 정의

(1) 미분가능한 함수 $y=f(x)$의 정의역의 각 원소 x에 미분계수 $f'(x)$를 대응시키면 새로운 함수

$$f'(x) = \lim_{\triangle x \to 0} \frac{f(x + \triangle x) - f(x)}{\triangle x}$$ 를 얻는다. 이때 이 함수 $f'(x)$를 함수 $f(x)$의 도함수라 하고, 이것

을 기호 $f'(x)$, $y'$, $\dfrac{dy}{dx}$, $\dfrac{df(x)}{dx}$ 로 나타낸다.

미분한 함수를 도함수라고 한다.

(2) 함수 $y=f(x)$에서 도함수 $f'(x)$를 구하는 것을 함수 $y=f(x)$를
$x$에 대하여 미분한다고 하고, 그 계산법을 미분법이라 한다.

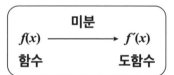

(3) 함수 $y=f(x)$의 $x=3$에서의 미분계수 $f'(3)$는 도함수 $f'(x)$의
식에 $x=3$를 대입한 값이다.

✓ $\dfrac{dy}{dx}$ 는 $dy$를 $dx$로 나눈다는 뜻이 아니라 $y$를 $x$에 대하여 미분한다는 것을 뜻하며 '디와이($dy$) 디엑스($dx$)'라 읽
는다.

## 2. 미분 기초 공식

### 1) 함수 $y = x^n$ (n은 양의 정수)과 상수함수의 도함수

① $y = x^n (n \geq 2$인 정수$) \Rightarrow y' = nx^{n-1}$

② $y = x \Rightarrow y' = 1$

③ $y = c (c$는 상수$) \Rightarrow y' = 0$

## 2) 함수의 실수배·합·차의 미분법

두 함수 $f(x), g(x)$가 미분가능할 때,

① $\{cf(x)\}' = cf'(x)$ (단, $c$는 숫자)

② $\{f(x) + g(x)\}' = f'(x) + g'(x)$

③ $\{f(x) - g(x)\}' = f'(x) - g'(x)$

## 3) 함수의 곱의 미분법

두 함수 $f(x), g(x)$가 미분가능할 때,

① $\{f(x)g(x)\}' = f'(x)g(x) + f(x)g'(x)$

② $[\{f(x)\}^n]' = n\{f(x)\}^{n-1} \cdot f'(x)$ (단, $n$은 양의 정수)

## 기본문제

### 01 다음 함수를 미분하시오.

(1) $y = 5^2$

(2) $y = 4x^3 - \dfrac{1}{2}x^2 + 2$

(3) $y = 5x^4 + x^3 - 3x - 8$

(4) $y = (x^3 + 2)(x^2 - 1)$

(5) $y = 3(2x - 1)^4$

# 01

개루프 전달함수 $G(s)H(s) = \dfrac{K}{s(s+3)^2}$ 의

이탈점에 해당되는 것은?

① 1      ② −1
③ 2      ④ −2

**풀이** 이 계의 특성 방정식은

$$1 + G(s)H(s) = 1 + \frac{K}{s(s+3)^2} = \frac{s(s+3)^2 + K}{s(s+3)^2} = 0$$

분자가 0이어야 하므로

$$s(s+3)^2 + K = 0$$
$$K = -s(s+3)^2 = -s^3 - 6s^2 - 9s$$

$s$에 관하여 미분하면

$$\frac{dK}{ds} = -3s^2 - 12s - 9 = -3(s^2 + 4s + 3) = 0$$

괄호 안의 식을 인수분해하면 $(s+3)(s+1) = 0$

따라서, 이탈점은 $s = -3, -1$ 이다.

**정답 ②**

# 02

개루프 전달함수 $G(s)H(s) = \dfrac{K}{s(s+3)^2}$ 의

이탈점에 해당되는 것은?

① −2.5      ② −2
③ −1      ④ −0.5

**풀이** $G(s)H(s) = \dfrac{K}{s(s+3)^2}$ 이므로

$$1 + G(s)H(s) = 1 + \frac{K}{s(s+3)^2} = 0$$
$$s(s+3)^2 + K = 0$$
$$K = -s(s+3)^2 = -s^3 - 6s^2 - 9s$$
$$\frac{dK}{ds} = -3s^2 - 12s - 9 = -3(s^2 + 4s + 3) = 0$$
$$-3(s+1)(s+3) = 0, \quad s = -1, -3$$

따라서, 이탈점은 $a = -1, b = -3$ 이다.

**정답 ③**

# 03

전계 $E = i2e^{3x}\sin 5y - je^{3x}\cos 5y + k3ze^{4z}$

일 때, 점 $(x=0, y=0, z=0)$에서의 발산은?

① 0      ② 3
③ 6      ④ 10

**풀이** 
$$divE = \nabla \cdot E$$
$$= \frac{\partial}{\partial x}E_x + \frac{\partial}{\partial y}E_y + \frac{\partial}{\partial z}E_z$$
$$= \frac{\partial}{\partial x}(2e^{3x}\sin 5y) + \frac{\partial}{\partial y}(-e^{3x}\cos 5y) + \frac{\partial}{\partial z}(3ze^{4z})$$
$$= 6e^{3x}\sin 5y + 5e^{3x}\sin 5y + 3(e^{4z} + 4ze^{4z})$$
$$= 11e^{3x}\sin 5y + 3(1 + 4z)e^{4z}$$
$$[divE]_{x=0, y=0, z=0} = 3$$

**정답 ②**

## 기본문제 정답 해설

**CHAPTER 38 미분 기초**    245p

### 01

(1) $y' = (5^2)' = 0$    **정답 0**

(2) $y' = \left(4x^3 - \frac{1}{2}x^2 + 2\right)' = 12x^2 - x$

   **정답 $12x^2 - x$**

(3) $y' = (5x^4 + x^3 - 3x - 8)' = 20x^3 + 3x^2 - 3$

   **정답 $20x^3 + 3x^2 - 3$**

(4) $y' = (x^3 + 2)'(x^2 - 1) + (x^3 + 2)(x^2 - 1)'$
    $= 3x^2(x^2 - 1) + (x^3 + 2) \cdot 2x$
    $= 5x^4 - 3x^2 + 4x$

   **정답 $5x^4 - 3x^2 + 4x$**

(5) $y' = 12(2x-1)^3(2x-1)' = 12(2x-1)^3 \cdot 2$
    $= 24(2x-1)^3$

   **정답 $24(2x-1)^3$**

# 39 삼각함수, $e^x$ 그리고 지수함수의 미분

## 1. 삼각함수 미분

① $y = \sin x \Rightarrow y' = \cos x$

② $y = \cos x \Rightarrow y' = -\sin x$

③ $y = \tan x \Rightarrow y' = \sec^2 x$

## 2. $e^x$와 지수함수의 미분

① $y = e^x \Rightarrow y' = e^x$

② $y = 2^x \Rightarrow y' = 2^x \ln 2$ (2, 3, 4, 5, 6, ⋯ 가능하다, 1은 안된다)

### 기본문제

**01** 다음 함수를 미분하시오.

(1) $y = 3e^x$

(2) $y = 2^x$

(3) $y = e^{3x}$

(4) $y = 6e^{3x}$

*01* 다음과 같은 회로에서 $i_1 = I_m \sin \omega t [\mathrm{A}]$일 때 개방된 2차 단자에 나타나는 유기기전력 $e_2$는 몇 $[V]$인가?

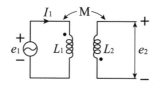

① $\omega M I_m \sin(\omega t - 90°)$  ② $\omega M I_m \cos(\omega t - 90°)$

③ $-\omega M \sin \omega t$  ④ $\omega M \cos \omega t$

[풀이] 상호유도회로 $e_2 = -M\dfrac{di}{dt} = -M\dfrac{d}{dt}(I_m \sin \omega t)$
$$= -\omega M I_m \cos \omega t$$
$$= -\omega M I_m \sin(\omega t + 90°)$$
$$= \omega M I_m \sin(\omega t - 90°)$$

정답 ①

*02* $\phi = \phi_m \sin 2\pi ft [\mathrm{Wb}]$일 때 이 자속과 쇄교하는 권수 $N$회인 코일에 발생하는 기전력$[V]$은?

① $2\pi fN\phi_m \sin 2\pi ft$  ② $-2\pi fN\phi_m \sin 2\pi ft$

③ $2\pi fN\phi_m \cos 2\pi ft$  ④ $-2\pi fN\phi_m \cos 2\pi ft$

[풀이] 유도기전력 : $e = -N\dfrac{d\phi}{dt} = -N\dfrac{d}{dt}(\phi_m \sin \omega t)$
$$= -\omega N\phi_m \cos \omega t$$
$$= -2\pi fN\phi_m \cos 2\pi ft [\mathrm{V}]$$

정답 ④

*03* 자속 $\phi[\mathrm{Wb}]$가 $\phi_m \cos 2\pi ft[\mathrm{Wb}]$로 변화할 때 이 자속과 쇄교하는 권수 $N$회의 코일의 발생하는 기전력은 몇 $[V]$인가?

① $-\pi fN\phi_m \cos 2\pi ft$  ② $\pi fN\phi_m \sin 2\pi ft$

③ $-2\pi fN\phi_m \cos 2\pi ft$  ④ $2\pi fN\phi_m \sin 2\pi ft$

[풀이] 기전력 $e = -N \cdot \dfrac{d\phi}{dt}$
$$= -N \cdot \dfrac{d}{dt}(\phi_m \cos \omega t) \quad (\omega = 2\pi f)$$
$$= \omega N\phi_m \sin \omega t = 2\pi fN\phi_m \sin 2\pi ft [\mathrm{V}]$$

정답 ④

*04* 간격 $d[\mathrm{m}]$인 2개의 평행판 전극 사이에 유전율 $\epsilon$의 유전체가 있다. 전극 사이에 전압 $V_m \cos \omega t[\mathrm{V}]$를 가했을 때 변위전류 밀도는 몇 $[\mathrm{A/m^2}]$인가?

① $\dfrac{\epsilon}{d}V_m \cos \omega t$  ② $-\dfrac{\epsilon}{d}\omega V_m \sin \omega t$

③ $-\dfrac{\epsilon}{d}\omega V_m \cos \omega t$  ④ $\dfrac{\epsilon}{d}V_m \sin \omega t$

[풀이] 변위 전류 밀도 : $i_d = \dfrac{\partial D}{\partial t} = \epsilon\dfrac{dE}{\partial t} = \dfrac{\epsilon}{d} \cdot \dfrac{\partial V}{\partial t}$
$$= \dfrac{\epsilon}{d}\dfrac{\partial}{\partial t}V_m \cos \omega t$$
$$= \dfrac{\epsilon}{d}\omega V_m(-\sin \omega t)[\mathrm{A/m^2}]$$
$$= -\dfrac{\epsilon}{d}\omega V_m(\sin \omega t)$$
$\quad$(sin은 기함수)

정답 ②

**05** 전계 $E = i2e^{3x} \sin 5y - je^{3x} \cos 5y + k3ze^{4z}$

일 때, 점 $(x=0, y=0, z=0)$에서의 발산은?

① 0                 ② 3

③ 6                 ④ 10

**풀이** $divE = \nabla \cdot E$

$$= \frac{\partial}{\partial x}E_x + \frac{\partial}{\partial y}E_y + \frac{\partial}{\partial z}E_z$$

$$= \frac{\partial}{\partial x}(2e^{3x} \sin 5y) + \frac{\partial}{\partial y}(-e^{3x} \cos 5y) + \frac{\partial}{\partial z}(3ze^{4z})$$

$$= 6e^{3x} \sin 5y + 5e^{3x} \sin 5y + 3(e^{4x} + 4ze^{4z})$$

$$= 11e^{3x} \sin 5y + 3(1 + 4z)e^{4z}$$

$[divE]_{x=0, y=0, z=0} = 3$

**정답** ②

---

## 기본문제 정답 해설

### 01

(1)   $y' = 3e^x$    **정답**   $3e^x$

(2)   $y' = 2^x \ln 2$    **정답**   $2^x \ln 2$

(3)   $y = e^{3x} = (e^3)^x$ 이므로   $y' = e^{3x} \ln e^3 = 3e^{3x}$    **정답**   $3e^{3x}$

(4)   $y = 6e^{3x} = 6(e^3)^x$ 이므로   $y' = 6e^{3x} \ln e^3 = y' = 18e^{3x}$    **정답**   $18e^{3x}$

# 40 합성함수와 편미분

## 1. 합성함수의 미분법

미분가능한 두 함수 $y=f(u)$와 $u=g(x)$에 대하여 합성함수 $y=f(g(x))$의 도함수는 $\dfrac{dy}{dx} = \dfrac{dy}{du} \times \dfrac{du}{dx}$ 또는 $\{f(g(x))\}' = f'(g(x))g'(x)$

## 2. 편미분

편미분은 변수가 여러개 존재할 때 하나의 변수에 주목하여 나머지 변수의 값을 상수로 취급하고 정해진 한 변수로 미분하는 것을 말한다. 미분이랑 다르게 생겼다.

$$\frac{dy}{dx} \neq \frac{\partial y}{\partial x}$$

### 기본문제

**01** 다음 함수를 미분하시오.

(1) $y=(3x^2-2)^4$　　　(2) $y=\sin(3x)$　　　(3) $y=\cos(2x+1)$

**01** 전계 $E = i2e^{3x}\sin 5y - je^{3x}\cos 5y + k3ze^{4z}$
일 때, 점 $(x=0, y=0, z=0)$에서의 발산은?

① 0          ② 3

③ 6          ④ 10

**풀이** $divE = \nabla \cdot E$

$$= \frac{\partial}{\partial x}E_x + \frac{\partial}{\partial y}E_y + \frac{\partial}{\partial z}E_z$$

$$= \frac{\partial}{\partial x}(2e^{3x}\sin 5y) + \frac{\partial}{\partial y}(-e^{3x}\cos 5y) + \frac{\partial}{\partial z}(3ze^{4z})$$

$$= 6e^{3x}\sin 5y + 5e^{3x}\sin 5y + 3(e^{4x} + 4ze^{4z})$$

$$= 11e^{3x}\sin 5y + 3(1 + 4z)e^{4z}$$

$$[divE]_{x=0, y=0, z=0} = 3$$

**정답** ②

**02** $\phi = \phi_m \sin 2\pi ft[\text{Wb}]$일 때 이 자속과
쇄교하는 권수 $N$회인 코일에 발생하는 기전력[V]은?

① $2\pi fN\phi_m \sin 2\pi ft$    ② $-2\pi fN\phi_m \sin 2\pi ft$

③ $2\pi fN\phi_m \cos 2\pi ft$    ④ $-2\pi fN\phi_m \cos 2\pi ft$

**풀이** 유도기전력 : $e = -N\frac{d\phi}{dt} = -N\frac{d}{dt}(\phi_m \sin \omega t)$

$$= -\omega N\phi_m \cos \omega t$$

$$= -2\pi fN\phi_m \cos 2\pi ft[\text{V}]$$

**정답** ④

**03** 자속 $\phi[\text{Wb}]$가 $\phi_m \cos 2\pi ft[\text{Wb}]$로 변화할
때 이 자속과 쇄교하는 권수 $N$회의 코일의 발생하는
기전력은 몇 [V]인가?

① $-\pi fN\phi_m \cos 2\pi ft$    ② $\pi fN\phi_m \sin 2\pi ft$

③ $-2\pi fN\phi_m \cos 2\pi ft$    ④ $2\pi fN\phi_m \sin 2\pi ft$

**풀이** 기전력 : $e = -N \cdot \frac{d\phi}{dt}$

$$= -N \cdot \frac{d}{dt}(\phi_m \cos \omega t) \quad (\omega = 2\pi f)$$

$$= \omega N\phi_m \sin \omega t = 2\pi fN\phi_m \sin 2\pi ft[\text{V}]$$

**정답** ④

**04** 정현파 자속의 주파수를 2배로 높이면
유기기전력은?

① 변하지 않는다.      ② 2배로 증가한다.

③ 4배로 증가한다.      ④ $\frac{1}{2}$ 이 된다.

**풀이** 유기기전력 : $e = -N\frac{d\phi}{dt}[\text{V}] \rightarrow \phi = \phi_m \sin \omega t[\text{Wb}]$

$e = -N\omega\phi_m \cos \omega t = N\omega\phi_m \sin(\omega t - 90°)$이면

$e \propto f$ 이므로 $f$가 2배이면 유기기전력 $e$도 2배가 된다.

$e$는 $\phi$보다 $90°$ 늦다.

**정답** ②

## 05

극판 간격 $d$[m], 면적 $S$[m²], 유전율 $\epsilon$[F/m]이고, 정전용량이 $C$[F]인 평행판 콘덴서에 $v = V_m \sin \omega t$[V]의 전압을 가할 때 변위 전류[A]는?

① $\omega C V_m \cos \omega t$　　② $C V_m \sin \omega t$

③ $-C V_m \sin \omega t$　　④ $-\omega C V_m \cos \omega t$

**풀이** $C = \dfrac{\epsilon S}{d}$, $E = \dfrac{v}{d}$, $D = \epsilon E$

변위 전류 밀도: $i_d = \dfrac{\partial D}{\partial t} = \epsilon \dfrac{\partial E}{\partial t} = \epsilon \dfrac{\partial}{\partial t}\left(\dfrac{v}{d}\right)$

$\qquad = \dfrac{\epsilon}{d}\dfrac{\partial}{\partial t}V_m \sin \omega t$

$\qquad = \dfrac{\epsilon}{d}\omega V_m \cos \omega t\,[A/m^2]$

∴변위전류 $I_d = i_d S = \dfrac{\epsilon S}{d}\omega V_m \cos \omega t$

$\qquad = \omega C V_m \cos \omega t\,[A]$

**정답** ①

## 06

변위 전류에 의하여 전자파가 발생되었을 때 전자파의 위상은?

① 변위 전류보다 90[°] 빠르다.
② 변위 전류보다 90[°] 늦다.
③ 변위 전류보다 30[°] 빠르다.
④ 변위 전류보다 30[°] 늦다.

**풀이** $i_d = \dfrac{\partial D}{\partial t} = \dfrac{\partial (\epsilon E)}{\partial t} = \epsilon \dfrac{\partial}{\partial t}(E_m \sin \omega t)$

$\qquad = \omega \epsilon E_m \cos \omega t = \omega \epsilon E_m \sin(\omega t + 90°)$

따라서, 전파와 자파는 동상이므로 전자파의 위상은 변위 전류보다 90° 늦다.

**정답** ②

## 07

$V = x^2$[V]로 주어지는 전위 분포일 때, $x = 20$[cm]인 점의 전계는?

① $+x$ 방향으로 40[V/m]

② $-x$ 방향으로 40[V/m]

③ $+x$ 방향으로 0.4[V/m]

④ $-x$ 방향으로 0.4[V/m]

**풀이** 전계의 세기

$$E = -grad V = -\nabla V = -\left(i\dfrac{\partial V}{\partial x} + j\dfrac{\partial V}{\partial y} + k\dfrac{\partial V}{\partial z}\right)$$

$$= -i\dfrac{\partial x^2}{\partial x} = -2xi\left[\dfrac{V}{m}\right]$$ 이므로 $x = 20$cm이면

$$E = -2 \times 0.2i = -0.4i\,[V/m]$$

$-x$ 방향으로 전계의 크기는 0.4[V/m]가 된다.

**정답** ④

## 08

어떤 공간의 비유전율은 2이고 전위 $V(x, y) = \dfrac{1}{x} + 2xy^2$ 이라고 할 때 점 $\left(\dfrac{1}{2}, 2\right)$에서의 전하밀도 $\rho$ 는 약 몇 [pC/m³]인가?

① $-20$　　② $-40$

③ $-160$　　④ $-320$

**풀이** 포아송 방정식(전위와 공간 전하 밀도의 관계)

$$\nabla^2 V = -\dfrac{\rho}{\epsilon}\left(= -\dfrac{\rho}{\epsilon_0 \epsilon_s}\right)$$

($V$:전위차, $\epsilon$ :유전상수, $\rho$ :전하밀도)

$$\nabla^2 V = -\dfrac{\rho}{\epsilon}\left(= -\dfrac{\rho}{\epsilon_0 \epsilon_s}\right)$$

$$\nabla^2 V = \dfrac{\partial^2 V}{\partial x^2} + \dfrac{\partial^2 V}{\partial y^2} = \dfrac{\partial^2}{\partial x^2}\left(\dfrac{1}{x} + 2xy^2\right)$$

$$\qquad + \dfrac{\partial^2}{\partial y^2}\left(\dfrac{1}{x} + 2xy^2\right)$$

$$\qquad = \dfrac{2}{x^3} + 4x = 16 + 2 = 18$$

∴ $\rho = -\epsilon_0 \epsilon_s (\nabla^2 V) = -2 \times 8.85 \times 10^{-12} \times 18$

$\qquad = -3.19 \times 10^{-10}\,[C/m^2] = -319\,[pC/m^3]$

**정답** ④

## 09 전위 $V = 3xy + z + 4$일 때 전계 $E$는?

① $i3x + j3y + k$  　　　② $-i3y + j3x + k$

③ $i3x - j3y - k$  　　　④ $-i3y - j3x - k$

**풀이** 전계 : $E = -gradV = -\nabla \cdot V$

$$= -\left(\frac{\partial}{\partial x}i + \frac{\partial}{\partial y}j + \frac{\partial}{\partial z}k\right) \cdot V \text{ 에서}$$

$$E = -\left(\frac{\partial}{\partial x}i + \frac{\partial}{\partial y}j + \frac{\partial}{\partial z}k\right)(3xy + z + 4)$$
$$= -(3yi + 3xj + k) = -3yi - 3xj - k$$

**정답 ④**

## 10 진공 중의 전계강도 $E = ix + jy + kz$로 표시될 때 반지름 10[m]의 구면을 통해 나오는 전체 전속은 약 몇 [C]인가?

① $1.1 \times 10^{-7}$  　　　② $2.1 \times 10^{-7}$

③ $3.2 \times 10^{-7}$  　　　④ $5.1 \times 10^{-7}$

**풀이** 가우스 정리의 미분형을 이용하면 $divE = \dfrac{\rho}{\varepsilon_0}$

여기서, $\rho$는 체적전하밀도이므로

$$\rho = \frac{Q}{v} = \frac{Q}{\frac{4}{3}\pi r^3}[\text{C/m}^3] \text{ 이고}$$

$$divE = \nabla \cdot E = \frac{\partial x}{\partial x} + \frac{\partial y}{\partial y} + \frac{\partial z}{\partial z} = 1 + 1 + 1 = 3$$

이다. 그러므로 $divE = \dfrac{\rho}{\varepsilon_0} = \dfrac{\frac{Q}{v}}{\varepsilon_0}$

$$Q = divE \times v \times \varepsilon_0 = divE \times \frac{4}{3}\pi r^3 \times \varepsilon_0$$

$$= 3 \times \frac{4}{3}\pi \times 10^3 \times 8.855 \times 10^{-12}$$

$$= 1.1 \times 10^{-7}[\text{C}]$$

**정답 ①**

## 11 전위함수가 $V = x^2 + y^2$[V]인 자유공간 내의 전하밀도는 몇 [C/m³]인가?

① $-12.5 \times 10^{-12}$  　　　② $-22.4 \times 10^{-12}$

③ $-35.4 \times 10^{-12}$  　　　④ $-70.8 \times 10^{-12}$

**풀이** 포아송의 방정식 : $V = x^2 + y^2$

한번 편미분하면 $\dfrac{\partial V}{\partial x} = 2x, \dfrac{\partial V}{\partial y} = 2y$

또 한번 편미분하면 $\nabla^2 V = 2 + 2 + 0 = -\dfrac{\rho}{\varepsilon_0} = 4$

체적전하밀도 : $\rho = -4\varepsilon_0 = -4 \times 8.855 \times 10^{-12}$
$$= -35.4 \times 10^{-12}[\text{C/m}^3]$$

**정답 ③**

## 12 전계 $E = i3x^2 + j2xy^2 + kx^2yz$ 의 $divE$는 얼마인가?

① $-i6x + jxy + kx^2y$  　　　② $i6x + j6xy + kx^2y$

③ $-6x + 6xy + x^2y$  　　　④ $6x + 4xy + x^2y$

**풀이** $divE = \nabla \cdot E = \dfrac{\partial}{\partial x}(3x^2) + \dfrac{\partial}{\partial y}(2xy^2) + \dfrac{\partial}{\partial z}(x^2yz)$
$$= 6x + 4xy + x^2y$$

**정답 ④**

# 기출문제

**13** 자유공간 중의 전위계에서 $V = 5(x^2 + 2y^2 - 3z^2)$ 일 때 점 $P(2, 0, -3)$ 에서의 전하밀도 $\rho$ 의 값은?

① 0  ② 2  ③ 7  ④ 9

**풀이** 포아송의 방정식

$$\nabla^2 V = -\frac{\rho}{\varepsilon_0}$$

$$\nabla^2 V = \frac{\partial^2 V}{\partial x^2} + \frac{\partial^2 V}{\partial y^2} + \frac{\partial^2 V}{\partial z^2}$$

$$= \frac{\partial^2}{\partial x^2}[5(x^2 + 2y^2 - 3z^2)]$$
$$+ \frac{\partial^2}{\partial y^2}[5(x^2 + 2y^2 - 3z^2)]$$
$$+ \frac{\partial^2}{\partial z^2}[5(x^2 + 2y^2 - 3z^2)]$$
$$= 10 + 20 - 30 = 0$$

$$\therefore \rho = 0$$

**정답** ①

**14** 점전하에 의한 전위 함수가 $V = \dfrac{1}{x^2 + y^2}$[V] 일 때 $grad\,V$는?

① $-\dfrac{xi + yj}{(x^2 + y^2)^2}$  ② $-\dfrac{2xi + 2yj}{(x^2 + y^2)^2}$

③ $-\dfrac{2xi}{(x^2 + y^2)^2}$  ④ $-\dfrac{2yj}{(x^2 + y^2)^2}$

**풀이** 전계의 세기

$$E = grad V = \nabla V = i\frac{\partial V}{\partial x} + j\frac{\partial V}{\partial y} + k\frac{\partial V}{\partial z}$$

$$V = \frac{1}{x^2 + y^2} = (x^2 + y^2)^{-1}$$

$$\frac{\partial V}{\partial x} = \frac{\partial}{\partial x}[(x^2 + y^2)^{-1}] = -(x^2 + y^2)^{-2} \cdot 2x$$
$$= -\frac{2x}{(x^2 + y^2)^2}$$

$$\frac{\partial V}{\partial y} = \frac{\partial}{\partial y}[(x^2 + y^2)^{-1}] = -(x^2 + y^2)^{-2} \cdot 2y$$
$$= -\frac{2y}{(x^2 + y^2)^2}$$

$$\frac{\partial V}{\partial z} = \frac{\partial}{\partial z}[(x^2 + y^2)^{-1}] = 0$$

$$\therefore grad V = -\frac{2xi}{(x^2 + y^2)^2} - \frac{2yj}{(x^2 + y^2)^2} = -\frac{2xi + 2yj}{(x^2 + y^2)^2}$$

**정답** ②

**15** 진공 내에서 전위함수 $V = x^2 + y^2$과 같이 주어질 때 $(2, 2, 0)[m]$에서 체적 전하 밀도 $\rho$ 는 몇 [C/m³]인가?(단, $\epsilon_0$ 는 자유 공간의 유전율이다)

① $-4\epsilon_0$  ② $-2\epsilon_0$  ③ $4\epsilon_0$  ④ $2\epsilon_0$

**풀이** $\nabla^2 V = \dfrac{\partial^2 V}{\partial x^2} + \dfrac{\partial^2 V}{\partial y^2} + \dfrac{\partial^2 V}{\partial z^2} = -\dfrac{\rho}{\epsilon_0}$

$\nabla^2 V = \dfrac{\partial^2 V}{\partial x^2} + \dfrac{\partial^2 V}{\partial y^2} + \dfrac{\partial^2 V}{\partial z^2} = 2 + 2 + 0 = -\dfrac{\rho}{\epsilon_0}$

$$\therefore \rho = -4\epsilon_0 [C/m^3]$$

**정답** ①

**16** 전위 함수 $V = 5x^2y + z$[V]일 때 점$(2, -2, 2)$에서 체적 전하 밀도 $\rho[C/m^3]$의 값은?(단, $\epsilon_0$ 는 자유 공간의 유전율이다)

① $5\epsilon_0$  ② $10\epsilon_0$  ③ $20\epsilon_0$  ④ $25\epsilon_0$

**풀이** 포아송 방정식에 의해 $\nabla^2 V = -\dfrac{\rho}{\epsilon_0}$

$$\nabla^2 V = \frac{\partial^2 V}{\partial x^2} + \frac{\partial^2 V}{\partial y^2} + \frac{\partial^2 V}{\partial z^2} = -\frac{\rho}{\epsilon_0}$$

$$\nabla^2 V = \left(\frac{\partial^2}{\partial x^2} + \frac{\partial^2}{\partial y^2} + \frac{\partial^2}{\partial z^2}\right)(5x^2y + z)$$
$$= 10y = 10 \times (-2) = -20$$

$$\therefore \rho = -\epsilon_0(\nabla^2 V) = 20\epsilon_0 [C/m^3]$$

**정답** ③

## 01

(1) $u = 3x^2 - 2$ 로 놓으면 $y = u^4$이므로

$$\frac{dy}{du} = 4u^3, \frac{du}{dx} = 6x$$

$$\therefore y' = \frac{dy}{dx} = \frac{dy}{du} \times \frac{du}{dx} = 4u^3 \times 6x = 4(3x^2 - 2)^3 \times 6x = 24x(3x^2 - 2)^3$$

정답 $24x(3x^2 - 2)^3$

(2) $u = 3x$로 놓으면 $y = \sin u$이므로

$$\frac{dy}{du} = \cos u, \frac{du}{dx} = 3$$

$$\therefore y' = \frac{dy}{dx} = \frac{dy}{du} \times \frac{du}{dx} = (\cos u) \times 3 = 3\cos(3x)$$

정답 $3\cos(3x)$

(3) $u = 2x + 1$로 놓으면 $y = \cos u$이므로

$$\frac{dy}{du} = -\sin u, \frac{du}{dx} = 2$$

$$\therefore y' = \frac{dy}{dx} = \frac{dy}{du} \times \frac{du}{dx} = (-\sin u) \times 2 = -2\sin(2x + 1)$$

정답 $-2\sin(2x + 1)$

---

√ **여러 가지 합성함수의 미분법**

① $y = \{f(x)\}^n \Rightarrow y' = n\{f(x)\}^{n-1}f'(x)$

② $y = \sin f(x) \Rightarrow y' = \cos f(x) \times f'(x)$

③ $y = \cos f(x) \Rightarrow y' = -\sin f(x) \times f'(x)$

④ $y = \tan f(x) \Rightarrow y' = \sec^2 f(x) \times f'(x)$

---

# 41 부정적분

## 1. 부정적분의 정의

함수 $f(x)$에 대하여 $F'(x) = f(x)$인 관계에 있을 때, $F(x)$를 $f(x)$의 부정적분 또는 원시함수라 하고 기호로 다음과 같이 나타낸다.

$$\int f(x)dx$$

일반적으로 함수 $f(x)$의 부정적분은 무수히 많고 그 중 하나를 $F(x)$로 놓으면,

$$\int f(x)dx = F(x) + C$$

($f(x)$ : 피적분함수, $x$ : 적분변수, $C$ : 적분상수)

이고, $f(x)$의 부정적분을 구하는 것을 '$f(x)$를 적분한다'라고 한다.

## 2. 부정적분과 도함수

(1) $\dfrac{d}{dx}\left(\displaystyle\int f(x)dx\right) = f(x)$

(2) $\displaystyle\int \left(\dfrac{d}{dx}f(x)\right)dx = f(x) + C$

# 3. 부정적분의 기본공식

(1) $\int k\,dx = kx + C$ (단, $k$는 상수)

(2) $\int x^n dx = \dfrac{1}{n+1} x^{n+1} + C$

(3) $\int kf(x)dx = k \int f(x)dx$ (단, $k$는 상수)

(4) $\int \{f(x) \pm g(x)\}dx = \int f(x)dx \pm \int g(x)dx$

## 기본문제

*01* 도함수가 $f'(x) = 3x^2 + 4x - 2$ 인 함수 $f(x)$를 구하시오.

*02* 다음 부정적분을 구하시오.

(1) $\int dx$

(2) $\int (3x^2 + x - 2)dx$

(3) $\int (x^3 + 2x^2 - 3x + 4)dx$

(4) $\int (x+1)(x+2)dx$

**01** $i = 3t^2 + 2t[A]$의 전류가 도선을 30초간 흘렀을 때 통과한 전체 전기량[Ah]은?

① 4.25  ② 6.75
③ 7.75  ④ 8.25

**풀이** 전체 전기량

$$Q = \int_0^t i\,dt$$
$$= \int_0^{30}(3t^2 + 2t)dt = [t^3 + t^2]_0^{30}$$
$$= 27900[A \cdot sec]$$
$$= \frac{27900}{3600}[Ah] = 7.75[Ah]$$

$h(hour):$ 시

**정답** ③

**02** 그림과 같이 주기가 3[s]인 전압 파형의 실효값은 약 몇 [V]인가?

① 5.67
② 6.67
③ 7.57
④ 8.57

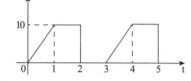

**풀이** 실효값: $V = \sqrt{\dfrac{1}{T}\int_0^T v^2\,dt}$

$$= \sqrt{\dfrac{1}{3}\left[\int_0^1 (10t)^2\,dt + \int_1^2 10^2\,dt\right]}$$
$$= \frac{20}{3} = 6.67[V]$$

**정답** ②

## 기본문제 정답 해설

**CHAPTER 41 부정적분**                          257p

**01** $f'(x)$에 대해 $f(x)$를 부정적분 또는 원시함수라고 한다.

즉, $f(x) = \int f'(x)dx$ 이므로 $f(x) = x^3 + 2x^2 - 2x + C$ **정답** $x^3 + 2x^2 - 2x + C$

**02**

(1) $\int dx = \int 1dx = x + C$ **정답** $x + C$

(2) $\int (3x^2 + x - 2)dx = x^3 + \frac{1}{2}x^2 - 2x + C$ **정답** $x^3 + \frac{1}{2}x^2 - 2x + C$

(3) $\int (x^3 + 2x^2 - 3x + 4)dx = \int x^3 dx + \int 2x^2 dx - \int 3xdx + \int 4dx$
$$= \int x^3 dx + 2\int x^2 dx - 3\int xdx + \int 4dx$$
$$= \frac{1}{4}x^4 + \frac{2}{3}x^3 - \frac{3}{2}x^2 + 4x + C$$

**정답** $\frac{1}{4}x^4 + \frac{2}{3}x^3 - \frac{3}{2}x^2 + 4x + C$

(4) $\int (x+1)(x+2)dx = \int (x^2 + 3x + 2)dx = \frac{1}{3}x^3 + \frac{3}{2}x^2 + 2x + C$ **정답** $\frac{1}{3}x^3 + \frac{3}{2}x^2 + 2x + C$

# 42 정적분

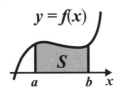

함수 $f(x)$를 $a$에서 $b$까지 정적분 한다. $a$에서 $b$까지만 넓이를 구한다.

$$S = \int_a^b f(x)\,dx$$

## 1. 정적분의 기본정리

$F'(x) = f(x)$ 일 때 다음의 정적분의 기본정리가 성립한다.

$$\int_a^b f(x)\,dx = [F(x)]_a^b = F(b) - F(a)$$

## 2. 정적분의 성질

(1) $\displaystyle\int_a^b kf(x)\,dx = k\int_a^b f(x)\,dx$ (단, $k$는 상수)

(2) $\displaystyle\int_a^b \{f(x) \pm g(x)\}\,dx = \int_a^b f(x)\,dx \pm \int_a^b g(x)\,dx$

(3) $\displaystyle\int_a^b f(x)\,dx = \int_a^c f(x)\,dx + \int_c^b f(x)\,dx$

(4) $\displaystyle\int_a^a f(x)\,dx = 0$

(5) $\displaystyle\int_a^b f(x)\,dx = -\int_b^a f(x)\,dx$

### ✓ 적분 공식

(1) $\displaystyle\int x^n dx = \frac{1}{n+1}x^{n+1}$

(2) $\displaystyle\int \sin x dx = -\cos x$

(3) $\displaystyle\int \cos x dx = \sin x$

(4) $\displaystyle\int dx = x$

(4) $\displaystyle\int \frac{1}{x}dx = \ln x$

(적분상수 생략)

### ✓ 정적분에서 적분상수 C가 없는 이유

닫힌구간 $[a, b]$에서 연속인 함수 $f(x)$의 두 부정적분을 $F(x)$, $G(x)$라 하면 $F(x) = G(x) + C(C$는 적분상수)

이므로 $F(b) - F(a)$의 값은 $F(b) - F(a) = \{G(b) + C\} - \{G(a) + C\} = G(b) - G(a)$

즉, $F(b) - F(a)$의 값은 적분상수 $C$에 관계없이 하나로 결정된다. 이 값을 함수 $f(x)$의 $a$에서 $b$까지의 정적분이라 한다.

## 기본문제

## *01* 다음 정적분값을 구하시오.

(1) $\displaystyle\int_2^4 2x dx$

(2) $\displaystyle\int_1^3 (3x^2 + 4x - 2)dx$

(3) $\displaystyle\int_0^2 4x dx$

(4) $\displaystyle\int_2^4 3x^2 dx$

(5) $\displaystyle\int_0^1 (3x^2 + 1)dx$

(6) $\displaystyle\int_{-1}^2 (x^3 + 9x^2 - 6x - 4)dx$

(7) $\displaystyle\int_1^2 10^2 dx$

(8) $\displaystyle\int_0^1 (10t)^2 dt$

(9) $\displaystyle\int_0^\theta \sin\theta d\theta$

(10) $\displaystyle\int_0^{2\pi a} dl$

(11) $\displaystyle\int_{0.1}^{0.8} E dl$

# 기출문제

## 01
30[V/m]의 전계 내의 50[V]되는 점에서 1[C]의 전하를 전계 방향으로 70[cm] 이동한 경우, 그 점의 전위는 몇 [V]인가?

① 21  ② 29
③ 35  ④ 65

**풀이**
$$V_{BA} = V_B - V_A = -\int_A^B E \cdot dl = -\int_0^{0.7} E \cdot dl$$
$$= -[30l]_0^{0.7} = -21[V]$$
$V_A = 50[V]$, $V_{BA} = -21[V]$ 이므로
$$\therefore V_B = V_A + V_{BA} = 50 - 21 = 29[V]$$

정답 ②

## 02
그림과 같이 주기가 3[s]인 전압 파형의 실효값은 약 몇 [V]인가?

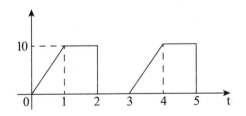

① 5.67  ② 6.67
③ 7.57  ④ 8.57

**풀이** 실효값: $V = \sqrt{\dfrac{1}{T}\int_0^T v^2 dt}$
$$= \sqrt{\dfrac{1}{3}\left[\int_0^1 (10t)^2 dt + \int_1^2 10^2 dt\right]}$$
$$= \dfrac{20}{3} = 6.67[V]$$

정답 ②

## 03
40[V/m]의 전계 내의 50[V]되는 점에서 1[C]의 전하를 전계 방향으로 80[cm] 이동하였을 때, 그 점의 전위는 몇 [V]인가?

① 18  ② 22
③ 35  ④ 65

**풀이** 전위: $V_{BA} = V_B - V_A = -\int_A^B E \cdot dl$

($E$: 전계, $l$: 이동거리)
전계: 40[V/m], 전위: 50[V], 저하: 1[C], 전계 방향으로 80[cm](=0.8[m]) 이동
$$V_{BA} = V_B - V_A = -\int_A^B E \cdot dl$$
$$= -\int_0^{0.8} E \cdot dl = -[40l]_0^{0.8}$$
$$= -32[V]$$
$V_A = 50[V]$, $V_{BA} = -32[V]$ 이므로
$$\therefore V_B = V_A + V_{BA} = 50 - 32 = 18[V]$$

정답 ①

## 04
자기모멘트 $9.8 \times 10^{-5}$[wb·m]의 막대자석을 지구자계의 수평 성분 10.5[AT/m]의 곳에서 지자기 자오면으로부터 90° 회전시키는데 필요 일은 약 몇 [J]인가?

① $1.03 \times 10^{-3}$[J]  ② $1.03 \times 10^{-5}$[J]
③ $9.03 \times 10^{-3}$[J]  ④ $9.03 \times 10^{-5}$[J]

**풀이** 지구 자계가 자석에 작용하는 회전력은 $T = MH\sin\theta$이고, 각 $\theta$만큼 회전시키는데 필요한 일은
$$W = \int_0^\theta T \cdot d\theta = Mh\int_0^\theta \sin\theta \cdot d\theta = MH(1-\cos\theta)$$
$$= 9.5 \times 10^{-5} \times 12.5 \times (1-0) ≒ 1.03 \times 10^{-3}[J]$$

정답 ①

## 05

그림과 같이 반지름 10[cm]인 반원과 그 양단으로부터 직선으로 된 도선에 10[A]의 전류가 흐를 때, 중심 O에서의 자계의 세기와 방향은?

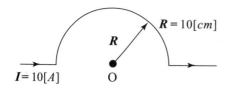

① 2.5[AT/m], 방향 ⊙  ② 25[AT/m], 방향 ⊙
③ 2.5[AT/m], 방향 ⊗  ④ 25[AT/m], 방향 ⊗

**풀이** 반원 부분에 의하여 생기는 자계

$$H = \int_0^x dH = \frac{IR}{4\pi a^2}\int_0^x d\theta = \frac{IR}{4\pi R^2}[\theta]_0^\pi$$
$$= \frac{I}{4R}[\text{AT/m}]$$

**자계의 세기** : $H = \frac{10}{4 \times 0.1} = 25[\text{AT/m}]$

방향은 앙페르의 오른 나사 법칙에 의해 들어가는 모양 ⊗ 가 된다.

**정답** ④

## 06

$i = 3t^2 + 2t[A]$의 전류가 도선을 30초간 흘렀을 때 통과한 전체 전기량[Ah]은?

① 4.25  ② 6.75
③ 7.75  ④ 8.25

**풀이** 전체 전기량 : $Q = \int_0^t i dt$
$$= \int_0^{30}(3t^2+2t)dt = [t^3+t^2]_0^{30}$$
$$= 27900[A \cdot \sec] = \frac{27900}{3600}[\text{Ah}]$$
$$= 7.75[\text{Ah}]$$
$$h(hour):\text{시}$$

**정답** ③

## 07

반지름 50[cm]의 서로 나란한 두 원형 코일(헤름홀츠 코일)을 1[mm] 간격으로 동축상에 평행 배치한 후 각 코일에 100[A]의 전류가 같은 방향으로 흐를 때 코일 상호 간에 작용하는 인력은 몇 [N] 정도 되는가?

① 3.14  ② 6.28
③ 31.4  ④ 62.8

**풀이** $dF = B_2 I_1 dl = \mu_0 H_2 I_1 dl$
$$H_2 = \frac{I_2}{2\pi d}, dF ≒ \mu_0 \frac{I_2 I_1}{2\pi d}dl$$
$$\therefore F = \int dF = \mu_0 \frac{I_1 I_2}{2\pi d}\int_0^{2\pi a}dl = \frac{\mu_0 I^2 a}{d}[N]$$
$$\therefore F = \frac{\mu_0 I^2 a}{d} \to (I_1 = I_2 = I)$$
$$\to (a = 50 \times 10^{-2}[m],$$
$$d = 1 \times 10^{-3}[m]$$
$$I = I_1 = I_2 = 100[A])$$
$$= \frac{4\pi \times 10^{-7} \times 100^2 \times 0.5}{1 \times 10^{-3}} ≒ 6.28[N]$$

**정답** ②

## 08

$E = xi - yj[V/m]$일 때 점 (3, 4)[m]를 통과하는 전기력선의 방정식은?

① $y = 12x$  ② $y = \frac{x}{12}$
③ $y = \frac{12}{x}$  ④ $y = \frac{3}{4}x$

**풀이** 전기력선의 방정식 : $\frac{dx}{Ex} = \frac{dy}{Ey}$
$$\frac{dx}{x} = \frac{dy}{-y}$$
$$\int\frac{1}{x}dx = -\int\frac{1}{y}dy$$
$$\ln x = -\ln y + \ln c$$
$$\ln x + \ln y = \ln c$$
$$\ln xy = \ln c$$
$$c = xy = 3 \times 4 = 12$$
$$y = \frac{12}{x}$$

**정답** ③

## 01

(1) $\displaystyle\int_2^4 2x\,dx = [x^2]_2^4 = 4^2 - 2^2 = 12$　정답 **12**

(2) $\displaystyle\int_1^3 (3x^2 + 4x - 2)\,dx = [x^3 + 2x^2 - 2x]_1^3 = (3^3 + 2 \cdot 3^2 - 2 \cdot 3) - (1^3 + 2 \cdot 1^2 - 2 \cdot 1) = 38$

　정답 **38**

(3) $\displaystyle\int_0^2 4x\,dx = [2x^2]_0^2 = 2 \cdot 2^2 - 2 \cdot 0^2 = 8$　정답 **8**

(4) $\displaystyle\int_2^4 3x^2\,dx = [x^3]_2^4 = 4^3 - 2^3 = 56$　정답 **56**

(5) $\displaystyle\int_0^1 (3x^2 + 1)\,dx = [x^3 + x]_0^1 = 2$　정답 **2**

(6) $\displaystyle\int_{-1}^2 (x^3 + 9x^2 - 6x - 4)\,dx = \left[\frac{1}{4}x^4 + 3x^3 - 3x^2 - 4x\right]_{-1}^2 = \frac{1}{4}(16 - 1) + 3(8 + 1) - 3(4 - 1) - 4 \cdot 3 = \frac{39}{4}$

　정답 $\dfrac{39}{4}$

(7) $\displaystyle\int_1^2 10^2\,dx = [100x]_1^2 = 200 - 100 = 100$　정답 **100**

(8) $\displaystyle\int_0^1 (10t)^2\,dt = \left[\frac{100}{3}t^3\right]_0^1 = \frac{100}{3} - 0 = \frac{100}{3}$　정답 $\dfrac{100}{3}$

(9) $\displaystyle\int_0^\theta \sin\theta\,d\theta = [-\cos\theta]_0^\theta = -\cos\theta - (-\cos 0) = 1 - \cos\theta$　정답 **$1 - \cos\theta$**

(10) $\displaystyle\int_0^{2\pi a} dl = [l]_0^{2\pi a} = 2\pi a - 0 = 2\pi a$　정답 **$2\pi a$**

(11) $\displaystyle\int_{0.1}^{0.8} E\,dl = [El]_{0.1}^{0.8} = E0.8 - E0.1 = E0.7$　정답 **$E0.7$**

# e 총정리

## 1. 무리수 e의 정의

$$\lim_{x \to 0}(1+x)^{\frac{1}{x}} = e$$

$x$의 값이 0에 한없이 가까워질 때, $(1+x)^{\frac{1}{x}}$의 값은 어떤 일정한 값에 가까워짐이 알려져 있고, 이 극한

값을 $e$로 나타낸다.

이때 $e$는 무리수이고, 그 값은 $e = 2.718281828459045\cdots$ 이다(2.7까지 외우자).

### ✓ 로그에서 무리수 $e$

미분과 적분에서 사용되는 로그의 대부분은 이 $e$를 밑으로 하는 $\log_e$이며 이것을 자연로그라고 한다. 또 이 자연로그 $\log_e$를 ln으로 표기하기도 한다. 참고로, 10을 밑으로 하는 대수 $\log_{10}$은 상용로그라고 한다. 참고로 $\log_{10}$, 상용로그는 밑 10을 생략해 log라고도 한다.

## 2. 무리수 e의 도함수

$$y = e^x \Rightarrow y' = e^x$$

### ✓ 지수함수의 도함수

$y = 2^x \Rightarrow y' = 2^x \ln 2$ (2, 3, 4, 5, 6, $\cdots$ 가능하다, 1은 안된다)

## 3. 오일러공식

$$z = re^{j\theta} = r(\cos\theta + j\sin\theta)$$

## 기본문제

### *01* 다음 함수를 미분하시오.

(1) $y = 6e^{3x}$

(2) $y = e^{4z}$

(3) $y = 3e^x$

(4) $y = 2^x$

(5) $y = e^{3x}$

## 기출문제

### *01*
$R = 1[\text{k}\Omega]$, $C = 1[\mu\text{F}]$가 직렬접속된 회로에 스텝(구형파) 전압 $10[\text{V}]$를 인가하는 순간에 커패시터 C에 걸리는 최대 전압$[\text{V}]$은?

① 0

② 3.72

③ 6.32

④ 10

**풀이** $R-C$ 직렬연결에서 $C$의 전압

$$v_c = E(1 - e^{-\frac{1}{RC}t})(t = 0 일 때)$$
$$= E(1 - e^0) = E(1 - 1) = 0$$

**정답** ①

### *02*
전계 $E = i2e^{3x}\sin 5y - je^{3x}\cos 5y + k3ze^{4z}$ 일 때, 점 $(x=0, y=0, z=0)$에서의 발산은?

① 0

② 3

③ 6

④ 10

**풀이** $div E = \nabla \cdot E$

$$= \frac{\partial}{\partial x}E_x + \frac{\partial}{\partial y}E_y + \frac{\partial}{\partial z}E_z$$
$$= \frac{\partial}{\partial x}(2e^{3x}\sin 5y) + \frac{\partial}{\partial y}(-e^{3x}\cos 5y) + \frac{\partial}{\partial z}(3ze^{4z})$$
$$= 6e^{3x}\sin 5y + 5e^{3x}\sin 5y + 3(e^{4z} + 4ze^{4z})$$
$$= 11e^{3x}\sin 5y + 3(1 + 4z)e^{4z}$$
$$[div E]_{x=0, y=0, z=0} = 3$$

**정답** ②

### *03*
$f(t) = 3u(t) + 2e^{-t}$인 시간함수를 라플라스 변환한 것은?

① $\dfrac{3x}{s^2 + 1}$

② $\dfrac{s + 3}{s(s + 1)}$

③ $\dfrac{5s + 3}{s(s + 1)}$

④ $\dfrac{5s + 1}{(s + 1)s^2}$

**풀이** $\pounds[3u(t) + 2e^{-t}] = \dfrac{3}{s} + 2\dfrac{1}{s + 1} = \dfrac{3(s + 1) + 2s}{s(s + 1)}$

$$= \dfrac{5s + 3}{s(s + 1)}$$

**정답** ③

## *04*

다음과 같은 시스템에 단위계단입력 신호가 가해졌을 때 지연시간에 가장 가까운 값(sec)은?

$$\frac{C(s)}{R(s)} = \frac{1}{s+1}$$

① 0.5        ② 0.7

③ 0.9        ④ 1.2

**풀이** 단위 계단 응답

$$C(s) = G(s)R(s) = \frac{1}{s(s+1)} = \frac{1}{s} - \frac{1}{s+1}$$

$c(t) = 1 - e^{-t}$ 이므로

출력의 최종값 $\lim_{t \to \infty} c(t) = \lim_{t \to \infty}(1 - e^{-t}) = 1$ 이 된다.

따라서, 지연시간 $T_d$는 최종값의 50[%]에 도달하는데 소요되는 시간이므로

$$0.5 = 1 - e^{-T_d}, \frac{1}{e^{T_d}} = 1 - 0.5, e^{T_d} = 2$$

$$\therefore T_d = \ln 2 = 0.693 \fallingdotseq 0.7$$

**정답** ②

## *05*

$e^{j\frac{2}{3}\pi}$ 와 같은 것은?

① $\frac{1}{2} - j\frac{\sqrt{3}}{2}$        ② $-\frac{1}{2} - j\frac{\sqrt{3}}{2}$

③ $-\frac{1}{2} + j\frac{\sqrt{3}}{2}$        ④ $\cos\frac{2}{3}\pi + \sin\frac{2}{3}\pi$

**풀이** 복소수 표현법에 의해 $Ae^{j\theta} = A(\cos\theta + j\sin\theta)$ 의 표현이므로

$$e^{j\frac{2}{3}\pi} = 1\left(\cos\frac{2\pi}{3} + j\sin\frac{2\pi}{3}\right) = \cos 120° + j\sin 120°$$

$$= -\frac{1}{2} + j\frac{\sqrt{3}}{2}$$

**정답** ③

## 기본문제 정답 해설

**CHAPTER 43**    **e 총정리**          265p

### 01

(1) $y = 6e^{3x} = 6(e^3)^x$이므로 $y' = 6e^{3x}\ln e^3 = y' = \mathbf{18e^{3x}}$

    **정답** $\mathbf{18e^{3x}}$

(2) $y = e^{4z} = (e^4)^z$므로 $y' = e^{4z}\ln e^4 = 4e^{4z}$   **정답** $\mathbf{4e^{4z}}$

(3) $y' = 3e^x$   **정답** $\mathbf{3e^x}$

(4) $y' = 2^x\ln 2$   **정답** $\mathbf{2^x\ln 2}$

(5) $y = 3e^{3x} = (e^3)^x$므로 $y' = 3e^{3x}\ln e^3 = \mathbf{3e^{3x}}$

    **정답** $\mathbf{3e^{3x}}$

> **✓ 미분법의 기본 공식**
>
> (1) $y = c(c$는 상수$) \to y' = 0$
>
> (2) $y = x^n(n$은 자연수$) \to y' = nx^{n-1}$
>
> (3) $y = cf(x)(c$는 상수$) \to y' = cf'(x)$
>
> (4) $y = f(x) \pm g(x) \to y' = f'(x) \pm g'(x)$
>
> (5) $y = f(x)g(x) \to y' = f'(x)g(x) + f(x)g'(x)$

# 44 벡터의 성질

## 1. 벡터의 정의

(1) 속도, 힘과 같이 크기와 방향을 함께 가지는 양을 벡터(vector)라 한다.

(2) 벡터를 그림으로 나타낼 때는 오른쪽 그림과 같이 방향이 주어진 선분을 이용한다.

점 $A$에서 점 $B$로 향하는 방향과 크기가 주어진 선분 $AB$를 '벡터 $AB$'라 하고, 이것을 기호로 $\overrightarrow{AB}$ 와 같이 나타낸다.

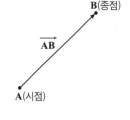

(3) 벡터를 한 문자로 나타낼 때에는 $\vec{a}, \vec{b}, \vec{c}, \cdots\cdots$ 와 같이 나타내고, 벡터 $\vec{a}$ 의 크기는 $|\vec{a}|$와 같이 나타낸다.

(4) 크기가 1인 벡터를 단위벡터라 한다. $|\vec{a}| = 1$

✓ 길이, 질량과 같이 크기만을 가지는 양을 스칼라(scalar)라 한다.

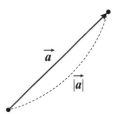

## 2. 서로 같은 벡터

한 벡터를 평행이동하여 겹쳐지는 벡터는 모두 같은 벡터이다.

오른쪽 그림에서 벡터 $\overrightarrow{AB}$ 를 평행이동하면 벡터 $\overrightarrow{CD}$ 와 포개지므로 두 벡터 $\overrightarrow{AB}$ 와 $\overrightarrow{CD}$ 는 시점의 위치는 다르지만 그 크기와 방향이 각각 같다.

이와 같이 두 벡터 $\overrightarrow{AB}$ 와 $\overrightarrow{CD}$ 의 크기와 방향이 각각 같을 때, 두 벡터 $\overrightarrow{AB}$ 와 $\overrightarrow{CD}$ 는 서로 같다고 하고 $\overrightarrow{AB} = \overrightarrow{CD}$ 와 같이 나타낸다.

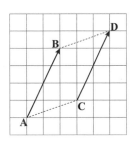

## 3. 크기가 같고 방향이 반대인 벡터

벡터 $\vec{a}$ 와 크기는 같지만 방향이 반대인 벡터를 기호로 $-\vec{a}$ 와 같이 나타낸다. 즉, $\overrightarrow{BA} = -\overrightarrow{AB}$

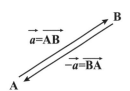

# 4. 벡터의 크기

✓ **벡터의 뜻**

벡터의 크기 : $|\vec{A}| = |4a_x + 2a_y| = \sqrt{4^2 + 2^2} = \sqrt{20}$

✓ 필수 3차원 벡터 $\vec{A}$ 의 크기 ($\vec{A} = 3a_x + 2a_y + 2a_z$) $|\vec{A}| = \sqrt{3^2 + 2^2 + 2^2} = \sqrt{17}$

# 5. 성분벡터, 단위벡터

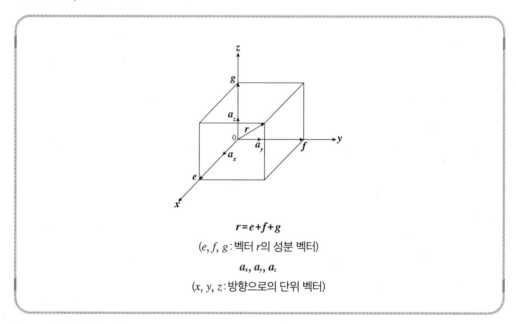

$$r = e + f + g$$
$(e, f, g :$ 벡터 $r$의 성분 벡터$)$

$$a_x,\ a_y,\ a_z$$
$(x, y, z :$ 방향으로의 단위 벡터$)$

✓ $x, y, z$ 방향으로의 크기 : $e, f, g \rightarrow r = ea_x + fa_y + ga_z$

✓ $ea_x, fa_y, ga_z$ : 벡터 $r$의 성분벡터

✓ $e, f, g$ : 벡터 $r$의 성분 스칼라

$$\boldsymbol{B} = B_x \boldsymbol{a_x} + B_y \boldsymbol{a_y} + B_z \boldsymbol{a_z}$$
$$a_B = \frac{\boldsymbol{B}}{|B|} = \frac{\boldsymbol{B}}{\sqrt{B_x^2 + B_y^2 + B_z^2}}$$

$a_B$는 단위 벡터다. 벡터의 크기가 1인 벡터이다. 방향 성분만 가진다.

## 01 오른쪽 그림 위에 다음 벡터를 나타내시오.

(1) $\overrightarrow{AB}$  (2) $\overrightarrow{BD}$

(3) $\overrightarrow{CA}$  (4) $\overrightarrow{DC}$

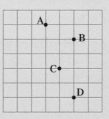

## 02 오른쪽 그림과 같은 직사각형 $ABCD$에서 $\overline{AB}$ = 2, $\overline{AD}$ = 3 일 때, 다음을 구하시오.

(1) $|\overrightarrow{BC}|$  (2) $|\overrightarrow{AC}|$

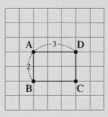

## 03 오른쪽 그림을 보고, 다음을 구하시오.

(1) $\vec{a}$ 와 서로 같은 벡터

(2) $\vec{b}$ 와 크기가 같지만 방향이 반대인 벡터

(3) $\vec{e}$ 와 크기가 같지만 방향이 반대인 벡터

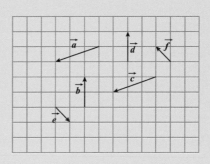

## 04 벡터의 크기와 단위벡터를 구하시오.

(1) $3a_x - 6a_y + 2a_z$  (2) $6a_x - 2a_y + 3a_z$

## 01

점전하 0.5[C]이 전계

$E = 3a_x + 5a_y + 8a_z$[V/m] 중에서 속도

$4a_x + 2a_y + 3a_z$로 이동할 때 받는 힘은 몇 [N]인가?

① 4.95        ② 7.45

③ 9.95        ④ 13.47

**풀이** $F = qE = 0.5 \times (3a_x + 5a_y + 8a_z) = 1.5a_x + 2.5a_y + 4a_z$

$\therefore F = \sqrt{1.5^2 + 2.5^2 + 4^2} = 4.95$[N]

정답 ①

## 02

자유공간 중에서 점 $P(2, -4, 5)$가 도체면상에 있으며, 이 점에서 전계 $E = 3a_x - 6a_y + 2a_z$[V/m]이다. 도체면에 법선성분 $E_n$ 및 접선성분 $E_t$의 크기는 몇 [V/m]인가?

① $E_n = 3, E_t = -6$      ② $E_n = 7, E_t = 0$

③ $E_n = 2, E_t = 3$      ④ $E_n = -6, E_t = 0$

**풀이** 도체 면에서의 전계는 수직으로 출입한다.

즉, 접선 성분 $E_t = 0$이며, $E = E_n$

$E = 3a_x - 6a_y + 2a_z$[V/m] 이므로

크기는 $|E| = \sqrt{3^2 + (-6)^2 + 2^2} = 7$[V/m]

정답 ②

## 03

자유공간에 점 $P(5, -2, 4)$가 도체면상에 있으며, 이 점에서의 전계

$E = 6a_x - 2a_y + 3a_z$[V/m]이다. 점 $P$에서의

면전하밀도 $\rho_s$[C/m²]은?

① $-2\epsilon_0$[C/m²]      ② $3\epsilon_0$[C/m²]

③ $6\epsilon_0$[C/m²]      ④ $7\epsilon_0$[C/m²]

**풀이** 전계의 세기 : $E = \dfrac{\rho}{\epsilon_0}$[V/m]

$\therefore \rho = \epsilon_0 E = \epsilon_0 |6a_x - 2a_y + 3a_z|$

$= \epsilon_0 (\sqrt{6^2 + (-2)^2 + 3^2})$

$= 7\epsilon_0$[C/m²]

면전하밀도 : $D = \rho_s$[C/m²]     $D = \epsilon_0 E$[C/m²]

정답 ④

## 04

$-1.2$[C]의 점전하가 $5a_x + 2a_y - 3a_z$[m/s]인 속도로 운동한다. 이 전하가

$B = -4a_x + 4a_y + 3a_z$[Wb/m²]인 자계에서

운동하고 있을 때 이 전하에 작용하는 힘은 약 몇 [N]인가?(단, $a_x, a_y, a_z$는 단위벡터이다)

① 10        ② 20

③ 30        ④ 40

**풀이** $v = 5a_x + 2a_y - 3a_x$[m/s]

$B = -4a_x + 4a_y + 3a_z$[Wb/m²]

$F = qvB\sin\theta = q|\vec{v} \times \vec{B}|$

$= 1.2 \times \sqrt{18^2 \times 3^2 + 28^2} = 40$

$\vec{v} \times \vec{B} = \begin{vmatrix} i & j & k \\ 5 & 2 & -3 \\ -4 & 4 & 3 \end{vmatrix}$

$= i(6+12) - j(15-12) + k(20+8)$

$= 18i - 3j + 28k$

$|\vec{v} \times \vec{B}| = \sqrt{18^2 + 3^2 + 28^2}$

정답 ④

## 01

정답

## 02

(1) $|\overrightarrow{BC}| = \overline{BC} = 3$    정답  **3**

(2) $|\overrightarrow{AC}| = \sqrt{2^2 + 3^2} = \sqrt{13}$    정답  $\sqrt{13}$

## 03 겹쳐지는 벡터는 모두 같은 벡터이다.

(1)    정답  $\vec{c}$                    (2)    정답  없다                    (3)    정답  $\vec{f}$

## 04

(1) $|3a_x - 6a_y + 2a_z| = \sqrt{3^2 + (-6)^2 + 2^2} = 7$

$\dfrac{3a_x - 6a_y + 2a_z}{|3a_x - 6a_y + 2a_z|} = \dfrac{3a_x - 6a_y + 2a_z}{7} = \dfrac{3}{7}a_x - \dfrac{6}{7}a_y + \dfrac{2}{7}a_z$    정답  $\dfrac{3}{7}a_x - \dfrac{6}{7}a_y + \dfrac{2}{7}a_z$

(2) $|6a_x - 2a_y + 3a_z| = \sqrt{6^2 + (-2)^2 + 3^2} = 7$

$\dfrac{6a_x - 2a_y + 3a_z}{|6a_x - 2a_y + 3a_z|} = \dfrac{6a_x - 2a_y + 3a_z}{7} = \dfrac{6}{7}a_x - \dfrac{2}{7}a_y + \dfrac{3}{7}a_z$    정답  $\dfrac{6}{7}a_x - \dfrac{2}{7}a_y + \dfrac{3}{7}a_z$

# 45 벡터의 더하기

## 1. 벡터의 그림 더하기

### 1) 평행사변형을 이용한 벡터의 덧셈

벡터 $\vec{a}$ 의 시점과 벡터 $\vec{b}$ 의 시점을 일치시킨 다음 벡터 $\vec{a}$ 와 벡터 $\vec{b}$ 를 이웃하는 두 변으로 하는 평행사변형을 만들어 벡터 $\vec{a}$ 의 시점과 대각선 방향의 평행사변형의 꼭짓점을 잇는다.

오른쪽 그림과 같이 $\vec{a} = \overrightarrow{AB}, \vec{b} = \overrightarrow{AD}$ 가 되도록 세 점, A, B, D를 잡고, 사각형 ABCD가 평행사변형이 되도록 점 C를 잡는다.

이때 두 벡터 $\overrightarrow{AD}, \overrightarrow{BC}$ 는 $\overline{AD} = \overline{BC}$ 이고 방향이 같으므로 $\overrightarrow{AD} = \overrightarrow{BC}$ 이다. 따라서 $\overrightarrow{AB} + \overrightarrow{AD} = \overrightarrow{AB} + \overrightarrow{BC} = \overrightarrow{AC}$ 이다. 즉, 두 벡터의 합 $\overrightarrow{AB} + \overrightarrow{AD}$ 는 평행사변형의 대각선인 $\overrightarrow{AC}$ 이다.

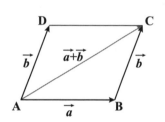

## 2. 벡터의 성분 더하기

벡터는 같은 성분끼리 더한다. 뺄셈도 마찬가지

**예제** $A = 60a_x - 3a_y + 3a_z, B = -30a_x - 3a_y - 6a_z$ 일 때 $A + B$ 는?

**풀이** $A + B = 30a_x - 6a_y - 3a_z$

$\vec{A}$ (벡터 A)는 $a_x, a_y, a_z$ 로 표현 가능하다. $i, j, k$ 로도 가능하다.

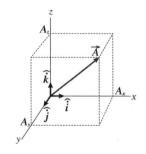

## 01

$-1.2$[C]의 점전하가 $5a_x + 2a_y - 3a_z$[m/s] 인 속도로 운동한다. 이 전하가

$B = -4a_x + 4a_y + 3a_z$[Wb/m²]인 자계에서

운동하고 있을 때 이 전하에 작용하는 힘은 약 몇

[N]인가?(단, $a_x$, $a_y$, $a_z$는 단위벡터이다)

① 10            ② 20

③ 30            ④ 40

**풀이** $v = 5a_x + 2a_y - 3a_x$[m/s]

$B = -4a_x + 4a_y + 3a_z$[Wb/m²]

$F = qvB\sin\theta = q|\vec{v} \times \vec{B}|$

$\quad = 1.2 \times \sqrt{18^2 \times 3^2 + 28^2} = 40$

$\vec{v} \times \vec{B} = \begin{vmatrix} i & j & k \\ 5 & 2 & -3 \\ -4 & 4 & 3 \end{vmatrix}$

$\quad = i(6 + 12) - j(15 - 12) + k(20 + 8)$

$\quad = 18i - 3j + 28k$

$|\vec{v} \times \vec{B}| = \sqrt{18^2 + 3^2 + 28^2}$

**정답** ④

## 02

두 벡터가 $A = 2a_x + 4a_y - 3a_z$, $B = a_x - a_y$ 일 때 $A \times B$는?

① $6a_x - 3a_y + 3a_z$      ② $-3a_x - 3a_y - 6a_z$

③ $6a_x + 3a_x - 3a_z$      ④ $-3a_x + 3a_y + 6a_z$

**풀이** 벡터의 곱 : $A = 2a_x + 4a_y - 3a_z$, $B = a_x - a_y$

$A \times B = \begin{vmatrix} i & j & k \\ 2 & 4 & -3 \\ 1 & -1 & 0 \end{vmatrix}$

$\quad = i(0 - 3) + -j(0 - (-3)) + k(-2 - 4 \times 1)$

$\quad = -3i - 3j - 6k$[A]

**정답** ②

# 46 벡터의 내적

## 1. 벡터의 내적 기하학적 의미

### (1) 두 평면벡터가 이루는 각

영벡터가 아닌 두 평면벡터 $\vec{a}, \vec{b}$ 에 대하여 $\vec{a} = \overrightarrow{OA}, \vec{b} = \overrightarrow{OB}$ 일 때, $\angle AOB = \theta(0° \le \theta \le 180°)$ 를 두 벡터 $\vec{a}, \vec{b}$ 가 이루는 각의 크기라 한다.

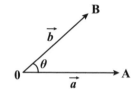

### (2) 벡터의 내적

적은 '쌓는다'는 뜻의 한자이고, 여기서는 '곱한다'는 뜻이다. 벡터의 곱하기는 두 가지 정의가 있는데, 내적은 벡터를 마치 수처럼 곱하는 개념이다. 내적은 한 벡터를 다른 벡터로 정사영시켜서, 그 벡터의 크기를 곱한다. 영벡터가 아닌 두 평면벡터 $\vec{a}, \vec{b}$ 가 이루는 각의 크기를 $\theta$ 라 할 때, 두 벡터 $\vec{a}$ 와 $\vec{b}$ 의 내적을 기호로 $\vec{a} \cdot \vec{b}$ 와 같이 나타내고, 다음과 같이 정의한다.

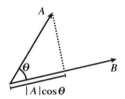

① 두벡터가 이루는 각이 0도일 땐 곱하기만 하면 된다.

② 두 벡터가 이루는 각이 90도일 때, 일치하는 정도가 전혀 없기 때문에 내적의 값은 0이다.

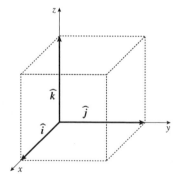

> $x$축 벡터 $= a_x = \vec{i}$
> $y$축 벡터 $= a_y = \vec{j}$
> $x$축 벡터 $= a_z = \vec{k}$
> $0° \le \theta \le 90°$ 일 때 $\vec{a} \cdot \vec{b} = |\vec{a}||\vec{b}|\cos\theta$

① 두 평면벡터 $\vec{a}$ 와 $\vec{b}$ 의 내적 $\vec{a} \cdot \vec{b}$ 는 벡터가 아니라 실수이다.

② 내적 $\vec{a} \cdot \vec{b}$ 를 $\vec{a}\vec{b}$ 또는 $\vec{a} \times \vec{b}$ 로 쓰지 않는다.

③ 내적, 크기, 각도 3가지 중 2개만 알면 나머지 하나를 구할 수 있다.

**예제**   $|\vec{a}| = 2, |\vec{b}| = 3$ 인 두 평면벡터 $\vec{a}, \vec{b}$ 가 이루는 각의 크기가 60°일 때 내적을 구하시오.

**풀이**   $\theta = 60°$ 일 때, $\vec{a} \cdot \vec{b} = |\vec{a}||\vec{b}| \cos 60° = 2 \times 3 \times \dfrac{1}{2} = 3$

## 2. 평면벡터의 내적 대수적 의미

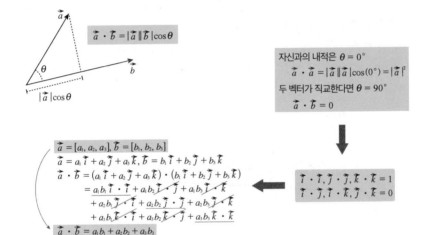

평면벡터의 내적을 성분으로 나타내면 다음과 같다.

$$\vec{a} = (a_1, a_2), \vec{b} = (b_1, b_2) \text{일 때, } \vec{a} \cdot \vec{b} = a_1 b_1 + a_2 b_2$$

**예제**   다음 두 벡터의 내적을 구하시오.

(1) $\vec{a} = (2, -3), \vec{b} = (3, 1)$        (2) $\vec{a} = (1, 2), \vec{b} = (3, -2)$

**풀이**   (1) $\vec{a} \cdot \vec{b} = 2 \times 3 + (-3) \times 1 = 3$      (2) $\vec{a} \cdot \vec{b} = 1 \times 3 + 2 \times (-2) = -1$

## 기본문제

**01** $|\vec{a}| = 2$, $|\vec{b}| = 3$ 인 두 평면벡터 $\vec{a}$, $\vec{b}$ 가 이루는 각의 크기가 다음과 같을 때, $\vec{a} \cdot \vec{b}$ 를 구하시오.

(1) $30°$                (2) $60°$               (3) $120°$

**02** 다음 두 벡터 $\vec{a}$, $\vec{b}$ 의 내적을 구하시오.

(1) $\vec{a} = (3, 2)$, $\vec{b} = (-4, 6)$         (2) $\vec{a} = (2, -1)$, $\vec{b} = (3, 4)$

**03** 다음 두 평면벡터가 이루는 각의 크기를 구하시오.

(1) $\vec{a} = (0, 1)$, $\vec{b} = (-2\sqrt{3}, 2)$         (2) $A = 2i + 4j$, $B = 6j - 4k$

## 기출문제

**01** $A = i + 4j + 3k$, $B = 4i + 2j - 4k$ 의 두 벡터는 서로 어떤 관계가 있는가?

① 평행          ② 면적
③ 접근          ④ 수직

**풀이** $AB = |A| \| B| \cos\theta$
$A_x B_x + A_y B_y + A_z B_z = |A| \| B| \cos\theta$
$1 \times 4 + 4 \times 2 + 3 \times (-4) = |A| \| B| \cos\theta$
$0 = |A| \| B| \cos\theta$
$\theta = 90°$

**정답** ④

**02** 두 벡터 $A = 2i + 4j$, $B = 6j - 4k$ 가 이루는 각은 약 몇 [°]인가?

① 36          ② 42
③ 50          ④ 61

**풀이** $A \cdot B = |A| \cdot |B| \cdot \cos\theta$ 에서
$$\cos\theta = \frac{A \cdot B}{|A| \cdot |B|}$$
$$= \frac{A_x B_x + A_y B_y + A_z B_z}{\sqrt{A_x^2 + A_y^2 + A_z^2} \times \sqrt{B_x^2 + B_y^2 + B_z^2}}$$
$$= \frac{2 \times 0 + 4 \times 6 + 0 \times (-4)}{\sqrt{2^2 + 4^2 + 0^2} \times \sqrt{0^2 + 6^2 + (-4)^2}}$$
$$= \frac{24}{32.25} = 0.744$$
$$\theta = \cos^{-1} 0.744 = 41.92°$$

**정답** ②

## 03

두 벡터 $A = A_x i + 2j$, $B = 3i - 3j - k$ 가 서로 직교하려면 $A_x$의 값은?

① 0
② 2
③ $\dfrac{1}{2}$
④ $-2$

**풀이** $A \cdot B = |A| \cdot |B| \cos 90°$

$A_x \cdot B_x + A_y \cdot B_y + A_z \cdot B_z = 0$

$A_x \times 3 + 2 \times (-3) + 0 \times (-1) = 0$ 에서

$\therefore A_x = 2$

**정답** ②

## 04

$E = 2i + j + 4k$[V/m]인 전계가 존재할 때 $10^{-5}$[C]의 전하를 원점으로부터 $r = 4i + j + 2k$[m] 까지 움직이는 데 필요한 일은 몇 [J]인가?

① $1.7 \times 10^{-4}$
② $2.0 \times 10^{-4}$
③ $2.4 \times 10^{-4}$
④ $2.7 \times 10^{-4}$

**풀이** $W = $힘$\times$거리$= F \cdot r = QE \cdot r$

$= 10^{-5} \times (2i + j + 4k) \cdot (4i + j + 2k)$

$= 10^{-5} \times (8 + 1 + 8) = 1.7 \times 10^{-4}$[J]

**정답** ①

## 05

원점에서 점 $(-2, 1, 2)$로 향하는 단위 벡터를 $a^1$이라 할 때 $y = 0$인 평면에 평행이고, $a_1$에 수직인 단위벡터 $a_2$는?

① $a_2 = \pm\left(\dfrac{1}{\sqrt{2}} a_x + \dfrac{1}{\sqrt{2}} a_z\right)$

② $a_2 = \pm\left(\dfrac{1}{\sqrt{2}} a_x - \dfrac{1}{\sqrt{2}} a_y\right)$

③ $a_2 = \pm\left(\dfrac{1}{\sqrt{2}} a_x + \dfrac{1}{\sqrt{2}} a_y\right)$

④ $a_2 = \pm\left(\dfrac{1}{\sqrt{2}} a_y - \dfrac{1}{\sqrt{2}} a_z\right)$

**풀이** 위치벡터 $A = -2a_x + a_y + 2a_z$

$$a_1 = \frac{-2a_x + a_y + 2a_z}{\sqrt{(-2)^2 + 1^2 + 2^2}} = \frac{-2a_x + a_y + 2a_z}{\sqrt{9}}$$

단위벡터 $a_2$는 $y = 0$인 평면($x-z$ 평면)에서 벡터성분 $A_x$, $A_z$ 또한 $a_1$과 수직에서 $a_1 \cdot a_x = 0$ 을 만족해야 하므로

$$a_2 = \pm \frac{A_x a_x + A_z a_z}{\sqrt{A_x^2 + A_z^2}}$$

$$a_1 \cdot a_2 = \frac{-2a_x + a_y + 2a_z}{\sqrt{9}} \cdot \left(\pm \frac{A_x a_x + A_z a_z}{\sqrt{A_x^2 + A_z^2}}\right) = 0$$

$(-2a_x + a_y + 2a_z) \cdot (A_x a_x + A_z a_z) = -2A_x + 2A_z = 0$

에서 $A_x = A_z$

$$\therefore a_2 = \pm \frac{A_x a_x + A_z a_z}{\sqrt{A_x^2 + A_z^2}} = \pm \frac{(a_x + a_z)A_z}{\sqrt{2}\,A_z}$$

$$= \pm\left(\frac{1}{\sqrt{2}} a_x + \frac{1}{\sqrt{2}} a_z\right)$$

**정답** ①

**01** 두 평면벡터 $\vec{a}, \vec{b}$ 가 이루는 각의 크기가 $\theta$ 일 때

> ( i ) $0° \leq \theta < 90°$ 이면 $\vec{a} \cdot \vec{b} = |\vec{a}||\vec{b}| \times \cos\theta$
>
> (ii) $90° < \theta \leq 180°$ 이면 $\vec{a} \cdot \vec{b} = -|\vec{a}||\vec{b}| \times \cos(180° - \theta)$

(1) $\vec{a} \cdot \vec{b} = |\vec{a}||\vec{b}|\cos 30° = 2 \times 3 \times \dfrac{\sqrt{3}}{2} = 3\sqrt{3}$  정답 $3\sqrt{3}$

(2) $\vec{a} \cdot \vec{b} = |\vec{a}||\vec{b}|\cos 60° = 2 \times 3 \times \dfrac{1}{2} = 3$  정답 $3$

(3) $\vec{a} \cdot \vec{b} = |\vec{a}||\vec{b}|\cos 60° = -2 \times 3 \times \dfrac{1}{2} = -3$  정답 $-3$

**02** $\vec{a} = (a_1, a_2), \vec{b} = (b_1, b_2)$ 일 때, $\vec{a} \cdot \vec{b} = a_1 b_1 + a_2 b_2$

(1) $\vec{a} \cdot \vec{b} = 3 \times (-4) + 2 \times 6 = 0$  정답 $0$

(2) $\vec{a} \cdot \vec{b} = 2 \times 3 + (-1) \times 4 = 2$  정답 $2$

**03** 영벡터가 아닌 두 평면벡터 $\vec{a}, \vec{b}$ 가 이루는 각의 크기가 $\theta$ 일 때,

( i ) $\vec{a} \cdot \vec{b} \geq 0$ 이면 $\cos\theta = \dfrac{\vec{a} \cdot \vec{b}}{|\vec{a}||\vec{b}|}$

(ii) $\vec{a} \cdot \vec{b} < 0$ 이면 $\cos(180° - \theta) = \dfrac{\vec{a} \cdot \vec{b}}{|\vec{a}||\vec{b}|}$

(1) $\vec{a} \cdot \vec{b} \geq 0$ 이므로 두 벡터 $\vec{a}, \vec{b}$ 가 이루는 각의 크기를 $\theta(0° \leq \theta \leq 90°)$ 라 하면

$\cos\theta = \dfrac{\vec{a} \cdot \vec{b}}{|\vec{a}||\vec{b}|} = \dfrac{2}{\sqrt{0^2 + 1^2}\sqrt{(-2\sqrt{3})^2 + 2^2}} = \dfrac{1}{2}$  정답 $\theta = 60°$

(2) $A \cdot B = |A| \cdot |B| \cdot \cos\theta$ 에서 $\vec{a} \cdot \vec{b} \geq 0$ 이므로

$\cos\theta = \dfrac{A \cdot B}{|A| \cdot |B|} = \dfrac{A_x B_x + A_y B_y + A_z B_z}{\sqrt{A_x^2 + A_y^2 + A_z^2} \times \sqrt{B_x^2 + B_y^2 + B_z^2}} = \dfrac{2 \times 0 + 4 \times 6 + 0 \times (-4)}{\sqrt{2^2 + 4^2 + 0^2} \times \sqrt{0^2 + 6^2 + (-4)^2}}$

$= \dfrac{24}{32.5} = 0.744$

정답 $\theta = \cos^{-1} 0.744 = 41.94°$

# 47

# 평면벡터의 외적

두 벡터를 곱하는 또다른 정의로 외적이 있다. 외적의 결과값은 벡터인데, 방향은 곱하는 두 벡터에 수직하고, 크기는 두 벡터가 이루는 사각형의 넓이이다. 외적의 연산 기호는 크로스이다 ($\vec{u} \times \vec{v}$). 외적의 크기(절대값)만 나타내보면 다음과 같다.

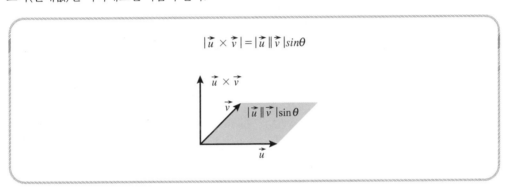

$$|\vec{u} \times \vec{v}| = |\vec{u}||\vec{v}|\sin\theta$$

## ✓ 외적

### i ) 외적의 의미

$\vec{a}$ 와 $\vec{b}$ 를 외적하면 $\vec{a}$ 와 $\vec{b}$ 에 동시에 수직인 $\vec{c}$ 가 나온다.

- **외적의 기호**: $\vec{c} = \vec{a} \times \vec{b}$
- **외적벡터의 크기**: $\vec{a}$ 와 $\vec{b}$ 를 외적한 $\vec{c}$ 벡터의 크기는 $\vec{a}$ 와 $\vec{b}$ 가 이루는 평행사변형의 넓이이다.

$|\vec{c}| = S$

### ii ) 외적하는 법

$\vec{a} = (a_1, b_1, c_1), \vec{b} = (a_2, b_2, c_2)$

$\vec{a} \times \vec{b}$ 를 하기 위해서는 $\begin{vmatrix} \hat{i} & \hat{j} & \hat{k} \\ a_1 & b_1 & c_1 \\ a_2 & b_2 & c_2 \end{vmatrix}$ ←이런 작업이 필요

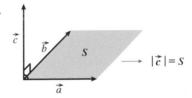

$\hat{j}$ 항에는 ' − '를 달아주어야 함!

$$\rightarrow \vec{a} \times \vec{b} = (\hat{i}(b_1 c_2 - c_1 b_2) - \hat{j}(a_1 c_2 - c_1 a_2) + \hat{k}(a_1 b_2 - b_1 a_2))$$

$\hat{i}$ 열을 지운 뒤 남은 4개의 좌표를
행렬식 계산한듯 계산($\hat{j} \cdot \hat{k}$ 열도 마찬가지)

단위벡터끼리 벡터곱을 연산하면 다음과 같다.

$$a_x \times a_x = 0$$
$$a_y \times a_y = 0$$
$$a_z \times a_z = 0$$

$$a_x \times a_y = a_z$$
$$a_y \times a_z = a_x$$
$$a_z \times a_x = a_y$$

$$a_y \times a_x = -a_z$$
$$a_z \times a_y = -a_x$$
$$a_x \times a_z = -a_y$$

$$i = a_x,\ j = a_y,\ k = a_z \text{로 표현 가능}$$

# 기출문제

## 01

두 벡터가 $A = 2a_x + 4a_y - 3a_z$, $B = a_x - a_y$ 일 때 $A \times B$ 는?

① $6a_x - 3a_y + 3a_z$    ② $-3a_x - 3a_y - 6a_z$

③ $6a_x + 3a_x - 3a_z$    ④ $-3a_x + 3a_y + 6a_z$

**풀이** 벡터의 곱 : $A = 2a_x + 4a_y - 3a_z$, $B = a_x - a_y$

$$A \times B = \begin{vmatrix} i & j & k \\ 2 & 4 & -3 \\ 1 & -1 & 0 \end{vmatrix}$$
$$= i(0 - 3) + -j(0 - (-3)) + k(-2 - 4 \times 1)$$
$$= -3i - 3j - 6k\,[\text{A}]$$

**정답** ②

## 02

벡터 $A = 5r \sin\phi a_z$ 가 원기둥 좌표계로 주어졌다. 점 $(2, \pi, 0)$ 에서의 $\nabla \times A$ 를 구한 값은?

① $5a_r$    ② $-5a_r$

③ $5a_\phi$    ④ $-5a_\phi$

**풀이**
$$\nabla \times A = \frac{1}{r} \begin{vmatrix} a_r & a_\phi r & a_z \\ \frac{\partial}{\partial r} & \frac{\partial}{\partial \phi} & \frac{\partial}{\partial z} \\ A_r & rA_\phi & A_z \end{vmatrix} = \frac{1}{r} \begin{vmatrix} a_r & a_\phi r & a_z \\ \frac{\partial}{\partial r} & \frac{\partial}{\partial \phi} & \frac{\partial}{\partial z} \\ 0 & 0 & 5r\sin\phi \end{vmatrix}$$
$$= \frac{1}{r}\left[\left(\frac{\partial}{\partial \phi}5r\sin\phi - 0\right)a_r - \left(\frac{\partial}{\partial r}5r\sin\phi - 0\right)a_\phi r \right.$$
$$\left. + (0 - 0)a_z\right]$$
$$= \frac{1}{r}(5r\cos\phi a_r - 5r\sin\phi a_\phi)$$
$$= 5\cos\pi a_r - 5\sin\pi a_\phi = -5a_r$$

**정답** ②

# 기출문제

## 03

$-1.2[C]$의 점전하가 $5a_x + 2a_y - 3a_z[m/s]$
인 속도로 운동한다. 이 전하가 $B = -4a_x + 4a_y + 3a_z$
[Wb/m²]인 자계에서 운동하고 있을 때 이 전하에
작용하는 힘은 약 몇 [N]인가?(단, $a_x, a_y, a_z$는
단위벡터이다)

① 10　　　　　　② 20

③ 30　　　　　　④ 40

**풀이** 로렌쯔의 힘

$v = 5a_x + 2a_y - 3a_z[m/s]$

$B = -4a_x + 4a_y + 3a_z[WB/m^2]$

$F = qvB\sin\theta = q|\vec{v} \times \vec{B}|$

$= 1.2 \times \sqrt{18^2 + 3^2 + 28^2} = 40$

$\vec{v} \times \vec{B} = \begin{vmatrix} i & j & k \\ 5 & 2 & -3 \\ -4 & 4 & 3 \end{vmatrix}$

$= i(6+12) - j(15-12) + k(20+8)$

$= 18i - 3j + 28k$

$|\vec{v} \times \vec{B}| = \sqrt{18^2 + 3^2 + 28^2}$

**정답** ④

## 04

전류 분포가 벡터자기포텐셜 $A[Wb/m]$를
발생시킬 때 점 $(-1, 2, 5)m$에서의 자속밀도는?
(단, $A = 2yz^2 a_x + y^2 xa_y + 4xyza_z$ 이다)

① $20a_x - 40a_y + 30a_z$　② $20a_x + 40a_y - 30a_z$

③ $2a_x + 4a_y + 3a_z$　　④ $-20a_x - 46a_z$

**풀이** $B = rotA = \nabla \times A$

$= \begin{vmatrix} a_x & a_y & a_z \\ \frac{\partial}{\partial x} & \frac{\partial}{\partial y} & \frac{\partial}{\partial z} \\ 2yz^2 & y^2x & 4xyz \end{vmatrix}$

$= (4xz - 0)a_x - (4yz - 4yz)a_y + (y^2 - 2z^2)a_z$

$(-1, 2, 5)$ 를 대입하면

$\therefore B = -20a_x - 46a_z$

**정답** ④

## 05

그림과 같이 직각 코일이 $B = 0.05\frac{a_x + a_y}{\sqrt{2}}[T]$
인 자계에 위치하고 있다. 코일에 5[A] 전류가 흐를 때
$Z$축에서의 토크 $[N \cdot m]$는?

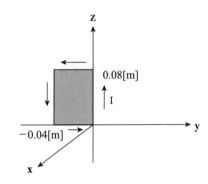

① $2.66 \times 10^{-4} a_x[N \cdot m]$

② $5.66 \times 10^{-4} a_x[N \cdot m]$

③ $2.66 \times 10^{-4} a_z[N \cdot m]$

④ $5.66 \times 10^{-4} a_z[N \cdot m]$

**풀이** 원형전류의 토크는 회전력이므로 눈으로 봐도 Z+축으로 작용한다는 것을 알 수 있다. 따라서 답은 ③과 ④ 중에 있다.

$I = 5a_z, B = \frac{0.05}{\sqrt{2}}(a_x + a_y)$

$I \times B = 5a_z \times \frac{0.05}{\sqrt{2}}(a_x + a_y)$

$= 5 \times \frac{0.05}{\sqrt{2}}(a_z \times a_x + a_z \times a_y)$

$= 0.177(a_y - a_x)$

$z$축상의 전류 도체가 받는 힘

$F = (I \times B)l = -0.177(-a_x + a_y) \times 0.08$

$= 0.01416(-a_x + a_y)[N]$

토크 $T = r \times F$ 이며, $r = 0.04a_y$ 이므로

$T = r \times T = 0.04a_y \times 0.01416(-a_x + a_y)$

$= 5.66 \times 10^{-4}(-a_y \times a_x + a_y \times a_y)$

$= 5.66 \times 10^{-4}[-(-a_z)] = 5.66 \times 10^{-4}a_z[N \cdot m]$

**정답** ④

# 48

# ▽ (델)

## 1. 델의 정의

$$\nabla = \frac{\partial}{\partial x}\vec{i} + \frac{\partial}{\partial y}\vec{j} + \frac{\partial}{\partial z}\vec{k}$$

$i, j, k$ 방향으로 변화율과 방향을 나타냄.

✓ '델'을 '나블라'라고도 함.

## 2. 델과 벡터의 내적

$$div\vec{A} = \nabla \cdot \vec{A}$$
$$\nabla = \left(\frac{\partial}{\partial x}i + \frac{\partial}{\partial y}j + \frac{\partial}{\partial z}k\right)$$
$$\nabla \cdot \nabla = \nabla^2 = \left(\frac{\partial^2}{\partial x^2} + \frac{\partial^2}{\partial y^2} + \frac{\partial^2}{\partial z^2}\right)$$

**직교좌표계**

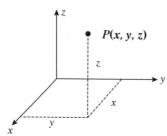

**원통좌표계**

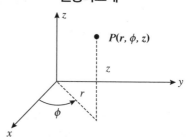

## 3. 델과 직교좌표계 외적

$$\nabla \times \vec{A} = rot\vec{A} = curl\vec{A}$$

$$\nabla \times \vec{A} = \begin{vmatrix} i & j & k \\ \frac{\partial}{\partial x} & \frac{\partial}{\partial y} & \frac{\partial}{\partial z} \\ A_x & A_y & A_z \end{vmatrix} = \left[\frac{\partial A_z}{\partial y} - \frac{\partial A_y}{\partial z}\right]i - \left[\frac{\partial A_z}{\partial x} - \frac{\partial A_x}{\partial z}\right]j + \left[\frac{\partial A_y}{\partial x} - \frac{\partial A_x}{\partial y}\right]k$$

## 4. 델과 원통좌표계 외적

$$\nabla \times \vec{A} = \frac{1}{r}\begin{vmatrix} a_r & a_\phi r & a_z \\ \frac{\partial}{\partial r} & \frac{\partial}{\partial \phi} & \frac{\partial}{\partial z} \\ A_r & rA_\phi & A_z \end{vmatrix}$$

## 01

진공 중의 전계강도 $E = ix + jy + kz$ 로 표시될 때 반지름 10[m]의 구면을 통해 나오는 전체 전속은 약 몇 [C]인가?

① $1.1 \times 10^{-7}$  ② $2.1 \times 10^{-7}$

③ $3.2 \times 10^{-7}$  ④ $5.1 \times 10^{-7}$

**풀이** 가우스 정리의 미분형을 이용하면 $divE = \dfrac{\rho}{\varepsilon_0}$

여기서 $\rho$는 체적전하밀도이므로

$\rho = \dfrac{Q}{v} = \dfrac{Q}{\frac{4}{3}\pi r^3}$ [C/m³] 이고 $divE = \nabla \cdot E$

$= \dfrac{\partial x}{\partial x} + \dfrac{\partial y}{\partial y} + \dfrac{\partial z}{\partial z} = 1 + 1 + 1 = 3$ 이다.

그러므로 $divE = \dfrac{\rho}{\varepsilon_0} = \dfrac{\frac{Q}{v}}{\varepsilon_0}$

$Q = divE \times v \times \varepsilon_0 = divE \times \dfrac{4}{3}\pi r^3 \times \varepsilon_0$

$= 3 \times \dfrac{4}{3}\pi \times 10^3 \times 8.855 \times 10^{-12}$

$= 1.1 \times 10^{-7}$ [C]

정답 ①

## 02

전속밀도가 $D = e^{-2y}(a_x \sin 2x + a_y \cos 2x)$ [C/m²]일 때 전속의 단위 체적당 발산량[C/m³]은?

① $2e^{-2y}\cos 2x$  ② $4e^{-2y}\cos 2x$

③ 0  ④ $2e^{-2y}(\sin 2x + \cos 2x)$

**풀이** $divD = \nabla \cdot D = \left(a_x \dfrac{d}{dx} + a_y \dfrac{d}{dy} + a_z \dfrac{d}{dx}\right)D$

$= \dfrac{d}{dx}e^{-2y} \cdot \sin 2x + \dfrac{d}{dy}e^{-2y}\cos 2x$

$= e^{-2y} \cdot 2 \cdot \cos 2x + (-2)e^{-2y} \cdot \cos 2x = 0$

정답 ③

## 03

**벡터포텐셜**

$A = 3x^2 y a_x + 2x a_y - z^3 a_z$ [Wb/m]일 때의 자계의 세기 $H[A/m]$는?(단, $\mu$ 는 투자율이라 한다)

① $\dfrac{1}{\mu}(2 - 3x^2)a_y$  ② $\dfrac{1}{\mu}(3 - 2x^2)a_y$

③ $\dfrac{1}{\mu}(2 - 3x^2)a_z$  ④ $\dfrac{1}{\mu}(3 - 2x^2)a_z$

**풀이** 자속밀도: $B = \mu H$, $B = rotA = \nabla \times A$

자계의 세기: $H = \dfrac{1}{\mu}(\nabla \times A)$

$\nabla \times A = \begin{vmatrix} i & j & k \\ \frac{\partial}{\partial x} & \frac{\partial}{\partial y} & \frac{\partial}{\partial z} \\ 3x^2y & 2x & -z^3 \end{vmatrix} = \left[\dfrac{\partial}{\partial x}(2x) - \dfrac{\partial}{\partial y}(3x^2y)\right]k$

$= (2 - 3x^2)k = (2 - 3x^2)a_z$

$B = (2 - 3x^2)a_z$ 와 $B = \mu H$ 의 관계식에서

자계의 세기 $H = \dfrac{B}{\mu} = \dfrac{\nabla \times A}{\mu} = \dfrac{1}{\mu}(2 - 3x^2)a_z$

정답 ③

## 04

자계의 세기 $H = xy a_y - xz a_z$ [A/m]일 때, 점(2, 3, 5)에서 전류밀도는 몇 [A/m²]인가?

① $3a_x + 5a_y$  ② $3a_y + 3a_z$

③ $5a_x + 3a_z$  ④ $5a_y + 3a_z$

**풀이** 암페어의 주회법칙: $\int H \cdot dl = i$ 전류 [A]

$i = J \cdot ds \rightarrow J$ 전류밀도[A/m²]

$\int_C H \cdot dl = \int rotH \cdot ds = J \cdot ds$  $\therefore rotH = J$

전류밀도: $J = rotH = \nabla \times H$

$\begin{vmatrix} a_x & a_y & a_z \\ \frac{\partial}{\partial x} & \frac{\partial}{\partial y} & \frac{\partial}{\partial z} \\ H_x & H_y & H_z \end{vmatrix} = \begin{vmatrix} a_x & a_y & a_z \\ \frac{\partial}{\partial x} & \frac{\partial}{\partial y} & \frac{\partial}{\partial z} \\ 0 & xy & -xz \end{vmatrix} = za_y + ya_z$

$x = 2, y = 3, z = 5$

그러므로 전류밀도: $J = 5a_y + 3a_z$ [A/m²]

정답 ④

**05** 전류 분포가 벡터자기포텐셜 $A$[WB/m]를 발생시킬 때 점 $(-1, 2, 5)m$에서의 자속밀도는?

(단, $A = 2yz^2 a_x + y^2 x a_y + 4xyz a_z$이다)

① $20a_x - 40a_y + 30a_z$  　② $20a_x + 40a_y - 30a_z$

③ $2a_x + 4a_y + 3a_z$  　④ $-20a_x - 46a_z$

**풀이** $B = rot A = \nabla \times A$

$$= \begin{vmatrix} a_x & a_y & a_z \\ \frac{\partial}{\partial x} & \frac{\partial}{\partial y} & \frac{\partial}{\partial z} \\ 2yz^2 & y^2 x & 4xyz \end{vmatrix}$$

$$= (4xz - 0)a_x - (4yz - 4yz)a_y + (y^2 - 2z^2)a_z$$

$(-1, 2, 5)$를 대입하면

$$\therefore B = -20a_x - 46a_z$$

정답 ④

**06** 벡터 $A = 5r\sin\phi a_z$가 원기둥 좌표계로 주어졌다. 점 $(2, \pi, 0)$에서의 $\nabla \times A$를 구한 값은?

① $5a_r$  　② $-5a_r$

③ $5a_\phi$  　④ $-5a_\phi$

**풀이** $\nabla \times A$

$$= \frac{1}{r}\begin{vmatrix} a_r & a_\phi r & a_z \\ \frac{\partial}{\partial r} & \frac{\partial}{\partial \phi} & \frac{\partial}{\partial z} \\ A_r & rA_\phi & A_z \end{vmatrix} = \frac{1}{r}\begin{vmatrix} a_r & a_\phi r & a_z \\ \frac{\partial}{\partial r} & \frac{\partial}{\partial \phi} & \frac{\partial}{\partial z} \\ 0 & 0 & 5r\sin\phi \end{vmatrix}$$

$$= \frac{1}{r}\left[\left(\frac{\partial}{\partial \phi}5r\sin\phi - 0\right)a_r - \left(\frac{\partial}{\partial r}5r\sin\phi - 0\right)ra_\phi + (0-0)a_z\right]$$

$$= \frac{1}{r}(5r\cos\phi a_r - 5r\sin\phi a_\phi) = 5\cos\pi a_r - 5\sin\pi a_\phi$$

$$= -5a_r$$

정답 ②

**07** 벡터 $A = 5e^{-r}\cos\phi a_r - 5\cos\phi a_z$가 원통좌표계로 주어졌다. 점 $\left(2, \frac{3\pi}{2}, 0\right)$에서의 $\nabla \times A$를 구하였다. $a_z$ 방향의 계수는?

① 2.5  　② -2.5

③ 0.34  　④ -0.34

**풀이** $A = 5e^{-r}\cos\phi a_r - 5\cos\phi a_z$

$$\nabla \times A = \frac{1}{r}\begin{vmatrix} a_r & a_\phi r & a_z \\ \frac{\partial}{\partial r} & \frac{\partial}{\partial \phi} & \frac{\partial}{\partial z} \\ A_r & rA_\phi & A_z \end{vmatrix}$$

$$= \frac{1}{r}\begin{vmatrix} a_r & a_\phi r & a_z \\ \frac{\partial}{\partial r} & \frac{\partial}{\partial \phi} & \frac{\partial}{\partial z} \\ 5e^{-r}\cos\phi & 0 & -5\cos\phi \end{vmatrix}$$

$$= \frac{1}{r}\left[\left\{\frac{\partial}{\partial \phi}(-5\cos\phi) - 0\right\}a_r\right.$$
$$-\left\{\frac{\partial}{\partial z}(-5\cos\phi) - \frac{\partial}{\partial z}(5e^{-r}\cos\phi)\right\}a_\phi r$$
$$\left.+\left\{0 - \frac{\partial}{\partial \phi}(5e^{-r}\cos\phi)\right\}a_z\right]$$

$$= \frac{1}{r}(5\sin\phi a_r + 5e^{-r}\sin\phi a_z)$$

$$\therefore a_z의 계수: \frac{1}{r}5e^{-r}\sin\phi = \frac{1}{2}5e^{-2}\sin\frac{3}{2}\pi \fallingdotseq -0.34$$

정답 ④

# 49 라플라스 기초

## 1. 라플라스 정의

> 미분 방정식을 쉽게 풀기 위한 도구

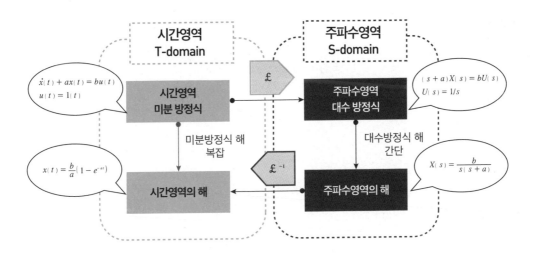

라플라스 변환은 실수 $t$에 대한 함수 $f(t)$(전기전자공학에서 $t$는 시간이다)를 복소수 $s = \sigma + j\omega$ 에 대한 함수 $F(s)$로 변환하는 것으로

$$F(s) = \pounds\{f(t)\} = \int_0^\infty e^{-st}f(t)\mathrm{d}t$$

라플라스 역변환은 다음과 같이 나타낸다.

$$f(t) = \pounds^{-1}\{F(s)\}$$

## 2. 라플라스 공식

| $f(t)$ | 1 | $u(t)$ | $\delta(t)$ | $u(t-a)$ | $t$ | $t^n$ | $e^{at}$ | $\sin(at)$ | $\cos(at)$ |
|---|---|---|---|---|---|---|---|---|---|
| $F(s) = £\{F(t)\}$ | $\dfrac{1}{s}$ | $\dfrac{1}{s}$ | 1 | $\dfrac{1}{s}e^{-as}$ | $\dfrac{1}{s^2}$ | $\dfrac{n!}{s^{n+1}}$ | $\dfrac{1}{s-a}$ | $\dfrac{a}{s^2+a^2}$ | $\dfrac{s}{s^2+a^2}$ |

## 3. 라플라스의 성질

### 1) 선형성

임의의 상수 $c_1$, $c_2$에 대하여 $£\{c_1f_1(t)+c_2f_2(t)\} = c_1£\{f_1(t)\}+c_2£\{f_2(t)\}$

### 2) 이동

$$£\{f(t-a)u(t-a)\} = F(s)e^{-as}$$
$$£\{e^{at}f(t)\} = F(s-a)$$

✓ $£\{1\cdot u(t-a)\} = \dfrac{1}{s}e^{-as}$

### 기본문제

## 01

(1) $£[3u(t)]$

(2) $£[2e^{-t}]$

(3) $£[e^{3t}]$

(4) $£[e^{-4t}]$

(5) $£[u(t-3)]$

(6) $£[u(t-a)]$

(7) $£[u(t-a)-u(t-b)]$

(8) $£[e^{-t}+2e^{-2t}]$

(9) $£[t]$

(10) $£[at^2]$

(11) $£^{-1}\left[\dfrac{3}{s^2+3^2}\right]$

(12) $£^{-1}\left[\dfrac{s}{s^2+5^2}\right]$

(13) $£^{-1}\left[\dfrac{8}{s^2+64}\right]$

(14) $£^{-1}\left[\dfrac{2}{s^2+4}\right]$

(15) $£^{-1}\left[\dfrac{s}{s^2+16}\right]$

(16) $£^{-1}\left[\dfrac{2}{(s+1)^2+2^2}\right]$

(17) $£^{-1}\left[\dfrac{s+1}{(s+1)^2+2^2}\right]$

## 01

㉠ $£[\sin at]$ 및 ㉡ $£[\cos \omega t]$를 구하면?

① ㉠ $\dfrac{a}{s+a}$      ㉡ $\dfrac{s}{s+\omega}$

② ㉠ $\dfrac{1}{s^2+a^2}$      ㉡ $\dfrac{s}{s+\omega}$

③ ㉠ $\dfrac{a}{s^2+a^2}$      ㉡ $\dfrac{s}{s^2+\omega^2}$

④ ㉠ $\dfrac{1}{s+a}$      ㉡ $\dfrac{1}{s-\omega}$

**풀이** ㉠ $£[\sin at]=\dfrac{a}{s^2+a^2}$

㉡ $£[\cos \omega t]=\dfrac{s}{s^2+\omega^2}$

**정답** ③

## 02

$f(t)=3u(t)+2e^{-t}$인 시간함수를 라플라스 변환한 것은?

① $\dfrac{3s}{s^2+1}$      ② $\dfrac{s+3}{s(s+1)}$

③ $\dfrac{5s+3}{s(s+1)}$      ④ $\dfrac{5s+1}{(s+1)s^2}$

**풀이** $£[3u(t)+2e^{-t}]=\dfrac{3}{s}+2\dfrac{1}{s+1}=\dfrac{3(s+1)+2s}{s(s+1)}$

$=\dfrac{5s+3}{s(s+1)}$

**정답** ③

## 03

$£[u(t-a)]$는 어느 것인가?

① $\dfrac{e^{as}}{s^2}$      ② $\dfrac{e^{-as}}{s^2}$

③ $\dfrac{e^{as}}{s}$      ④ $\dfrac{e^{-as}}{s}$

**풀이** $£[u(t-a)]=\dfrac{1}{s}e^{-as}$

**정답** ④

## 04

$f(t)=u(t-a)-u(t-b)$의 라플라스 변환은?

① $\dfrac{1}{s}(e^{-as}-e^{-bs})$      ② $\dfrac{1}{s}(e^{as}+e^{bs})$

③ $\dfrac{1}{s^2}(e^{-as}-e^{-bs})$      ④ $\dfrac{1}{s^2}(e^{as}+e^{bs})$

**풀이** $f(t)=u(t-a)-u(t-b)$

$F(s)=\dfrac{1}{s}e^{-as}-\dfrac{1}{s}e^{-bs}=\dfrac{1}{s}(e^{-as}-e^{-bs})$

**정답** ①

**05** 그림과 같은 구형파의 라플라스 변환은?

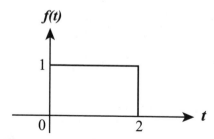

① $\dfrac{1}{s}(1 - e^{-s})$      ② $\dfrac{1}{s}(1 + e^{-s})$

③ $\dfrac{1}{s}(1 - e^{-2s})$      ④ $\dfrac{1}{s}(1 + e^{-2s})$

**풀이** $f(t) = u(t) - u(t-2)$
$$F(s) = \frac{1}{s} - \frac{1}{s}e^{-2s} = \frac{1}{s}(1 - e^{-2s})$$

**정답** ③

**06** 어느 회로망의 응답 $h(t) = (e^{-t} + 2e^{-2t})u(t)$ 의 라플라스 변환은?

① $\dfrac{3s + 4}{(s + 1)(s + 2)}$      ② $\dfrac{3s}{(s - 1)(s - 2)}$

③ $\dfrac{3s + 2}{(s + 1)(s + 2)}$      ④ $\dfrac{-s - 4}{(s - 1)(s - 2)}$

**풀이** $(e^{-t} + 2e^{-2t})u(t) = e^{-t} + 2e^{-2t}$ 이므로
이를 라플라스 변환하면
$$\pounds[e^{-t} + 2e^{-2t}] = \frac{1}{s + 1} + 2\frac{1}{s + 2} = \frac{s + 2 + 2(s + 1)}{(s + 1)(s + 2)}$$
$$= \frac{3s + 4}{(s + 1)(s + 2)}$$

**정답** ①

**07** $F(s) = \dfrac{s + 1}{s^2 + 2s}$ 의 역라플라스 변환은?

① $\dfrac{1}{2}(1 - e^{-t})$      ② $\dfrac{1}{2}(1 - e^{-2t})$

③ $\dfrac{1}{2}(1 + e^{t})$      ④ $\dfrac{1}{2}(1 + e^{-2t})$

**풀이** 역라플라스 변환 : $F(s) = \dfrac{s + 1}{s^2 + 2s} = \dfrac{k_1}{s} + \dfrac{k_2}{s + 2}$

인수분해를 하고 $\dfrac{s + 1}{s(s + 2)}$, 좌변에 $s$를 가리고 0을

넣어 $k_1$ 을 구한다.

$$k_1 = \frac{1}{2}$$

좌변에 $s + 2$를 가리고 $-2$를 넣어 $k_2$ 를 구한다.

$$k_2 = \frac{-2 + 1}{-2} = \frac{1}{2}$$
$$\therefore F(s) = \frac{1}{2}\left(\frac{1}{s} + \frac{1}{s + 2}\right)$$
$$f(t) = \frac{1}{2}(1 + e^{-2t})$$

**정답** ④

**08** 다음 함수 $F(s) = \dfrac{5s + 3}{s(s + 1)}$ 의 역라플라스 변환은?

① $2 + 3e^{t}$      ② $3 + 2e^{-t}$

③ $3 - 2e^{-t}$      ④ $2 - 3e^{-t}$

**풀이** 라플라스 역변환
$$F(s) = \frac{5s + 3}{s(s + 1)} = \frac{k_1}{s} + \frac{k_2}{s + 1}$$
$$k_1 = F(s) \times s \mid_{s=0} = \frac{3}{1} = 3$$
$$k_2 = F(s) \times (s + 1) \mid_{s=-1} = \frac{-5 + 3}{-1} = 2$$
$$f(t) = 3 + 2e^{-t}$$

**정답** ②

**09** $\dfrac{1}{s+3}$ 을 역 라플라스 변환하면?

① $e^{3t}$  　　　　② $e^{-3t}$

③ $e^{\frac{t}{3}}$  　　　　④ $e^{-\frac{t}{3}}$

**풀이** $F(s) = \dfrac{1}{s+3} \Rightarrow f(t) = e^{-3t}$

**정답** ②

**11** $f(t) = At^2$의 라플라스 변환은?

① $\dfrac{A}{S^2}$  　　　　② $\dfrac{2A}{S^2}$

③ $\dfrac{A}{S^3}$  　　　　④ $\dfrac{2A}{S^3}$

**풀이** $£[At^2] = A \cdot \dfrac{2!}{S^{(2+1)}} = A \cdot \dfrac{2}{S^3}$

$(3! = 3 \times 2 \times 1,\ 2! = 2 \times 1)$

**정답** ④

**10** $\dfrac{1}{s^2+2s+5}$ 의 라플라스 역변환 값은?

① $e^{-2t}\cos 2t$  　　　　② $\dfrac{1}{2}e^{-t}\sin t$

③ $\dfrac{1}{2}e^{-t}\sin 2t$  　　　　④ $\dfrac{1}{2}e^{-t}\cos 2t$

**풀이** $\dfrac{1}{s^2+2s+5} = \dfrac{1}{s^2+2s+1+4} = \dfrac{1}{(s+1)^2+2^2}$

$\qquad = \dfrac{1}{2} \times \dfrac{2}{(s+1)^2+2^2}$

시간함수 $\sin \omega t$로 변환한다.

$f(t) = \dfrac{1}{2}e^{-t}\sin 2t$

**정답** ③

(1)   $\pounds\,[3u(t)] = \dfrac{3}{s}$    정답   $\dfrac{3}{s}$

(2)   $\pounds\,[2e^{-t}] = 2\dfrac{1}{s+1}$    정답   $2\dfrac{1}{s+1}$

(3)   $\pounds\,[e^{3t}] = \dfrac{1}{s-3}$    정답   $\dfrac{1}{s-3}$

(4)   $\pounds\,[e^{-4t}] = \dfrac{1}{s+4}$    정답   $\dfrac{1}{s+4}$

(5)   $\pounds\,[u(t-3)] = \dfrac{1}{s}e^{-3s}$    정답   $\dfrac{1}{s}e^{-3s}$

(6)   $\pounds\,[u(t-a)] = \dfrac{1}{s}e^{-as}$    정답   $\dfrac{1}{s}e^{-as}$

(7)   $u(t-a) - u(t-b) = \dfrac{1}{s}e^{-as} - \dfrac{1}{s}e^{-bs} = \dfrac{1}{s}(e^{-as} - e^{-bs})$    정답   $\dfrac{1}{s}(e^{-as} - e^{-bs})$

(8)   $\pounds\,[e^{-t} + 2e^{-2t}] = \dfrac{1}{s+1} + 2\dfrac{1}{s+2} = \dfrac{s+2+2(s+1)}{(s+1)(s+2)} = \dfrac{3s+4}{(s+1)(s+2)}$    정답   $\dfrac{3s+4}{(s+1)(s+2)}$

(9)   $\pounds\,[t] = \dfrac{1}{s^2}$    정답   $\dfrac{1}{s^2}$

(10)   $\pounds\,[at^2] = a \times \dfrac{2!}{s^3}$    $\left(\dfrac{n!}{s^{n+1}}\right)$    정답   $a \times \dfrac{2!}{s^3}$

(11)   $\pounds^{-1}\left[\dfrac{3}{s^2+3^2}\right] = \sin(3t)$    $\left(\dfrac{a}{s^2+a^2}\right)$    정답   $\sin(3t)$

(12)   $\pounds^{-1}\left[\dfrac{s}{s^2+5^2}\right] = \cos(5t)$    $\left(\dfrac{s}{s^2+a^2}\right)$    정답   $\cos(5t)$

(13)   $\pounds^{-1}\left[\dfrac{8}{s^2+64}\right] = \sin(8t)$    $\left(\dfrac{a}{s^2+a^2}\right)$    정답   $\sin(8t)$

(14)   $\pounds^{-1}\left[\dfrac{2}{s^2+4}\right] = \sin(2t)$    $\left(\dfrac{a}{s^2+a^2}\right)$    정답   $\sin(2t)$

(15)   $\pounds^{-1}\left[\dfrac{s}{s^2+16}\right] = \cos(4t)$    $\left(\dfrac{s}{s^2+a^2}\right)$    정답   $\cos(4t)$

(16)   $\pounds^{-1}\left[\dfrac{2}{(s+1)^2+2^2}\right] = e^{-t}\sin(2t)$    $\left(\dfrac{a}{s^2+a^2}\right)$    정답   $e^{-t}\sin(2t)$

(17)   $\pounds^{-1}\left[\dfrac{s+1}{(s+1)^2+2^2}\right] = e^{-t}\cos(2t)$    $\left(\dfrac{s}{s^2+a^2}\right)$    정답   $e^{-t}\cos(2t)$

# 라플라스 심화

## 1. 라플라스의 미적분

- 미분: $s$를 곱한다.

$$\pounds\{f'(t)\} = s\pounds\{f(t)\} - f(0)$$

- 적분: $s$로 나눈다.

$$\pounds\left\{\int_0^t f(x)\,\mathrm{d}x\right\} = \frac{1}{s}\pounds\{f(t)\}$$

## 2. 라플라스 초기값, 최종값 정리

### (1) 초기값 정리(Initial Value Theorem)

$$\lim_{t \to 0} f(t) = \lim_{s \to \infty} sF(s)$$

### (2) 최종값 정리의 원리(Final Value Theorem = Steady State의 값)

$$\lim_{t \to \infty} f(t) = \lim_{s \to 0} sF(s)$$

## 3. 실미분 정리

$$\pounds\left[\frac{d}{dt}f(t)\right] = sF(s) - f(0_+)$$

## 4. 복소추이 정리

$$\pounds\left[e^{\mp at}f(t)\right] = F(s \pm a)$$

## 기출문제

### *01*

$F(s) = \dfrac{5s + 3}{s(s + 1)}$ 일 때 $f(t)$의 최종값은?

① 3            ② $-3$

③ 5            ④ $-5$

**풀이** 최종값 정리

$$F(s) = \frac{5s + 3}{s(s + 1)}$$
$$\lim_{t \to \infty} f(t) = \lim_{s \to 0} sF(s) = \frac{3}{1} = 3$$

**정답** ①

### *02*

$F(s) = \dfrac{3s + 10}{s^3 + 2s^2 + 5s}$ 일 때 $f(t)$의 최종값은?

① 0            ② 1

③ 2            ④ 3

**풀이** $F(s) = \dfrac{3s + 10}{s^3 + 2s^2 + 5s}$

$$\lim_{t \to \infty} f(t) = \lim_{s \to 0} s \cdot F(s) = \frac{10}{5} = 2$$

**정답** ③

### *03*

시간지연요인을 포함한 어떤 특정계가 다음 미분방정식 $\dfrac{dy(t)}{dt} + y(t) = x(t - T)$ 로 표현된다.

$x(t)$를 입력, $y(t)$를 출력이라 할 때 이 계의 전달함수는?

① $\dfrac{e^{-sT}}{s + 1}$            ② $\dfrac{s + 1}{e^{-sT}}$

③ $\dfrac{e^{sT}}{s - 1}$            ④ $\dfrac{e^{-2sT}}{s + 2}$

**풀이** $\dfrac{dy(t)}{dt} + y(t) = x(t - T)$

$$sY(s) + Y(s) = X(s)e^{-sT}$$
$$(s + 1)Y(s) = X(s)e^{-sT}$$
$$G(s) = \frac{Y(s)}{X(s)} = \frac{e^{-sT}}{s + 1}$$

**정답** ①

# 기출문제

**04** $\dfrac{E_o(s)}{E_i(s)} = \dfrac{1}{s^2 + 3s + 1}$ 의 전달함수를

미분방정식으로 표시하면?(단, $£^{-1}[E_o(s)] = e_o(t)$, $£^{-1}[E_i(s)] = e_i(t)$ 이다)

① $\dfrac{d^2}{dt^2}e_i(t) + 3\dfrac{d}{dt}e_i(t) + e_i(t) = e_o(t)$

② $\dfrac{d^2}{dt^2}e_o(t) + 3\dfrac{d}{dt}e_o(t) + e_o(t) = e_i(t)$

③ $\dfrac{d^2}{dt^2}e_i(t) + 3\dfrac{d}{dt}e_i(t) + \int e_i(t)dt = e_o(t)$

④ $\dfrac{d^2}{dt^2}e_o(t) + 3\dfrac{d}{dt}e_o(t)\int eo_{(t)}dt = e_i(t)$

**풀이** $(s^2 + 3s + 1)E_0(s) = E_i(s)$

$s^2 E_0(s) + 3sE_0(s) + E_0(s) = E_i(s)$

$\dfrac{d^2}{dt^2}e_o(t) + 3\dfrac{d}{dt}e_o(t) + e_o(t) = e_i(t)$

**정답** ②

**05** 다음 방정식에서 $\dfrac{X_3(s)}{X_1(s)}$ 를 구하면?

$$x_2(t) = \frac{d}{dt}x_1(t)$$
$$x_3(t) = x_2(t) + 3\int x_3(t)dt + 2\frac{d}{dt}x_2(t) - 2x_1(t)$$

① $\dfrac{s(2s^2 + s - 2)}{s - 3}$

② $\dfrac{s(2s^2 - s - 2)}{s - 3}$

③ $\dfrac{s(2s^2 + s + 2)}{s - 3}$

④ $\dfrac{(2s^2 + s + 2)}{s - 3}$

**풀이** $x_2(t) = \dfrac{dx_1(t)}{dt}$

$x_3(t) = x_2(t) + 3\int x_3(t)dt + 2\dfrac{dx_2(t)}{dt} - 2x_1(t)$

$X_2(s) = s \cdot X_1(s)$

$X_3(s) = X_2(s) + \dfrac{3}{s} \cdot X_3(s) + 2 \cdot s \cdot X_2(s) - 2 \cdot X_1(s)$

$X_3(s) = s \cdot X_1(s) + \dfrac{3}{s}X_3(s) + 2s \cdot s \cdot X_1(s) - 2X_1(s)$

$X_3(s) - \dfrac{3}{s} \cdot X_3(s) = (2s_2 + s - 2) \cdot X_1(s)$

$\left(1 - \dfrac{3}{s}\right) \cdot X_3(s) = (2s^2 + s - 2) \cdot X_1(s)$

$\dfrac{X_3(s)}{X_1(s)} = \dfrac{2s^2 + s - 2}{1 - \dfrac{3}{s}} = \dfrac{s(2s^2 + s - 2)}{s - 3}$

라플라스 적분 $£\left\{\int_0^t f(x)dx\right\} = \dfrac{1}{s} £\{f(t)\}$

**정답** ①

**06** $e_i(t) = Ri(t) + L\frac{di}{dt}(t) + \frac{1}{C}\int i(t)\,dt$ 에서 모든 초깃값을 0으로 하고 라플라스 변환할 때 $I(s)$는? (단, $I(s)$, $E_i(s)$는 $i(t)$, $e_i(t)$의 라플라스 변환이다)

① $\dfrac{Cs}{LCs^2 + RCs + 1}E_i(s)$ ② $\dfrac{1}{R + LS + \frac{s}{C}}E_i(s)$

③ $\dfrac{1}{R + Ls + Cs^2}E_i(s)$ ④ $\left(R + Ls + \frac{1}{Cs}\right)E_i(s)$

**풀이** $e_i(t) = Ri(t) + L\frac{di(t)}{dt} + \frac{1}{C}\int i(t)\,dt$

$E_i(s) = RI(s) + LsI(s) + \frac{1}{C}\frac{1}{s}I(s)$

$= \left(R + Ls + \frac{1}{Cs}\right)I(s)$

$I(s) = \dfrac{1}{R + Ls + \frac{1}{Cs}}E_i(s) = \dfrac{Cs}{LCs^2 + RCs + 1}E(s)$

**정답** ①

**07** $f(t) = \frac{d}{dt}\cos\omega t$ 를 라플라스 변환하면?

① $\dfrac{\omega^2}{s^2 + \omega^2}$ ② $\dfrac{-s^2}{s^2 + \omega^2}$

③ $\dfrac{s}{s^2 + \omega^2}$ ④ $\dfrac{-\omega^2}{s^2 + \omega^2}$

**풀이** $\pounds\left[\frac{d}{dt}f(t)\right] = s \cdot F(s) - f(0)$

$\pounds\left[\frac{d}{dt}\cos\omega t\right] = s \cdot \frac{s}{s^2 + \omega^2} - 1 = \frac{-\omega^2}{s^2 + \omega^2}$

**정답** ④

**08** $\frac{dx(t)}{dt} + x(t) = 1$ 의 라플라스 변환 $X(s)$의 값은?(단, $x(0) = 0$이다)

① $s + 1$ ② $s(s+1)$

③ $\dfrac{1}{s}(s+1)$ ④ $\dfrac{1}{s(s+1)}$

**풀이** $\frac{dx(t)}{dt} + x(t) = 1$

$sX(s) + X(s) = \frac{1}{s}$

$(s+1)X(s) = \frac{1}{s}$

$X(s) = \frac{1}{s(s+1)}$

**정답** ④

**09** $F(s) = \dfrac{5s+3}{s(s+1)}$ 일 때 $f(t)$의 정상값은?

① 5 ② 3
③ 1 ④ 0

**풀이** 최종값 정리

$\lim_{t\to\infty}f(t) = \lim_{s\to0}sF(s) = \lim_{s\to0}s\cdot\frac{5s+3}{s(s+1)} = \frac{3}{1} = 3$

**정답** ②

**10** 다음과 같은 전류의 초기값 $I(0_+)$은?

$$I(s) = \frac{12}{2s(s+6)}$$

① 6 ② 2
③ 1 ④ 0

**풀이** 초기값정리를 이용하면 $s$가 ∞이므로

$\lim_{t\to0}i(t) = \lim_{s\to\infty}sI(s) = \lim_{s\to\infty}s\frac{12}{2s(s+6)}$

$= \lim_{s\to\infty}\frac{12}{2(s+6)} = 0$

**정답** ④

**11** $f(t)$와 $\dfrac{df}{dt}$ 는 라플라스 변환이 가능하며 $\pounds[f(t)]$를 $F(t)$라고 할 때 최종값 정리는?

① $\lim\limits_{s \to 0} F(s)$  　　　　② $\lim\limits_{s \to \infty} sF(s)$

③ $\lim\limits_{s \to \infty} F(s)$  　　　　④ $\lim\limits_{s \to 0} sF(s)$

**풀이** 최종값(정상값) 정리

$$f(\infty) = \lim_{t \to \infty} f(t) = \lim_{s \to 0} sF(s)$$

**정답** ④

**12** $f(t) = te^{-at}$의 라플라스 변환은?

① $\dfrac{2}{(s-a)^2}$  　　　　② $\dfrac{1}{s(s+a)}$

③ $\dfrac{1}{(s+a)^2}$  　　　　④ $\dfrac{1}{s+a}$

**풀이** 복소추이 정리 $\pounds[f(t)e^{\mp at}] = F(s)|_{s = s \pm a \text{ 대입}}$ 이므로

$$\pounds[te^{-at}] = \frac{1}{s^2}\bigg|_{s = s+a \text{ 대입}} = \frac{1}{(s+a)^2}$$

**정답** ③

# 박 상 신

## | 약력 및 경력

- 고려대학교 서울캠퍼스 전기전자공학부 학사
- 연세대학교 서울캠퍼스 전기전자공학부 석사
- 유튜브 채널 '엔지니오 by 연고맨' 운영
- 現 (주)이지일렉트릭 대표이사
- 現 엔지니오 운영자
- 前 대한민국 공군 대위

# 유튜버 연고맨의 전투수학

**발행일**   2023년 6월 30일(4쇄)

**편저자**   박상신

**발행인**   최진만

**발행처**   인성재단(종이향기)

**편집디자인**   박주희

**표지디자인**   홍현애

※ 낙장이나 파본은 교환해 드립니다.
※ 이 책의 무단 전제 또는 복제행위는 저작권법 제136조에 의거하여 처벌을 받게 됩니다.

**정 가**   30,000원

**ISBN**   919 - 11 - 91292 - 61 - 9(13370)